HIRTENWORTE
ZU KRIEG UND FRIEDEN

HIRTENWORTE
ZU KRIEG UND FRIEDEN

**Die Texte der katholischen Bischöfe
der Bundesrepublik Deutschland,
der Deutschen Demokratischen Republik,
Österreichs, der Schweiz, Ungarns,
der Niederlande und
der Vereinigten Staaten von Amerika.**

Büchergilde Gutenberg

Lizenzausgabe für die Büchergilde Gutenberg,
Frankfurt am Main, Olten, Wien,
mit Genehmigung des Verlages
Kiepenheuer & Witsch, Köln

Übersetzung der Hirtenworte der amerikanischen Bischöfe:
Deutsche Bischofskonferenz
Umschlag Günter Stiller, Taunusstein
Gesamtherstellung Clausen & Bosse, Leck
ISBN 3 7632 2840 3

Inhalt

Bundesrepublik Deutschland

Deutsche Demokratische Republik

Österreich

Schweiz

Ungarn

Vereinigte Staaten von Amerika

Niederlande

Vorbemerkung

Insgesamt rund einhundert Millionen Katholiken leben in der Bundesrepublik Deutschland, der Deutschen Demokratischen Republik, in den Niederlanden, in Österreich, der Schweiz, Ungarn und in den Vereinigten Staaten von Amerika. Die Hirtenworte der Bischöfe in diesen Ländern sind für die Gläubigen ›Belehrung und Ermahnung‹ – Richtlinien in Gewissensfragen. Die hier abgedruckten Hirtenworte dokumentieren die Stellung der katholischen Kirche zu Krieg und Frieden in einer Zeit der Hochrüstung und permanenten Bedrohung der Menschheit durch möglichen Einsatz von Atomwaffen.

Seit der Veröffentlichung der ersten Fassung des ›Pastoral Letter‹ der Bischöfe der Vereinigten Staaten von Amerika Ende 1982 reißt die Diskussion um dieses Dokument in der Öffentlichkeit nicht ab. Die amerikanischen Bischöfe haben weitere Fassungen vorgelegt; die Bischöfe der Bundesrepublik Deutschland, der Deutschen Demokratischen Republik, Österreichs, der Schweiz, Ungarns und – im Frühsommer 1983 – der Niederlande folgten mit eigenen Texten.

Die Hirtenworte sind hier in ihrem vollständigen Wortlaut wiedergegeben. Absicht des Verlages ist es, damit den Gläubigen innerhalb der katholischen Kirche und all denen, die die katholische Kirche als eine Autorität des öffentlichen Lebens anerkennen oder sich mit ihrer Meinung auseinandersetzen, die Möglichkeit zu geben, diese Dokumente in die Diskussion um Krieg und Frieden einzuschließen, die Widersprüche und nationalen Unterschiede hervorzuheben und das Gespräch weiterzuführen.

Gerechtigkeit schafft Frieden

Wort der Deutschen Bischofskonferenz zum Frieden
18. April 1983

1. Einleitung

Das Evangelium des Friedens ist ein biblischer Name für die Botschaft Jesu Christi. Wenn wir von dieser Botschaft sprechen, müssen wir auch vom Frieden sprechen. Friede ist zugleich eines jener Worte, die heute am häufigsten, am leidenschaftlichsten, am sorgenvollsten von Menschen in aller Welt gesagt werden. Der Friede, den Christus bringt und verheißt, ist größer und anders als jener, den die Welt geben und nehmen, verlieren und gewinnen kann. Aber Gottes größerer Friede hat doch mit der Friedenssehnsucht der Menschen zu tun: er nimmt uns in Anspruch, dem Frieden zwischen Menschen und Völkern zu dienen; er setzt diesem Dienst Maßstäbe, weist ihm Wege, gibt ihm Kraft. So ist die Kirche Jesu Christi und sind ihre Bischöfe aufgerufen, in der gegenwärtigen Lage das Prophetenwort zu verkünden: »Gerechtigkeit schafft Frieden« und jene Folgerungen darzulegen, die aus ihm für unser Verhalten und Handeln heute erwachsen.

1.1 Ruf nach Frieden

Angesichts der über alle Maßen gesteigerten Zerstörungskraft moderner Rüstung gewinnt der Ruf nach Frieden seine besondere Dringlichkeit. Große Teile der Jugend, aber auch Menschen anderer Altersstufen bringen ihre Sehnsucht nach Frieden zum Ausdruck. In Ost und West dreht sich die

Rüstungsspirale und läßt viele angstvoll fragen, wann die bedrohlich gewachsene Anhäufung von Vernichtungswaffen die Menschheit in den Abgrund reißt. Viele verstehen eine Welt nicht mehr, in der es gelingt, Raketen und Waffen in die entferntesten Winkel des Globus zu bringen, während dort Reis, Brot, Medikamente fehlen.

Gewiß sind wir seit bald vierzig Jahren vor einem globalen Krieg bewahrt geblieben. In Europa ist nach den Schrecken des Zweiten Weltkrieges zwischen bislang zerstrittenen Völkern das Werk der Verständigung und Versöhnung hoffnungsvoll in Gang gekommen, besonders im Verhältnis unseres Volkes zum französischen und zum polnischen Volk. Aber während der gleichen Zeit wurden in der Dritten Welt etwa 130 Kriege geführt, die 30 bis 35 Millionen Menschenleben gekostet haben. Auch in Europa – in der Deutschen Demokratischen Republik, in Ungarn, in der Tschechoslowakei, in Polen, auf Zypern – kam es zum Einsatz militärischer Gewalt. Trotz vielseitiger Verhandlungen, trotz mancher Abkommen und Verträge haben die Spannungen und Gegensätze zwischen den Machtblöcken und zwischen einzelnen Staaten nicht abgenommen.

Die mannigfachen Formen des Unfriedens in unserer Welt lassen sich nicht auf eine einzige Ursache zurückführen. Vieles wirkt zusammen: unterschiedliche Auffassungen über allgemein verbindliche ethische Normen, expansive Machtpolitik, Ausweitung der eigenen politischen Einflußsphäre, wirtschaftliche Interessen, Angst privilegierter Gruppen vor Machtverlust, Feindbilder und Vorurteile[1]. Für den Ost-West-Konflikt liegt eine Hauptursache in der Spannung zwischen dem ideologischen Anspruch des kommunistischen Systems, der auf Klassenkampf und Weltrevolution gerichtet ist, und den Menschenbildern, die im Gegensatz dazu eine freiheitliche Rechts- und Sozialordnung als Grundlage menschlichen Zusammenlebens fordern.

In dieser Lage genügen einfache Formeln nicht, um zu erklären, was Frieden in der Welt heute bedeutet und erfordert. Er wird bei uns häufig als Prozeß verstanden, der auf abnehmende Gewalt und zunehmende Gerechtigkeit zielt. Die Förderung und die Sicherung des Friedens gehören in dieser Hinsicht eng zusammen. Es gilt, die eigene Lebensordnung zu bewahren und weiterzuentwickeln. Es gilt, mehr internationale soziale Gerechtigkeit herzustellen. Es gilt, wirksame Wege zu finden, die kriegerische Gewaltanwendung ausschließen.

Die Diskussion über den rechten Weg zu diesen Zielen führt selbst wieder zu Spannungen und Konflikten. Gegen Angst und Ungeduld braucht es den Geist der Kraft, der die Wirklichkeit sieht, annimmt und durchsteht. Gegen die Ausflucht in Wunschträume oder blinde Gewalttätigkeit braucht es den Geist der Besonnenheit, der die Mühe der kleinen Schritte nicht scheut. Gegen Egoismus und Fanatismus braucht es den Geist der Liebe, der die Würde, die Freiheit und das Recht eines jeden Menschen achtet und den Nächsten gegen Entwürdigung, Unfreiheit und Unrecht schützt. Von allen ist Bereitschaft zum Dialog gefordert, ohne die Friedensarbeit und Friedenspolitik nicht zu denken sind.

1.2 Notwendigkeit des Dialogs

In seiner Botschaft zum Weltfriedenstag 1983 hat Papst Johannes Paul II. in einem dringenden Appell die Menschen aufgerufen, »überall dort, wo der Frieden bedroht oder schon gebrochen ist, in den Familien, in der Gesellschaft, zwischen den Staaten oder zwischen den Staatenblöcken, in aller Geduld die Methoden des Dialogs einzubringen«[2]. Dieser Dialog ist keine Utopie. Er gründet in der Natur des Menschen: »Jeder Mensch, ob gläubig oder nicht, kann und soll sich bei allem klaren Wissen um eine mögliche Verhärtung seines Bruders genügend Vertrauen bewahren in den Menschen und seine Fähigkeit, vernunftgemäß zu handeln, in seinen Sinn für das Gute, für Recht und Gerechtigkeit, in seine Fähigkeit, zu hoffen und den Bruder zu lieben, – um auf das Mittel des Dialogs zu setzen.«

Der Papst verweist auch auf die Haltungen, die erforderlich sind, damit der Dialog gelingt. Das sind in erster Linie gegenseitiges Offensein und Annehmen: Dialog setzt voraus, daß jeder auf das Anderssein, die Besonderheit des anderen eingeht; »dabei darf man natürlich nicht aus Feigheit oder Zwang das aufgeben, was man als wahr und gerecht erkennt; das gäbe einen schlechten Kompromiß«.

Wir Bischöfe greifen mit diesem Schreiben den Ruf des Papstes auf und laden alle, die sich um den Frieden sorgen, zum Dialog ein. Wir wenden uns zunächst an unsere Gemeinden und Verbände. Angesichts der Spannweite der Diskussion und der Erwartungen an die Kirchen wenden wir uns darüber hinaus an eine breitere Öffentlichkeit, besonders an diejenigen, die in Gesellschaft und Staat, Bildung und Erziehung sowie in den Medien Verantwortung tragen.

Wir sind uns bewußt: viele Stimmen berufen sich heute in ihrer Argumentation für den Frieden auf die Bibel. Vor allem die Bergpredigt Jesu bietet weit über kirchliche Kreise hinaus Anlaß zu Begründungen, die teilweise einander widersprechen. Ein klärendes Wort erscheint uns geboten. Was heißt Friede in der Bibel? Was ergibt sich aus dem biblischen Friedensverständnis für die aktuelle Problemlage? Auch die wechselvolle geschichtliche Entwicklung kann nicht übergangen werden. Die Fragen und Antworten von heute sind tiefer in der Geschichte verwurzelt, als vordergründig erkennbar wird. Gerade die Erfahrungen der Geschichte lehren, wie eng das Verständnis und die praktischen

Möglichkeiten des Friedens mit dem zugrundeliegenden Menschenbild zusammenhängen. Solche Wechselbeziehungen sollen aufgewiesen werden und zur besseren Urteilsbildung verhelfen. Wir werden bei alldem den konkreten Fragen der Förderung und Sicherung des Friedens nicht ausweichen, die heute so viele Menschen bewegen. Schließlich möchten wir Impulse geben, wie vor allem in der Kirche, aber auch in der Gesellschaft die Friedensarbeit verstärkt werden kann. Dabei sind wir uns im Blick auf praktische politische Gestaltungsfragen der Grenzen unserer Kompetenz bewußt, können uns jedoch der Verantwortung im Bereich der ethischen Grundsätze nicht entziehen.

1.3 Die Aufgabe der Kirche

Der Kirche ist aufgetragen, der Menschheit das Evangelium zu bezeugen. Sie verkündet der Welt die in Jesus Christus geschenkte Versöhnung mit Gott und die darin begründete Friedenshoffnung. Die Sendung der Kirche »bezieht sich zwar nicht auf den politischen, wirtschaftlichen oder sozialen Bereich: das Ziel, das Christus ihr gesetzt hat, gehört ja der religiösen Ordnung an. Doch fließen aus eben dieser religiösen Sendung Auftrag, Licht und Kraft, um der menschlichen Gemeinschaft zu Aufbau und Festigung nach göttlichem Gesetz behilflich zu sein« (GS 42)[3].
Die Förderung und Sicherung des Friedens hängt nicht nur von der Politik der Staaten, sondern auch vom Verhalten der einzelnen Menschen und der sozialen Gruppen ab. Keiner dieser Bereiche ist den Grundsätzen vernünftiger Sittlichkeit entzogen. Die Kirche nimmt daher das Recht in Anspruch, »auch politische Angelegenheiten einer sittlichen Beurteilung zu unterstellen, wenn die Grundrechte der Person oder das Heil der Seelen es verlangen« (GS 76). Bei der Förderung des Friedens in der Welt hat die Kirche die ihr eigene

Sendung zu erfüllen. Sie hat das Evangelium allen Menschen zu verkünden. Kraft ihrer Universalität kann sie »ein ganz enges Band zwischen den verschiedenen menschlichen Gemeinschaften und Nationen bilden« (GS 42). Die Kirche kennt als Kirche keine Fremden, keine Ausländer. Ihr Auftrag bringt sie in eine Nähe zu allen. Wer zur Kirche gehört, der ist der ganzen Menschheit verbunden, ist zum Mittragen der Hoffnungen und Freuden, Sorgen und Ängste der Menschheit verpflichtet. Das gibt der Kirche eine einzigartige menschen- und völkerverbindende Kraft.

Wenn es um die friedensfördernde Arbeit für Recht und Gerechtigkeit, für Entwicklung und Fortschritt, für gerechte Verteilung der Erdengüter geht, weiß die Kirche sich besonders gefordert. Sie betrachtet die Sorge »um die Zukunft der Menschen auf Erden und damit auch die Richtung von Entwicklung und Fortschritt als ein wesentliches Element ihrer Sendung« (Redemptor hominis 15)[4]. In eigenen Werken und Diensten wird sie hier darüber hinaus unmittelbar selber tätig.

Von anderer Art ist der Beitrag der Kirche im Zusammenhang mit der Sicherung des Friedens. Zu den herausgehobenen Pflichten der staatlichen Politik gehört es, die Rechtsordnung im Innern ebenso zu schützen wie die Existenz und Freiheit eines Volkes gegen Aggression und Erpressung von außen. Hier sind die Träger der staatlichen Autorität in eine schwere politische Verantwortung gestellt, die sie mit eigener Sachkompetenz wahrzunehmen haben. Christen werden sich dabei vom Evangelium und damit auch von einem christlichen Grundverständnis des Menschen und der Welt leiten lassen.

Was näherhin einen militärischen Beitrag zu Sicherung des Friedens angeht, so ist auch dieser Kompetenzbereich des Staates nicht den ethischen Grundsätzen verantwortlichen politischen Handelns entzogen. Sowohl die Ziele militärischer Friedenssicherung wie die Wahl ihrer Mittel werden heute heftig diskutiert. Wir Bischöfe sehen uns hier zur Stellungnahme herausgefordert: wir möchten nicht nur die dafür geltenden sittlichen Prinzipien in Erinnerung rufen, sondern auch Kriterien nennen, die deren Anwendung auf konkrete Fragen erlauben.

Dennoch werden Fragen bleiben, auf die unter Christen verschiedene Antworten möglich sind. Darum erinnern wir an die Mahnung des Zweiten Vatikanischen Konzils: »Oftmals wird gerade eine christliche Schau der Dinge den Christen eine bestimmte Lösung in einer konkreten Situation nahelegen. Aber andere Christen werden vielleicht, wie es häufiger, und zwar legitim, der Fall ist, bei gleicher Gewissenhaftigkeit in der gleichen Frage zu einem anderen Urteil kommen. Wenn dann die beiderseitigen Lösungen, auch gegen den Willen der Parteien, von vielen andern sehr leicht als eindeutige Folgerung aus der Botschaft des Evangeliums betrachtet werden, so müßte doch klar bleiben, daß in solchen Fällen niemand das Recht hat, die Autorität der Kirche ausschließlich für sich und seine eigene Meinung in Anspruch zu nehmen. Immer aber sollen sie in einem offenen Dialog sich gegenseitig zur Klärung der Frage zu helfen suchen; dabei sollen sie die gegenseitige Liebe bewahren und vor allem auf das Gemeinwohl bedacht sein.« (GS 43)

2. Biblisches Friedensverständnis

2.1 Grundlegende Perspektiven

Das christliche Friedensverständnis ist im biblischen Zeugnis von der Verheißung des Friedens durch Gott begründet. Die Friedensverheißung Gottes hat die Geschichte seines Volkes im Alten wie im Neuen Bund bewegt. Sie ist in eine von Streitigkeiten und Kriegen gezeichnete Welt hineingesprochen. Im Glauben wissen wir, daß Gott durch Jesus Christus schon begonnen hat, seine Verheißung zu erfüllen. Durch ihn wird uns der Friede als Gabe Gottes mitgeteilt. Aber auch für uns Christen bleibt der Friede eine Gabe, über die wir nicht schon verfügen, die wir vielmehr in vollendeter Gestalt noch erwarten und um die wir bitten.
Die Offenbarung bezeugt uns ein Friedensverständnis, das sich nicht auf den politischen Frieden beschränken läßt. Es greift tiefer und ist umfassender. Wenn der Apostel Paulus von dem »Frieden Gottes« spricht, »der alles Verstehen übersteigt« (Phil 4,7), so ist damit schon deutlich angezeigt, daß der Friede, den Gott schenken will, mehr ist als ein Friede, den Menschen und Völker unter den gegebenen gesellschaftlichen Bedingungen miteinander schließen. Er hat seine eigenen Bedingungen, die wir nicht setzen können. Sie sollen aber nach seinem Willen in die bestehenden Lebensverhältnisse der Menschen so eingreifen, daß sich in ihnen Friede verwirklicht – gleichsam als Vorschein des Friedens, den nur Gott geben kann.
In diesem Sinne stellen uns die biblischen Zeugnisse zunächst und vor allem diese grundlegenden Bedingungen vor Augen. Wenn die Schriften des Alten und des Neuen Testaments vom Frieden sprechen, engen sie ihn nicht auf zwischenmenschliche Konfliktlösung oder Überwindung von Streit und Krieg unter den Völkern ein. Vielmehr

bezeugen sie die Geschichte Gottes mit den Menschen, und in ihrem Licht lassen sie erkennen, mit welchen Mitteln der von Gott gewollte Friede unter den Menschen und durch die Menschen zu verwirklichen ist.
Das Friedensverständnis der Bibel ist geprägt durch ihr Verständnis vom Menschen: von seiner Berufung zur Gemeinschaft mit Gott und der dadurch ermöglichten Gemeinschaft der Menschen untereinander; seiner schuldhaften Abkehr von Gott und damit zugleich vom Mitmenschen; seiner Erlösung, durch die uns der Zugang zum Vater geschenkt und eine neue Beziehung der Menschen zueinander eröffnet wird. Für die Bibel sind diese Gesichtspunkte ganz untrennbar: nur wo Gott sich mitteilt und wo er als Gott anerkannt und verherrlicht wird, wo der Mensch also in Frieden mit Gott lebt, kann Friede umfassend und auf Dauer auch in den menschlichen Beziehungen bestehen. Friede des Menschen mit Gott, Friede des Menschen mit sich, im eigenen Herzen, Friede der Menschen untereinander gehören zusammen[5]. Friedenswille und Friedensfähigkeit der Menschen sind aus dieser heilsgeschichtlichen Sicht zu beurteilen, wenn wir nicht Fehleinschätzungen über die Möglichkeiten des Friedens erliegen wollen. Eine solche zugleich realistische und hoffnungsvolle Sicht vom Menschen ermöglicht uns, auch angesichts der heutigen Herausforderungen Wege zu finden, die nicht in Resignation gegenüber den innerweltlichen Widerständen enden, sondern die zum Ziel führen, weil Gott uns entgegenkommt.
Diese Spannung von eschatologischer Gabe und gegenwärtiger Aufgabe kennzeichnet durchgehend das biblische Friedensverständnis. Es bietet nicht nur eine Vision vom endzeitlichen Frieden, sondern ermutigt die Menschen, die von Gott gegebene Friedensordnung jetzt schon – in den irdischen Grenzen des menschlichen Daseins – nach Kräften zu verwirklichen.

2.2 »Der Friede – das Werk der Gerechtigkeit« (Jes 32,17)

In der Mitte der alttestamentlichen Verkündigung steht der »Gott Israels«, der nicht nur der Gott eines einzelnen Volkes ist, sondern der Schöpfer der Welt, der das Heil aller Menschen will. Israel wurde das Volk der Erwählung durch Gott, ausgezeichnet durch den Bund und dazu bestimmt, »Zeuge für die Völker« zu sein (Jes 55,4). Dieses Volk hat Gott auf seinen Wegen geführt und ihm sein Gesetz gegeben, damit es so das Leben finde (vgl. Dtn 30,19).

Das Alte Testament bezeugt uns allerdings nicht nur die Verheißung eines Lebens in Gerechtigkeit und Frieden, zu dem Israel in Gemeinschaft mit Gott gelangen soll. Es enthält auch zahlreiche Schilderungen von Gewalttaten und Kriegen, die Israel gegen andere Völker führte und in die es verwickelt wurde. Die Geschichte des Gottesvolkes ist auf weite Strecken keine Idealgeschichte des Friedens. Dennoch, der Friede im Volk und zwischen den Völkern behält für Israel seinen Anspruch und seine Dringlichkeit. Er bedeutet mehr als die bloße Abwesenheit von Krieg.

Israel erkannte in einem Leben in Frieden die Heilsmitteilung Gottes. Frieden, Shalom, wünschten die Menschen einander, als Ausdruck eines Lebens in Freiheit, Gerechtigkeit und Sicherheit. Diesen Frieden sahen sie im Bund mit Gott gewährleistet. Auch der nur vorläufige Friede unter den Menschen ist für sie das Ergebnis des Heilswirkens Gottes an seinem Volk. Friede besteht nicht nur in der Waffenruhe und in der Sicherheit, die Israel durch Vereinbarungen und Friedensverträge zu erhalten sucht, sondern vor allem in der Übereinstimmung mit Gott und mit der von ihm gegebenen Lebensordnung. Friede ist das im Bund Gottes begründete Wohlergehen des ganzen Volkes und seiner Glieder. Die Untreue des Volkes gegenüber seinem Bundesgott gefährdet ihn. Das biblische Verständnis von

Frieden hat also eine religiöse Dimension und eine gesellschaftlich-politische Dimension, die in der Geschichte Israels einander eng zugeordnet sind, jedoch in der Zeit der Erfahrung geschichtlicher Ohnmacht (Exil, Apokalyptik) stärker auseinandertreten.

Israel bewahrt das Gut des Friedens, indem es, als Antwort auf Gottes Bundesgabe, den Frieden auch selbst verwirklicht. Konkret wird der Friede im Rechttun jedes einzelnen gegenüber seinem Nächsten. Dieses Rechttun, das Gott in seinen Geboten ausdrücklich fordert, ist nicht eine lästige Pflicht, die die Freiheit des Menschen einschränkt, sondern es soll das Leben des einzelnen und des ganzen Volkes in Freiheit prägen. Friede entsteht aus dem Tun der Gerechtigkeit. Ja, der Friede gewinnt dadurch erst seinen tragfähigen Grund, daß Gott im Volk sein Recht aufrichtet und zum Maßstab für das Verhalten jedes einzelnen gegenüber seinem Nächsten macht. Der Prophet Jesaja verkündet daher den Frieden als »das Werk der Gerechtigkeit« (Jes 32,17). Das bedeutet: der Friede verwirklicht sich im Zusammenleben der Menschen nicht von selbst, gleichsam aufgrund ihres »natürlichen Gutseins«, sondern aus der Kraft Gottes und nach dem Maßstab seines Rechts. Wo der Mensch in seinem Leben Gott recht gibt, dort eröffnet sich auch die Möglichkeit zur Gemeinschaft mit dem Mitmenschen in Gerechtigkeit und Frieden. Darin erfüllt sich das Psalmwort: »Es begegnen einander Huld und Treue; Gerechtigkeit und Friede küssen sich« (Ps 85,11).

Der Friede, den Israel im Gottesbund erlangte, sollte seine Kraft auch im Verhältnis dieses Volkes zu den anderen Völkern bewähren. Aber wie verhielt sich Israel in den außenpolitischen Krisen seiner Geschichte? Es entging nicht der Versuchung, seine Sicherheit mehr von den politischen Bündnissen mit den Weltmächten als von der Hilfe Gottes zu erwarten. Mit dem eindringlichen Mahnwort: »Glaubt ihr nicht, so bleibt ihr nicht« (Jes 7,9) erinnert der Prophet Jesaja an die unverbrüchlich geltende Zusage Gottes, die ein größeres Vertrauen verdient als alle diplomatische Kunst und militärische Stärke. Gottes Hilfe ist kein Ersatz für eine notwendige sicherheitspolitische Vorsorge. Dem Gottesvolk wird es jedoch schließlich zum Verhängnis, daß es mehr von der Menge der Streitwagen und Reiter erwartet als von »dem Heiligen Israels«, auf den es blicken sollte (Jes 31,1).

Israel sollte »Zeuge für die Völker« sein, es sollte ihnen den Frieden mitteilen, den Gott seinem Volk bereitete (vgl. Jes 52,7). Allerdings kommt diese universale Friedenssendung Israels bei den Propheten nur noch als Zukunftsvision in den Blick. »Am Ende der Tage wird es geschehen«, so Jes 2,2, daß »alle Völker zum Zion strömen«. In der Erfüllung dieser Verheißung wird dann Gott »im Streit der Völker Recht sprechen«. Dann ist auch die Zeit gekommen, wo »sie Pflugscharen aus ihren Schwertern und Winzermesser aus ihren Lanzen schmieden« (Jes 2,4; vgl. Mich 4,3). Die prophetische Friedensvision verweist auf die noch ausstehende Zeit der Vollendung. Sie wird damit weder für Israel noch für die heutigen Hörer des Gotteswortes »unwirklich«. Vielmehr enthält sie bis heute einen Anspruch, der auf Verwirklichung dringt. Wo Gottes Herrschaft erkannt und anerkannt wird, wo Gottes Wahrheit und Gerechtigkeit das Denken, Wollen und Handeln der Menschen durchdringen, dort wird Friede auf Erden möglich.

Aber Israel hat die Gottesgabe des Friedens vielfach aufs Spiel gesetzt. Die Geschichte des Alten Bundes enthält viele Zeugnisse der Untreue, des Undanks und der Sünde des Volkes und des einzelnen. Immer wieder wandten sich alle oder einzelne fremden Göttern zu. Immer wieder rief man »Friede«, »Friede«, aber in Wahrheit war es nur ein fauler und erschlichener Friede (vgl. Jer 6,14; 8,11). Immer wieder fiel man vom Gott des Bundes und des Friedens ab und ging eigenwillige Wege. Eben darauf zielt die Botschaft der Propheten. Wo Israel sich dem Friedensangebot Gottes versagt, wird seine Verheißung nicht hinfällig. Sie wandelt sich freilich: zum Wort des Gerichtes, zum Ruf nach Umkehr. Sie hält sich bei aller Untreue des Volkes durch und wird zur Verheißung eines »neuen Bundes«, der die Fehlhaltungen Israels im Bund mit Gott überwindet (vgl. Jer 31,31–34; Jes 54,10).

Besonders an den prophetischen Texten des Alten Testamentes wird erkennbar, wie sich das biblische Friedensverständnis entwickelt. Mit dem Ausblick auf den endzeitlichen Frieden geht im irdisch-menschlichen Leben das elementare Verständnis von Frieden als Wohlergehen nicht verloren. Im Gegenteil: der Friede unter den Menschen und Völkern wird unter verbindliche Normen und unter anspruchsvollere Bedingungen gestellt.

Es sind also in dieser prophetischen Sicht nicht die konkreten geschichtlichen Verhältnisse, in denen Israel lebt, und es ist vor allem nicht das Verhalten Israels selbst, worin das Vertrauen gründet, daß sich Gottes Frieden verwirklichen kann. Um so dringlicher wird nun die Umkehr zu dem Gott, der allein »Frieden schafft« (Jes 26,12; vgl. Ps 147,14). Die Verhältnisse zwischen den Menschen müssen sich ändern, das Verhalten jedes einzelnen muß sich ändern, damit dem kommenden »Friedenskönig« und seinem »Friedensreich« der Weg geebnet werden kann. Die Hoffnung richtet sich auf Gott und seinen Messias, von dem Israel die Errichtung dieses »Friedensreiches« erwartet (vgl. Sach 9,9f).

2.3 »Er ist unser Friede« (Eph 2,14)

Die neutestamentlichen Schriften lassen erkennen, wie die Menschen in Jesus »die Güte und Menschenliebe Gottes«

(Tit 3,4) erfahren haben. Jesus ist der Friedensbote Gottes, der in seinem Wirken, in Wort und Tat, Gottes befreiende Königsherrschaft nahebringt und damit zugleich neue Beziehungen unter den Menschen ermöglicht. Die Ankunft des Messias Jesus und die Anerkennung der von ihm verkündeten Gottesherrschaft geben dem »Frieden auf Erden« (Lk 2,14) einen neuen Anfang. Jesus nimmt sich der Menschen auch in ihren konkreten Lebensverhältnissen an; er wendet ihre Not: er spricht ihnen die Sündenvergebung zu, er schenkt ihnen seelische und leibliche Heilung und lehrt sie, die erlangte Versöhnung dem Bruder weiterzugeben (vgl. Mt 5,25; 18,33). Aber der Friede ist in den Augen Jesu nicht leicht zu gewinnen. Das Evangelium, das er verkündet, wirkt wie ein Schwert, es bewahrt nicht vor der Auseinandersetzung mit dem, der sich ihm entgegenstellt, ja, es führt in sie hinein und fordert mit letzter Dringlichkeit die Bereitschaft zur Nachfolge. Das Wort Jesu »Ich bin nicht gekommen, um Frieden zu bringen, sondern das Schwert« (Mt 10,34; vgl. Lk 12,51) steht daher nicht im Gegensatz zur Friedenssendung Jesu, sondern fordert Entschiedenheit für das Evangelium, das den Menschen den Frieden Gottes bringt.

Die Sendung Jesu gelangte im Kreuz zu ihrer letzten und eigentlichen Erfüllung. Als »Friedenskönig« (Mt 21,5) zieht er wenige Tage vor seinem Tod in Jerusalem ein. Dort führt er das Reich des Friedens, der endgültigen Versöhnung zwischen Gott und den Menschen herauf – nicht mit den Mitteln politischer Gewalt, sondern im Zeichen des Kreuzes. Der Preis seiner einmaligen Friedenstat ist die Hingabe seines Lebens. Indem wir das Evangelium des Friedens bezeugen, bezeugen wir das Evangelium des Gekreuzigten. Indem wir uns zur Auferweckung Jesu bekennen, bekennen wir uns zum Gekreuzigten. Der Gekreuzigte und Auferstandene: dieser eine und selbe ist unser Friede. Kreuz und

Auferstehung sind die Summe seines Lebens und die Basis jenes Friedens, den die Welt nicht geben kann.
So haben wir jetzt »Frieden mit Gott durch Jesus Christus« (Röm 5,1). Dieser von Gott geschenkte Friede wirkt sich versöhnend unter den Menschen aus, wenn sie sich von Jesus für seine Bewegung der Versöhnung erschließen lassen. Der Friede, den Jesus Christus in einer Welt der menschlichen Selbstgerechtigkeit, des Mißtrauens und der Zwietracht begründet hat, führt zu den neuen Erfahrungen der vergebenden »Gerechtigkeit Gottes« (Röm 3,25), des brüderlichen Vertrauens und des verstehenden Entgegenkommens. Jesus Christus selbst kann im Lichte prophetischer Verheißung (Mich 5,4; Jes 9,5) »unser Friede« genannt werden; denn »er vereinigte die beiden Teile (Juden und Heiden) und riß durch sein Sterben die trennende Wand der Feindschaft nieder« (Eph 2,14).
Im Angesicht des Gekreuzigten wird auch das Geheimnis des Bösen (vgl. 2 Thess 2,7), die zerstörerische Macht der Sünde vollends offenbar. So mächtig sind Friedlosigkeit und Unrecht in unserer Welt: Jesus, der Frieden und Gerechtigkeit bringen wollte und brachte, mußte so sterben. Im Kreuz Jesu offenbart sich zusammen mit der Treue des lebendigmachenden Gottes der Abgrund menschlicher Friedlosigkeit. Er, der um unserer Sünden willen sterben mußte, offenbart in seinem Tod die Macht der Sünde. Er, der Gewaltlosigkeit lebte, wurde Opfer der Gewalt und offenbart damit den Abgrund menschlicher Gewalttätigkeit. Seitdem gehört es zum Realismus christlichen Glaubens, das Evangelium des Friedens stets mit der Macht der Sünde zusammenzusehen.
Im Licht der Auferweckung des Gekreuzigten wird offenbar, daß wir Sünder sind (vgl. Röm 1–3). Aus dem Unglauben gegenüber den Verheißungen Gottes wollen wir selbst wie Gott sein und schaffen damit Unfrieden und Unheil.

Wenn wir sagen: der auferweckte Gekreuzigte allein ist unser Friede, so bekennen wir zugleich: getrennt von ihm sind wir aus uns heraus friedlos. Dann suchen wir unsere Sicherheit an ihm vorbei, und alles gott-lose Sicherheitsstreben schafft letztlich nur wieder neue Unsicherheit und Friedlosigkeit – eine Kette der Gewalttätigkeit ohne Ende. Je mehr wir uns aber an ihn halten, der in seinem Kreuz endgültig Frieden geschaffen und wahre Versöhnung bewirkt hat, desto mehr können wir tätig auf seinen Frieden für alle hoffen, ohne die Macht unserer Sünde zu verharmlosen.

Die Kirche Jesu Christi ist herausgefordert, dieses Friedenswerk ihres Herrn weiter zu bezeugen und, in Hoffnung gegen alle Hoffnung, zu ihrer eigenen Sache zu machen. In der Nachfolge Jesu ist der »Dienst der Versöhnung« (2 Kor 5,18) zur vordringlichen Aufgabe der Kirche und zu ihrem hervorragenden Kennzeichen geworden. Gott, »der in Christus die Welt mit sich versöhnt hat« (2 Kor 5,19), will durch den Dienst der Kirche sein Werk der Versöhnung weiterführen. Die Kirche erfüllt diesen Dienst nach innen und nach außen: nach innen, indem wir, die Glaubenden, sie zur Gemeinschaft der gelebten Versöhnung und des brüderlichen Entgegenkommens machen; nach außen, indem wir alle Menschen einladen, den Frieden der Welt in einem neuen Verhältnis zu Gott und im Vertrauen auf die Ordnung der Gebote Gottes zu begründen.

2.4 *»Wenn eure Gerechtigkeit nicht weit größer ist...« (Mt 5,20)*

Der Friede, den Gott schafft, befähigt die Glaubenden dazu, Boten des Friedens, Friedensstifter zu werden. Im friedensstiftenden Dienst der Glaubenden leuchtet das Friedenswerk Gottes auf. Daher gilt den Friedensstiftern die Verheißung

Jesu, daß sie »Söhne Gottes genannt werden« (Mt 5,9). Ihr Werk des Friedens rückt sie in eine besondere Nähe zu Gott, denn in ihrem Handeln bezeugen sie, daß Gott in Jesus Christus schon angefangen hat, Frieden zu schaffen.

In der Nachfolge Jesu drängt das Werk der Friedensstiftung immer neu zum Handeln. Die Bergpredigt zeigt den Weg an, wenn sie die Weisungen Jesu unter den Leitgedanken einer neuen, »überfließenden« Gerechtigkeit stellt, die das ganze Leben der Christen bestimmen soll. Jesus fordert eine Gerechtigkeit, die »weit größer ist als die der Schriftgelehrten und Pharisäer« (Mt 5,20). Wir dürfen uns ihr nicht entziehen, nur weil wir meinen, sie überfordere unsere begrenzten menschlichen Kräfte. Er, der diese Gerechtigkeit in seiner Lebenshingabe für die Menschen bis zum letzten verwirklichte, hat denen, die seine Weisungen annehmen, verheißen, daß sie nicht ohne die Kraft und den ermutigenden Beistand seines Geistes sein werden.

Aus diesem Vertrauen auf das Entgegenkommen Gottes in Jesus Christus erwächst den Glaubenden eine neue Fähigkeit, recht zu tun und Bedingungen des Friedens in Wahrheit und Gerechtigkeit zu schaffen. Der Friede verwirklicht sich in der Nachfolge Jesu daher nicht zuerst in der Behauptung und Abgrenzung von Rechten, die dem einzelnen oder einer Gruppe eigen sind. Vielmehr geht es darum, zu erlernen und einzuüben, was vor Gott Recht ist und im Verhältnis von Mensch zu Mensch zu Versöhnung und zu mehr brüderlichem Vertrauen führt.

Aus dem Geist der Brüderlichkeit soll der Glaubende auch dem Unrechttäter mit Geduld und zeichenhafter Gewaltlosigkeit begegnen: Er soll ihm auch die andere Wange hinhalten, soll ihm noch den Mantel dazugeben (Mt 5,39f). Aus demselben Geist soll er die Feindschaft des anderen zu überwinden suchen; er darf auch ihn nicht aus seiner Liebe entlassen. Wenn Gott die Feindschaft überwunden hat, sind auch die Glaubenden gerufen, Feindschaft zu überwinden und durch Versöhnung Frieden zu schaffen. So verwirklichen Christen in ständiger Bereitschaft zur Versöhnung und Vergebung das Gebot der Feindesliebe (Mt 5,43–45). Sie lassen sich dabei von Jesu Einladung zur Sorglosigkeit leiten, die die Angst um sich selbst hinter sich läßt und nur mehr das Reich Gottes sucht und seine Gerechtigkeit (Mt 6,25–34).

Zu Friedensstiftern sind die Glaubenden jeweils in ihren konkreten Lebensbeziehungen zu den Mitmenschen berufen: »Seid allen Menschen gegenüber auf Gutes bedacht! Soweit es euch möglich ist, haltet mit allen Menschen Frieden!« (Röm 12,17f). Der Friedensauftrag der Christen betrifft darüber hinaus auch die Politik: Sie sind gehalten, an der Schaffung von Friedensverhältnissen in der Gesellschaft wie zwischen den Völkern und Staaten mitzuwirken. Hier sind sie nach ihrem eigenen christlichen Beitrag zur Förderung und Sicherung des Friedens gefragt. Er besteht zunächst nicht in einer bestimmten Methode des politischen Verhaltens, sondern im Zeugnis für den Frieden, den Christus gibt, für den Frieden Gottes, der sich jetzt schon versöhnend unter den Menschen auswirkt.

Die Verheißung und Weisung Jesu in der Bergpredigt gilt nicht nur den einzelnen Jüngern in seiner Nachfolge, sondern auch der Kirche insgesamt. In der Nachfolge Jesu ist die Kirche als ganze berufen, seine Friedensbotschaft weiterzuverkünden, deren Inhalte auf die Herausforderungen der Zeit hin zu bezeugen und sie unverkürzt zur Geltung zu bringen. Dabei weiß sie, daß sich in dieser Weltzeit die Friedensbotschaft Jesu nicht unmittelbar in gegenwärtige politische Wirklichkeit überführen läßt. Die Kirche kann deshalb die Weisungen der Bergpredigt auch nicht zu ethischen Normen des politischen Handelns erklären, die ohne Abwägung der Umstände und Güter allein aus sich selbst heraus verbindlich wären. Gleichwohl muß sie sich darum sorgen, daß die Weisungen Jesu ihre Verbindlichkeit für das Handeln der Christen und ihre herausfordernde Schärfe gegenüber allem nur menschlich berechnenden Verhalten bewahren und in jeder Zeit neu bewähren. Die Kirche muß zeigen, daß die Bergpredigt mit ihrer Botschaft nicht unwirkliche, ideale Verhältnisse einer fernen Zukunft im Blick hat, sondern – bei allem bleibenden Überschuß der Verheißung über den jeweils erreichten Zustand hinaus – schon hier und jetzt zu wirken beginnt.

Die Forderungen der Bergpredigt vertragen keine Ermäßigung auf Kosten der Absichten Jesu. Aber was hat Jesus wirklich gewollt? Diese Frage gewinnt an Schärfe, wenn wir seine Weisungen nicht nur auf das sittliche Handeln des einzelnen Menschen, sondern auch auf das Handeln gesellschaftlicher Gruppen, ja, ganzer Völker und Staaten anwenden wollen. Für Christen gilt auch auf den verschiedenen Ebenen des gesellschaftlichen Lebens der Imperativ der Weisungen Jesu – bis in die politischen Konsequenzen. Aus dem Geist der Bergpredigt, der der Geist der entgegenkommenden Brüderlichkeit ist, sind Folgerungen auch für die Politik zu ziehen. Aber wie geschieht das, und welche Folgerungen sind zu ziehen? Die Frage ist, wie sich die Forderungen Jesu aus der Bergpredigt auf die gesellschaftlich-politische Ebene übertragen lassen.

In der Bergpredigt geben die Evangelisten die Weisungen Jesu an die christliche Gemeinde weiter. Sie bringt Grundeinstellungen für die Gestaltung des Lebens der Christen zur Sprache, Grundeinstellungen, die auch für das politische Verhalten von Christen gelten. Aber die Weisungen der Bergpredigt sind eben keine Gesetze, die schematisch anzuwenden wären. Durch die Antithesen der Bergpredigt soll gerade ein Denken und Handeln überwunden werden, das sich mit dem Rückzug auf ein geschriebenes Gesetz der eigenen Verantwortung vor Gott und gegenüber den Mitmenschen entziehen will.

So ist auch das Wort »Leistet dem, der euch Böses antut, keinen Widerstand« (Mt 5,39a) kein neues – nun radikaleres – Gesetz, aus dem für das Handeln des einzelnen oder des Staates unter allen Umständen ein Verzicht auf Anwendung von Gewalt abzuleiten wäre. Wo ein solcher Verzicht auf Kosten des Wohles anderer, zumal Dritter, geht, kann er sogar gegen die Absicht Jesu sein: in seinem Namen haben Christen um der Nächstenliebe willen zugunsten von Armen, Schutzbedürftigen und Entrechteten deren Unterdrükkern wirksam entgegenzutreten.

Es wäre deshalb ein Mißverständnis, das gesellschaftlich-politische Leben unmittelbar nach den Weisungen der Bergpredigt gestalten und ordnen zu wollen. Vernunft und Klugheit, die vom Träger politischer Verantwortung zu fordern sind, werden durch die Befolgung der Weisungen Jesu nicht ersetzt. Aber sie sollen sich von ihnen inspirieren lassen. Dies zeigt sich auch im Umgang mit der legitimen Gewalt. Gerade insofern die staatliche Gewalt dem Unrecht und der Unterdrückung widersteht, die Menschenrechte respektiert, Unschuldige schützt, erweist sie, daß »sie im Dienste Gottes steht« (Röm 13,4). Christliches Verhalten, das sich an der Bergpredigt orientiert, ist also nicht blind gegenüber dem Bösen. Unrecht bleibt Unrecht, der Schuldige bleibt schuldig, die Rechtsebene wird nicht aufgelöst. Aber sie soll vom Christen überschritten werden auf die »weitaus größere Gerechtigkeit« (Mt 5,20) hin. Gefordert ist schöpferische Liebe, die sich auch im Widerstand gegen das Unrecht von Haß und Vergeltungsdenken freihält und die das Böse in der Wurzel zu überwinden sucht. Diese Liebe wird sich mit aller Kraft und immer neu bemühen, den Gegner für den Frieden zu gewinnen, gewaltfreie Lösungen der Konflikte zu erschließen und Felder der Kooperation

anzubieten. So soll der Teufelskreis der Gewalt gesprengt, sollen Aggressivität und Konfrontation abgebaut werden.
Grundgelegt ist eine solche Bereitschaft zum stetigen Neuversuch durch Jesu Weisung von der Feindesliebe (vgl. Mt 5,43–48; Lk 6,27–28; 32–36). Das Gebot der Feindesliebe ist letztlich in Gottes gnädigem Handeln begründet, das auch die Bösen und Ungerechten nicht ausschließt, in Gottes Barmherzigkeit, die uns in Jesus geschenkt wird und die aus Sündern und Feinden Freunde und Kinder Gottes gemacht hat. Die Feindesliebe ist und bleibt das Kriterium, das Kennzeichen, die Möglichkeit derer, die auf Gottes kommende Herrschaft hin leben und von der Gottesherrschaft als einem bereits die Gegenwart bestimmenden Geschehen erfaßt sind. Sie will uns lehren, auch den anderen, den Gegner als Menschen zu sehen, für den Christus sein Leben hingegeben hat. So gelingt es besser, ihn in seiner Situation zu verstehen und zugleich uns selbst von seinem Blickwinkel her zu sehen.
Die Feindesliebe macht es uns möglich, uns durch keine Gegnerschaft in Aggressivität abdrängen zu lassen. Sie eröffnet uns die Freiheit, immer wieder und ohne Resignation auf den Gegner zuzugehen und den ersten Schritt zu tun. Sie läßt sich auch dadurch nicht entmutigen, daß sie keineswegs sicher sein kann, den Gegner zum Freund zu machen.
Dieses Potential christlicher Friedensmöglichkeit haben wir Christen in politisches Friedenshandeln umzusetzen und einzubringen, damit auf diese Weise die Forderungen Jesu zur Gewaltlosigkeit und Feindesliebe auch in den gesellschaftlichen und politischen Strukturen zur Geltung kommen. Im Atomzeitalter, in dem unser aller Zukunft auf dem Spiel steht, wird diese Orientierung an den Weisungen der Bergpredigt, wie schon die Gemeinsame Synode festgestellt hat, »erleichtert, weil biblische Botschaft und Erfordernisse

der Gegenwart deutlicher als früher in die gleiche Richtung weisen« (EF 2.2.1).
So behalten, ungeachtet aller Rückschläge und Umwege, die Forderungen Jesu in der Bergpredigt für die Christen Verbindlichkeit, wie auch die mit ihnen verbundenen Verheißungen in Geltung bleiben. Zu ihrer Verwirklichung kommt es darauf an, daß ihr Geist in den Menschen seine Kraft entfalten kann, welche die vorhandene Wirklichkeit durchdringt und die Christen in ihrem Handeln leitet. Dann werden durch die geduldige Mitwirkung der Christen in der Nachfolge Jesu die Formen des menschlichen Zusammenlebens jetzt schon beginnen, sich zu wandeln – gleichsam als Vorschein der verheißenen Erfüllung, die Gott uns schenken will.

3. Die kirchliche Lehre von Krieg und Frieden im Wandel der Geschichte

Eine Besinnung auf die Friedensaussagen der Bibel fordert die Überlegung heraus, wie es um die Weisungen Jesu Christi und der Apostel in der Geschichte der Christenheit bestellt ist. Viele fragen: Hat die Kirche die Friedensbotschaft des Neuen Testaments aufgenommen, oder hat sie ihr gegenüber geschichtlich versagt? Hat sie je in größerem Umfang friedensstiftend gewirkt? Hat sie mit der Lehre vom »gerechten Krieg« Kriege samt deren Folgen verhindert, oder hat sie damit eher zur Rechtfertigung von Kriegen beigetragen? Wir nehmen diese und ähnliche Fragen auf und suchen sie im Rahmen der Möglichkeiten dieses Schreibens einer Antwort näherzuführen. Dabei können wir nur einige ausgewählte Stationen dieses geschichtlichen Weges – die allerdings Brennpunkte der Entwicklung darstellen – zur Sprache bringen.

3.1 Frühchristliche Zeugnisse

Die frühe Christenheit mußte ihren Ort in der Gesellschaft des römischen Reiches erst finden. Dieser Weg stand im Zeichen von Verweigerung – bis hin zum Martyrium – wie auch von Loyalität. Auf der einen Seite sind die Christen überzeugt, daß Friede und innere Ordnung in einer von den Mächten des Bösen beherrschten Welt nur durch die staatliche Gewalt aufrechterhalten werden können, die »das Schwert nicht umsonst trägt« (Röm 13,4). Darum beten sie für alle Menschen, auch für die Herrscher (vgl. 1 Tim 2,1f). »Gib ihnen, Herr, Gesundheit, Frieden, Eintracht, Beständigkeit, damit sie die von Dir ihnen gegebene Herrschaft untadelig verwalten«, heißt es im liturgischen Gebet der römischen Gemeinde an der Wende zum 2. Jahrhundert[6]. Auch Todesgefahr kann sie nicht dazu bringen, ihre Verfolger zu hassen, bezeugt der Märtyrer Justin († um 165); sie beten für ihre Feinde, sie wollen sie bekehren und zum ewigen Heil führen. Auf der anderen Seite bleiben die Christen in Distanz zur Politik. Äußerlich unterscheiden sie sich zwar nicht von ihren heidnischen Mitbürgern, sie wohnen mit ihnen in denselben Städten und Häusern; aber ihre wahre Heimat sehen sie im Himmel. Von der aktiven Beteiligung am gesellschaftlichen Leben, von der Übernahme öffentlicher Ämter sind sie schon wegen der engen Verbindung aller öffentlichen Institutionen mit dem Kaiser- und Götterkult ausgeschlossen. Loyalitätsbekundung und Verweigerung können in den frühchristlichen Quellen eng zusammenrücken, je nachdem ob die staatliche Autorität von der Gefahrlosigkeit der Christen überzeugt oder ob die Gemeinde vor der Gefahr götzendienerischer Verunreinigung gewarnt werden soll.

Was für die Haltung der frühen Christen zum Staat im allgemeinen gilt, trifft im besonderen auf die Fragen von

Krieg und Militärdienst zu. Nicht nur wegen der Botschaft Jesu von der Feindesliebe und der Gewaltlosigkeit, auch als verfolgte und vom Staat nicht akzeptierte religiöse Minderheit standen die Gemeinden den Kriegszügen des Imperiums ablehnend gegenüber. Doch gab es auch christliche Soldaten, sei es, daß sie sich in diesem Stand zum Glauben bekehrt, sei es, daß sie aufgrund ihrer Herkunft und Familie diesen Beruf gewählt hatten. Entsprechend kann der gegen diese Welt extrem skeptische Kirchenschriftsteller Tertullian[7] behaupten, der Herr habe »mit der Entwaffnung des Petrus jedem Soldaten den Degen abgeschnallt«; er muß aber auch zugeben, daß Christen zusammen mit anderen Kriegsdienst leisten und selbstverständlich »für alle Kaiser ein langes Leben, ein ungefährdetes Reich, ein sicheres Haus und tapfere Heere« von Gott erbitten.
Ungefähr um dieselbe Zeit versucht die Kirchenordnung des Hippolyt († um 235) die Frage so zu regeln: Freiwillig meldet sich der Christ nicht für den Militärdienst; doch ein Soldat, der Christ werden will, mag in seinem Beruf bleiben, vorausgesetzt, er enthält sich jeder heidnisch-kultischen Handlung, die mit dem Dienst verbunden ist, und verweigert den Befehl, Menschen zu töten. Diese zweite Bedingung ist im Laufe des dritten Jahrhunderts nicht aufrechterhalten worden. Die Existenz christlicher Soldaten, auch in der kämpfenden Truppe und im Offiziersrang, ist nicht zu übersehen. Die Soldatenmartyrien[8] zeigen jedoch die Gewissensnot der christlichen Soldaten. Die Bereitschaft zum Dienst für den Kaiser erreicht ihre Grenze beim Götter- und Kaiseropfer, wie das Martyrium des Julius (um 302) bezeugt; im Einzelfall kann es auch eine Verweigerung des Militärdienstes geben, wie etwa bei Maximilianus (um 295), der dafür den Tod auf sich nahm.
Auf die Dauer blieb es nicht bei der hier skizzierten Haltung. Auch konnte die Kritik der Heiden nicht entkräf-

tet werden, die Christen seien Nutznießer des vom Staat gewährleisteten Friedens, wollten aber die entsprechenden Lasten nicht mittragen. Origenes antwortet zwar auf diesen Vorwurf, die Christen hülfen dem Staat besser, indem sie ihre Hände rein bewahrten und für die rechtmäßige Sache, den rechtmäßigen König und den Sieg beteten, denn die Christen schlügen mit ihren Gebeten die Dämonen, die alle Kriege anzetteln und jeden Frieden stören[9]. Trotzdem nimmt die Zahl christlicher Soldaten gegen Ende des 3. Jahrhunderts zu. Um ihnen christlich verantwortbares Verhalten einzuschärfen, verweist man auf die Täuferpredigt des Johannes: Auf die Frage der Soldaten »Was sollen wir denn tun?« antwortet er ihnen: »Mißhandelt niemand, erpreßt niemand, begnügt euch mit eurem Sold« (Lk 3,14)[10]. Auch war es ein Hauptmann, Cornelius, der als einer der ersten Heiden getauft worden ist (vgl. Apg 10,2ff; 44ff). Christsein und Soldatsein schließen fortan für die Christen einander nicht aus.

Diese langsam anhebende Umorientierung wurde notwendig, als christliche Kirche und politisches Gemeinwesen in ein positiveres Verhältnis zueinander traten. Die Christen mußten aus ihrer unbeteiligten Loyalität, in der sie durch ihre eigene Entscheidung und durch äußeren Druck bis dahin gelebt hatten, heraustreten und politische Verantwortung mitübernehmen. Jene Ausnahmesituation, die sie sich einst als kleine Minderheit hatten leisten können, war ihnen nun nicht mehr möglich. Was sie vorher in kritischer Distanz dem Kaiser zugestanden hatten, nämlich gerechte und geordnete Kriege zu führen, begannen sie nun selbst mitzutragen. Ein Zeugnis dieses zögernden Übergangs findet sich in der Synode von Arles (314)[11]. Sie bestimmt, daß der Soldat in Friedenszeiten den Dienst nicht verlassen darf, ohne daß er damit im Krieg zum Töten verpflichtet sei. So wird nochmals die Spannung erkennbar: Es gilt die Ordnung des Staates zu erhalten, aber die schweren Bedenken gegen das Töten im Krieg sind nicht einfach beiseite geschoben.

3.2 Die Entwicklung der Lehre vom »gerechten Krieg«

Die beschriebene Grundsituation bleibt auch noch bei Augustinus († 430) bestehen, der als erster eine christliche Lehre vom Frieden in einer umfassenden Schau entworfen hat[12]. Irdischer Friede und himmlischer Friede werden deutlich unterschieden. Der Krieg gilt zunächst als ein Werk des Teufels, als Ausdruck der widergöttlichen Gesinnung, des Hochmuts, der Habgier. An seiner Sündhaftigkeit besteht kein Zweifel. In gelegentlichen Bemerkungen und aus seelsorglicher Sicht läßt sich Augustinus auch auf die bis dahin von den Christen mit größter Vorsicht behandelte und eher von heidnischen Gesprächspartnern als Einwand vorgebrachte Frage ein, ob es »gerechte Kriege« geben könne. Augustinus fügt seiner christlichen Gesamtsicht Gedanken der antiken Ethik ein, vor allem von Aristoteles und Cicero. Ein Krieg ist nur dann »gerecht«, wenn 1. er dem Frieden als Ziel dient, 2. er sich gegen ein begangenes Unrecht richtet (das der Gegner nicht zurücknehmen bzw. wiedergutmachen will), 3. die legitime Autorität den Krieg anordnet und 4. die Kriegführung nicht gegen Gottes Weisungen verstößt. Entscheidend sind die Gesinnung und die rechte Absicht, in denen ein Krieg von der Obrigkeit unternommen und von den Soldaten ausgeführt wird. Es ist für Augustinus ein bleibendes Rätsel und eine verhängnisvolle Notwendigkeit der gegenwärtigen heilsgeschichtlichen Situation, daß eine gerechte Sache unter den erwähnten Bedingungen überhaupt der Gewalt bedürfen kann. Der Stachel der Skepsis, daß es so etwas wie einen »gerechten« Krieg geben kann und muß, sitzt tief: »Wer also diese großen, schauerlichen, verheeren-

den Übel leidvoll betrachtet, der gestehe, daß sie ein Elend sind.«
Augustinus hat jedoch nicht nur die Kriege im Blick, wenn er von der Sehnsucht aller Menschen nach Frieden spricht. Er weiß auch vom verborgenen Unfrieden auf allen Ebenen des menschlichen Gemeinschaftslebens: der ständigen Gefährdung von Freundschaft und Liebe im eigenen Haus, dem Elend menschlicher Rechtsprechung und den Kommunikationsschwierigkeiten der Völker allein schon aufgrund der Fremdheit der Menschen untereinander. Eine störungsfreie Ordnung vollkommener Art kann es in diesem Leben nicht geben, sondern nur in jener Seligkeit, die Gott allein zu schenken vermag. Augustinus verachtet deswegen nicht den irdischen Frieden, auch wenn er nach seiner Meinung oft nur »Trost im Elend« genannt zu werden verdient. Die Ordnung des Friedens, die auf Recht und Gerechtigkeit aufbaut, besteht darin, daß der Mensch »zunächst einmal keinem schade, sodann aber auch nütze, wem er kann«. Diese Lebensordnung muß sich von der häuslichen Gemeinschaft in Ehe und Familie über Stadt und Staat bis zum Umgang aller Völker miteinander auswirken.
In dieser Weltzeit kann der vollkommene Friede nur anfanghaft in Glaube und Hoffnung wirksam werden. Augustinus weiß dabei um die naheliegende Möglichkeit einer Verwechslung irdischen Friedens und ewigen Friedens. Er möchte darum das letzte Ziel »entweder als Frieden im ewigen Leben oder ewiges Leben im Frieden bezeichnen, damit es um so leichter von allen recht verstanden werde. Denn solch großes Gut ist der Friede, daß man auch im Bereich der irdischen und vergänglichen Dinge nichts Lieberes hören, nichts Erwünschteres begehren, endlich auch nichts Besseres finden kann.« Freilich kann die Rede vom Frieden deshalb auch so verführerisch werden.
Auf dem Fundament von Augustins Gedanken hat Thomas

von Aquin († 1274) das Verständnis des »gerechten Krieges« weiterentwickelt[13]. »Zu einem gerechten Krieg sind drei Dinge erforderlich: Erstens die Vollmacht des Regierenden (princeps), auf dessen Befehl hin der Krieg geführt werden muß... Zweitens ist ein gerechter Grund (causa iusta) verlangt... Drittens wird verlangt, daß die Kriegführenden die rechte Absicht (intentio recta) haben.« Nur jene Obrigkeit ist zur Kriegführung berechtigt, die nicht mehr die Möglichkeit hat, sich an einen Richter höherer Instanz zur Klärung der strittigen Sache zu wenden. Kriege können also nur »souveräne« Herrscher führen: Sie müssen letztlich ihr Recht aus eigener Macht wahren und suchen, da ihnen niemand die Verantwortung für das Gemeinwohl ihres Staates abnimmt. Dabei wird aber der »gerechte Krieg« nicht als Vergeltungs- oder Racheakt für erlittenes Unrecht, sondern als Wiederherstellung der Ordnung und als Bestrafung eines Schuldigen gerechtfertigt. Dem Entschluß zum Krieg und dem kriegerischen Handeln selbst darf nie die Beziehung zur sittlichen Ordnung fehlen, sonst kann von verantwortlichem Handeln nicht gesprochen werden.

Diese Ausführungen über den »gerechten Krieg« sind ganz und gar in die Lehre von der sittlichen Handlung eingefügt. Das Thema wird bei Thomas im umfassenden Kapitel der Tugend der Liebe behandelt. Der Krieg als solcher erscheint zunächst als ein Laster, das der dem Menschen von Gott geschenkten und aufgetragenen Liebe widerstreitet. Er kann überhaupt nur erlaubt sein zur Erreichung eines Friedens, der die durch schweres Unrecht gestörte Ordnung wiederherstellt oder vor schwerem Unrecht bewahrt. Nur ein Krieg, der diesem Ziel dient, wird überhaupt angesprochen. Wenn der Krieg mit Rücksicht auf das Gemeinwohl zur Bestrafung der Schuldigen geführt wird, ist er, objektiv betrachtet, nicht Sünde. Darum wird der unter solchen Bedingungen unternommene Krieg auch nicht verworfen.

Die von Thomas von Aquin aufgestellten Prinzipien werden von der gesamten späteren Scholastik übernommen, aber ihre Anwendung auf die konkrete Realität bringt wichtige Veränderungen. Seit Augustinus hatte man daran festgehalten, daß es gerechte Kriege gebe, die Gott selbst befehle. Unrecht gegen Gott, z. B. heidnischer Unglaube, konnte so zu einem gerechten Kriegsgrund werden. Nicht zuletzt darum hat man im Mittelalter den dauernden Kriegszustand gegen die Heidenvölker als »normal« angesehen.

Thomas von Aquin war hier zurückhaltender: zwar konnten die Schmähung des christlichen Namens und Christenverfolgung durch Heiden Kriegsgründe sein, er wies jedoch die Auffassung zurück, man dürfe die Heiden bekriegen, weil sie den christlichen Glauben nicht annehmen wollten (»Der Glaube ist nämlich eine Sache des freien Willens«).

Die spanischen Theologen des 16. Jahrhunderts (z. B. Vitoria, Suarez, Molina) entwickeln diese Lehre weiter. Was das Verhältnis zu den heidnischen Völkern betrifft, so berechtigen in ihrer Sicht zunächst Unglaube und Laster des Heidentums nicht mehr zum Krieg, doch werden etwa gewaltsame Missionsbehinderungen und die Verteidigung Unschuldiger (z. B. Verhinderung barbarischer Menschenopfer) als Kriegsgründe anerkannt. Vor allem aber wird nunmehr die bislang geltende Voraussetzung in Frage gestellt, daß jeder gerechte Krieg gegen eindeutig Schuldige gehe, die dann auch als Verbrecher bestraft werden müßten.

In einer Zeit, da sich in Europa die Nationalstaaten herausbilden, die volle Souveränität für sich beanspruchen und keine Instanz mehr über sich dulden, verweist man darauf, daß ein Krieg von beiden Seiten aus gerecht sein könne. In einem solchen Fall aber waren dem Sieger in der Behandlung des unterlegenen Gegners enge Schranken gezogen. So hat sich diese Überzeugung, daß beiderseits gerechte Kriege möglich seien, auf die Humanisierung des Krieges ausge-

wirkt. Die spanischen Theologen haben die entsprechende Milde auch für die Kolonialkriege gefordert.
Die Lehre vom »gerechten Krieg« wurde zu einem wichtigen Erbe der scholastischen Theologie an das europäische Völkerrecht der Neuzeit. Aber sie wurde damit zugleich fundamentalen Wandlungen unterworfen. Vor allem wird dem bisher vorherrschenden Kriterium, daß der »gerechte Krieg« der Bestrafung der Schuldigen diene – ein immer schwieriger gewordener Gedanke –, allmählich die Basis entzogen. Das Gewicht verlagert sich von der Gerechtigkeit der strittigen Sache mehr und mehr auf die Legitimation der Kriegführenden hin. Die zuweilen großzügige Ausarbeitung von Gründen zur Führung eines Krieges (»Kriegstitel«) verwischt allmählich den Unterschied zwischen allgemein verbindlichen Rechtsgründen und politischen Interessen. Die Frage nach der materiellen Gerechtigkeit eines Krieges und damit nach Unrecht und Schuld im objektiv-ethischen Sinn wird mehr und mehr aus der Beurteilung des Krieges verbannt. So wird die Lehre vom »gerechten Krieg« zum pragmatischen Regelkatalog für die Zulässigkeit von Kriegführung. Das Kernstück der klassischen theologischen Lehre, die Bedingung einer »gerechten Ursache«, ist herausgebrochen, dem Begriff des »gerechten Krieges« ist ein neuer Sinn unterlegt.
Was schließlich die Lehre vom »gerechten Krieg« innerhalb der theologischen Tradition der Folgezeit – zumal der Neuscholastik – betrifft, so kann man nur mit Bedauern feststellen, daß sie nicht mehr aktualisiert und vertieft worden ist. Auch wuchs ihr Abstand von den sich ändernden politischen und militärischen Realitäten (z. B. moderne Staatssouveränität, Trennung von Politik und Moral, Nationalismus, Bürgerkrieg). Auf diese Weise konnte die gewandelte Lehre vom »gerechten Krieg« nur zu leicht als Instrument benutzt werden, um Ideologien und Interessen zu

rechtfertigen, die weit von den kirchlichen Auffassungen entfernt waren. Heute werden in vielen Teilen der Welt sehr verschiedenartige Konzeptionen des »gerechten Krieges« vertreten, ohne daß wesentliche Inhalte der christlichen Lehre noch eine Rolle spielen.

3.3 Der Beitrag der Kirche zur Gewaltminderung und Friedenssicherung

Die Kirche hat von Anfang an gegen Mißstände gekämpft, die sich aus Gewalt und Ungerechtigkeit ergeben. Einzelne Gruppen und Christen haben dabei Jesu Zeugnis der Feindesliebe und der Gewaltlosigkeit exemplarisch verwirklicht, andere haben sich inmitten gewalttätiger Auseinandersetzungen als Friedensstifter erwiesen. Beispielhaft ist das Wirken des Papstes Leo des Großen, der franziskanischen Bewegung, des Indianerapostels Las Casas, der Brüder vom gemeinsamen Leben, der »Gottesfreunde«, des Niklaus von Flüe, des christlichen Humanismus, des Versöhnungswerkes von Pax Christi zwischen Franzosen und Deutschen nach dem Zweiten Weltkrieg (Bischof Théas). Auch Charles de Foucauld und Maximilian Kolbe dürfen in diesem Zusammenhang genannt werden. Die Kirche hat jedoch aus Jesu Zeugnis der Gewaltlosigkeit nie eine unterschiedslos für alle verbindliche Regel gemacht, wie es manche Gruppen in der Geschichte der Christenheit immer wieder versucht haben und heute noch versuchen. Vielmehr hat die Kirche unabhängig vom Zeugnis einzelner und über ihre stetige Friedenserziehung hinaus Wege der Gewaltminderung zu eröffnen versucht. Exemplarisch soll an dieser Stelle vom frühen Mittelalter die Rede sein.
Zuerst ist das Friedensstreben kleiner Gemeinschaften zu nennen, die auf verschiedene Weise – z. B. die »Gebetsverbrüderungen« mittelalterlicher Klöster, gemeinsame Gebe-

te, Institution des Rittertums – die zerstörerische Wirkung von Streitigkeiten verminderten und eine integrierende Kraft entwickelten.

Einzigartige Bedeutung gewinnt jedoch seit der Jahrtausendwende der »Gottesfrieden«. Er hat in einer Gesellschaft, deren innere Organisation und rechtliche Verfassung noch wenig entwickelt war, schrankenlose Privatkriege und unberechenbare Gewalttätigkeiten merklich eingegrenzt. Bestimmte Personen (z.B. Frauen, Kinder, Geistliche, Kaufleute, Bauern) und gewisse Sachen (z.B. Kirchen, Friedhöfe, Wohnhäuser, Ackergeräte) wurden unter den Schutz des Gottesfriedens gestellt, um sie vor Gewalttaten und Fehdehandlungen zu schützen. Außerdem wurden für bestimmte Tage und Zeiten jeder Waffengebrauch und jede Gewalttat untersagt. Diese sogenannte »Treuga Dei« (wörtlich: Waffenruhe Gottes) galt im allgemeinen für die Frist von Mittwochabend bis Montagmorgen, für die Adventszeit, Fastenzeit und österliche Zeit sowie für die höheren kirchlichen Festtage, die als Zeiten des Friedens anerkannt waren. Viele Synoden und Ökumenische Konzilien der folgenden Zeit haben unter Androhung von Strafen innerhalb der genannten Orte und Zeiten jede Gewaltanwendung verboten und eine förmliche Friedensgerichtsbarkeit geschaffen[14].

Hier ging es nicht nur darum, die Kriegführung zu humanisieren. Letztes Ziel war, Gewaltmittel überhaupt auszuschalten und friedliche Wege der Streiterledigung einzuführen. Viele Historiker zählen diese Bemühungen um den Frieden zu den erfolgreichsten Kapiteln der Geschichte des Völkerrechts. Sie sprechen von großen »Friedensbewegungen« des ganzen Volkes, die freilich damals von einer gleichzeitigen religiösen Erneuerung ausgingen. Seit dem 12. Jahrhundert übernahmen die langsam erstarkenden Staaten die Aufgabe der Friedenssicherung im Innern.

So wurde über den Gottesfrieden und das von ihm beeinflußte Landfriedensrecht ein innerstaatlicher Friedensraum geschaffen, der uns heute ganz selbstverständlich erscheint. Das Recht legitimer Gewaltanwendung hatten nicht mehr verschiedene Gruppen, die sich befehdeten oder sich auf dem Weg der gewaltsamen Selbsthilfe wehrten. An deren Stelle traten staatliche Rechtsverfahren, die die friedliche und gerechte Beilegung von Streitigkeiten herbeiführen sollten. So oblag die Ausübung »gerechter Gewalt« nun ausschließlich dem Staat. Schließlich ist hier auch auf die friedensstiftenden Tätigkeiten von Kaiser und Papst hinzuweisen, die aufgrund ihres Ehrenvorrangs oder ihrer geistlichen Autorität in ihrer Weise gegen Störer der Ordnung einschreiten und Konflikte schlichten konnten, die darin aber auch öfter versagt haben. Da die einzelnen Staaten und Herrscher das Recht zu Frieden und Krieg besaßen, blieb es nicht selten bei bloßen Vermittlungsangeboten.
Die genannten Streitschlichtungsverfahren als wichtigste Einrichtungen der Kriegsverhütung blieben zeitlich und regional begrenzt. Vom Beginn des 14. Jahrhunderts an kam der Gedanke auf, die in zahlreichen Einzelkonflikten erprobten Mittel und Verfahren gewissermaßen zu einem allgemeinen System zu entwickeln. So entstanden die ersten großen Visionen einer europäischen Friedensordnung und einer internationalen Schiedsgerichtsbarkeit. Sie bringen im Keim auch schon Ansätze zu dem, was später und unter gewandelten Bedingungen die moderne Völkerrechtslehre ein »System kollektiver Sicherheit« nennt. Überhaupt hat das Völkerrecht auf seine Weise manche kühnen Pläne und nicht selten zunächst weltfremd erscheinende Utopien, die sich freilich zunächst auf das christliche Europa bezogen, zu konkretisieren versucht. Die Völkerbundsidee und die Satzung der Vereinten Nationen sind Ansätze zu einer solchen überstaatlichen Organisation zur Wahrung einer umfassen-

den Friedensordnung. Vieles ist heute noch Programm, so etwa die Schaffung einer Weltautorität zur Regelung von Konfliktfällen.

Eine Bilanz kirchlicher Friedensbemühungen ist also keineswegs so negtiv, wie gelegentlich angenommen wird. Wir müssen jedoch in aller Nüchternheit auch ihre Grenzen sehen. Sie betreffen nicht nur die Kirche und ihre Möglichkeiten, sondern die damalige Welt überhaupt. Während bei der Eindämmung innerstaatlicher Gewaltanwendung bis zum Ende des Mittelalters und zum Beginn der Neuzeit beträchtliche Fortschritte erzielt werden konnten, gelang es nicht, den Krieg aus den zwischenstaatlichen Beziehungen zu verbannen. Im übrigen erstreckte sich die Minderung der Gewalt, wie schon angedeutet, auch nur auf den christlichen Binnenraum. So wurden die Kreuzzüge zur Befreiung des Heiligen Landes zuweilen mit großer Grausamkeit geführt, auch die späteren außereuropäischen militärischen Auseinandersetzungen, vor allem die Kolonialkriege, waren häufig barbarisch – trotz manchen kirchlichen Einspruchs. Die einende Klammer der Christenheit selbst zerbrach infolge der Konfessionsbildungen des 16. Jh. Die Kirchenspaltung gebar einen neuen Typ von Krieg, den Konfessionskrieg, der eine besonders rücksichtslose Entfesselung der Gewalt und die Tendenz zur Vernichtung des Gegners mit sich brachte. Dies alles zeigt, wie die Christen selbst immer wieder den Versuchungen des Machttriebes und der Gewalttätigkeit erliegen können und so die Weisungen ihres Herrn mißachten.

3.4 Wandlungen im neuzeitlichen Verständnis von Krieg und Frieden

Von der neuzeitlichen Veränderung des Begriffs »gerechter Krieg« war schon die Rede. Mit ihm wandelt sich auch der Friedensgedanke. Ohne daß wir diese Entwicklung hier im einzelnen darzulegen brauchen, zeigen wir im Rahmen unserer Zielsetzung folgende Grundlinien auf.

3.4.1 Verlust einer ethischen Beurteilung des Krieges

In der frühen Neuzeit wurde der Krieg praktisch in das Ermessen derer gestellt, die die Befugnis zum Kriegführen hatten, unabhängig davon, ob ihre Sache gerecht war oder nicht. Der Verkehr der Staaten untereinander wird weniger an die oberste Norm der Gerechtigkeit gebunden, sondern an rationalen Nützlichkeitserwägungen orientiert. So löst sich allmählich der klassische Friedensgedanke auf, der auf den tragenden Säulen von Ordnung, Recht und Gerechtigkeit aufgebaut war. Das Wort des Propheten Jesaja (32,17), wonach der Friede das Werk der Gerechtigkeit ist, verliert seine geschichtliche Kraft. Bis ins 18. Jahrhundert hinein ist der Krieg klar als Übel angesehen worden, wenn auch als unvermeidliches und im Einzelfall sogar vielleicht notwendiges Übel. Nun wird die Einheit einer sittlichen und rechtlichen Beurteilung des Krieges mehr und mehr aufgegeben. Gehörte er bisher als äußerster Notbehelf in den Grenzbereich des Rechts, so spielt er nun eine zwar beschränkte, aber doch zentrale Rolle als legitimes Selbsthilfemittel jedes souveränen Staates.

3.4.2 »Ewiger Frieden« als geschichtlich realisierbares Programm

Der christliche Glaube hat immer betont: vollkommener Friede kann erst bei der Vollendung der Welt und der Aufhebung der Geschichte erreicht werden. Darum zeigt er sich auch stets skeptisch gegenüber programmatischen Versprechungen eines »ewigen Friedens«. Seit dem Beginn des 18. Jahrhunderts erscheinen jedoch Entwürfe, welche die christliche Erwartung des künftigen Gottesreiches zum innergeschichtlich realisierbaren Plan eines dauerhaften Friedens umbilden. Darin äußert sich zunächst eine tiefe Sehnsucht nach Frieden und ein Protest gegen die blutige Vergangenheit. Es geht anfänglich nicht um Zukunftsutopien. Der Fortschritt der Zivilisation, so meint man, werde – auch wenn er ein krisenhafter Prozeß bleibe – einen Weltfriedenszustand erreichen, der auf der Vernünftigkeit und Sittlichkeit, den gemeinsamen wirtschaftlichen Interessen (»Handelsgeist«) und der brüderlichen Einheit der Menschheit gründet. Dafür müssen die Bedingungen hergestellt werden: Überwindung von geistigen wie religiösen Vorurteilen und von gesellschaftlichen Bevormundungen, Entdeckung der Harmonie der ökonomischen Interessen, Beseitigung von Mißständen im sozialen Leben. Der ewige Frieden wird – und dies ist etwas Neues – zum geschichtlich vollstreckbaren Programm, das am Leitfaden der Vernunft mit einer gesetzmäßigen Natur-Notwendigkeit zu verwirklichen ist.

3.4.3 Ideologisierung von Krieg und Frieden

Wer sich der Ankunft eines innerweltlichen Friedensreiches so gewiß ist und sich als dessen Vollzugsorgan begreift, kann nun allerdings den, der diese Überzeugung nicht teilt, nicht mehr als Gegner im herkömmlichen Sinn, sondern er muß ihn als absoluten Feind ansehen, der im Namen des künftigen Friedens zu vernichten ist. Der Staatskrieg wird zum Ideenkrieg, der von seiner Natur her keinen Friedensvertrag im überlieferten Sinn mehr zuläßt. Kriege werden in solchen Konzeptionen als Durchgangsperioden und Zwischenstationen in Kauf genommen.

Wo solche Erwartungen eines endgültigen Friedenszustandes mächtig werden, gibt es auch ganz entgegengesetzte Tendenzen. Im 19. Jahrhundert steht einem sich ausbreitenden Pazifismus eine Verherrlichung des Krieges gegenüber. Viele Denker sind der Meinung, ein langer Frieden bringe Feigheit und Weichlichkeit über die Menschen. Der Krieg erscheint als der Beweger des Menschengeschlechts, als Vollstrecker des Weltgerichts und als Mittel zur Verjüngung des Lebens in der Welt. Viele Ideologien des 19. und 20. Jahrhunderts leben aus solchen Gedanken, die zur Rechtfertigung von großen und kleinen Kriegen dienten.

Krieg und Frieden im Marxismus-Leninismus

In eine andere Richtung führt das Konzept des sozialrevolutionär motivierten Krieges. Es hat viele Wurzeln, vor allem wurde es in vielfältigen Formen als Reaktion auf wirtschaftliche Ausbeutung entwickelt. Der Aufstand der Geknechteten gegen die Unterdrücker wird zur einzig rechtmäßigen Gewaltanwendung in der Geschichte. Der Marxismus radikalisiert diese Gewaltanwendung zum Klassenkampf. Das Privateigentum an den Produktionsmitteln gilt als der letzte Grund feindlicher Auseinandersetzungen. Darum müssen die Sozialstrukturen radikal, d.h. mit allen Mitteln, auch denen der Gewalt, geändert werden. Nach Lenin kommt derjenige, der den Klassenkampf anerkennt, nicht umhin, auch Bürgerkriege anzuerkennen: Sie führen den Klassenkampf auf natürliche und unter gewissen Umständen unvermeidliche Weise weiter und verschärfen ihn. Klassenkampf wird zum zentralen Inhalt des gerechten Krieges. Deshalb ist im Sinn des Marxismus-Leninismus ein Krieg dann gerecht, wenn er dem Fortschritt des revolutionären Prozesses nützt. Das gilt besonders dann, wenn er die »Bourgeoisie« beseitigt und den sogenannten Sozialismus heraufführt. Mit der Aufhebung der Klassenherrschaft wird schließlich auch jeglicher Krieg verschwinden. Dem Sturz des Kapitalismus folgt nach dem Ende des Klassenkampfes der Weltfriede.

Diese Ideologie wird besonders nach dem Zweiten Weltkrieg geschichtsmächtig. Bald fordern allerdings die Bedingungen des nuklearen Zeitalters eine Anpassung dieser Doktrin. Der von Lenin und später von Stalin vorhergesagte apokalyptische Konflikt zwischen dem revolutionären Sozialismus und dem »Kapitalismus« erscheint nun nicht mehr unvermeidlich. So kommt es zur Strategie der »friedlichen Koexistenz«. Die Feindschaft zwischen den Systemen selbst bleibt unaufhebbar. Auf ideologischem Gebiet gibt es keine friedliche Koexistenz.

Für den Marxismus-Leninismus bleibt die Weltrevolution eine ideologisch unentbehrliche Hoffnung, die bis jetzt nicht aufgegeben worden ist. Der Ost-West-Konflikt beruht – neben anderen Faktoren – in erster Linie auf dieser Doktrin einer Todfeindschaft zwischen revolutionärem Sozialismus und »Kapitalismus«. Sie ist nicht einfach gleichzusetzen mit militärischem Expansionsdrang. Sie erfordert eine eigene geistig-politische Auseinandersetzung. Hinzu kommen weitere Elemente, die nach allgemeiner Ansicht für die sowjetische Außenpolitik mitbestimmend sind und Spannungen erzeugen: z.B. Hegemonialstreben, russische Tradition des furchtsamen Mißtrauens, historische Erfahrungen, Modernisierungsrückstände, Machtmechanismen in der Führung, Angst um die Stabilität des eigenen Systems im Bereich jener Völker, die ihm unterworfen sind.

3.5 Die kirchliche Friedensethik im 20. Jahrhundert

Die Kirche hat in der Neuzeit ihre eigene Lehre von Krieg und Frieden zur Geltung gebracht. Sie hat sie gegenüber den mannigfachen Wandlungen des Kriegs- und Friedensverständnisses verteidigt, ist jedoch kaum auf neue Fragestellungen eingegangen. Spätestens im 20. Jahrhundert sollte sich dies ändern.

Die beiden Weltkriege sind nicht mehr mit dem bisherigen Begriff von – immer als begrenzt und begrenzbar gedachter – militärischer Auseinandersetzung zu fassen. In diesen

Formen des Krieges geht es längst nicht mehr um begrenzte Ziele, sondern es droht die Vernichtung des Lebens ganzer Völker und Staaten. Die neuere Entwicklung nuklearer Vernichtungswaffen von unvorstellbarer Wirkkraft macht schließlich jede positive Sinngebung eines zwischenstaatlichen Krieges im früheren Verständnis unmöglich. Diese Vernichtungskraft läßt den Frieden als zwingende Bedingung für das Überleben der Menschheit erscheinen. Das Bewußtsein einer solchen elementaren Gefährdung hat zugleich die Forderung nach Abrüstung immer lauter werden lassen, neuerdings auch und gerade wieder in der Form radikaler Postulate, alle Waffen abzuschaffen. Das nukleare Zeitalter hat einen Neuansatz des Denkens über Krieg und Frieden verursacht, der aufs Ganze gesehen in seinen Ausmaßen noch nicht abzuschätzen ist.

3.5.1 Modifizierungen der Lehre vom »gerechten Krieg«

Die Lehrverkündigung der Kirche hat sich in den letzten Jahrzehnten immer intensiver diesen Herausforderungen gestellt. Papst Benedikt XV.[15] spricht 1915 von einem »entsetzlichen Blutbad, das seit einem Jahr Europa entehrt«, vom »Wahnsinn dieses unerhört grauenvollen Krieges« und 1917 von einem drohenden »Selbstmord«. Papst Pius XII.[16] nennt 1939 den Krieg ein »Ungeheuer«, 1943 spricht er vom Gehen »am Rand eines Abgrundes von unsagbarem Unheil« und von »Zerstörung und Gemetzel«.

Vor allem Pius XII. hat die Theorie vom »gerechten Krieg« in ihrer theologisch-kirchlichen Erscheinungsform lehramtlich aufgenommen und weiterentwickelt. Sie ist der Angelpunkt seiner Friedensethik. Der Krieg muß Gegenstand der sittlichen Beurteilung bleiben. Er ist in der Gegenwart als Mittel zur Lösung zwischenstaatlicher Streitfragen überholt. Der Papst verlangt eine völkerrechtliche Ächtung des Angriffskrieges und eine übernationale Friedensorganisation.

Der »gerechte Grund« für einen Krieg wird konzentriert auf den Fall der Verteidigung von grundlegenden Rechtsgütern, sofern sie unmittelbar gewaltsam bedroht werden. Die bisherige Lehre wird also erheblich eingeschränkt und abgewandelt. Angesichts der neuzeitlichen Wirkungsgeschichte der säkularen Theorien des »gerechten Krieges« mit ihren vielen problematischen Ausformungen empfiehlt es sich, folgerichtig eher von »gerechter Verteidigung« zu sprechen.

Pius XII. lehnt allerdings jene Schwäche ab, die einen Frieden um jeden Preis akzeptiert, aber auch eine Aufrüstung, die stark genug und willens wäre, andere ihrer Rechte zu berauben. Immer wieder werden die Notwendigkeit der Friedenserziehung und die Ausbildung einer christlichen Friedenshaltung gefordert. Besonders wichtig in diesem Zusammenhang sind die Weihnachtsbotschaften der Jahre 1944, 1948, 1956 und 1957. Seit 1953 geht der Papst auf die Probleme des Krieges mit atomaren, biologischen und chemischen Waffen (»ABC-Krieg«) genauer ein[17], und zwar nicht nur des militärischen Einsatzes dieser Waffen, sondern auch ihres politischen Gebrauchs.

Ende der 50er Jahre kommt es, vor allem in der Bundesrepublik Deutschland, zu öffentlichen Auseinandersetzungen, ob die Herstellung, Lagerung und vor allem der mögliche Einsatz von Atomwaffen im Verteidigungskrieg sittlich zulässig seien. In ihrem Gefolge wird die herkömmliche Lehre des »gerechten Krieges« über bisherige Einwände hinaus in Frage gestellt. Die politische Dimension der Drohung mit Atomwaffen tritt in dieser innerkatholischen Diskussion der Bundesrepublik jedoch eher in den Hintergrund, ganz im Unterschied zum päpstlichen Lehramt, aber auch zur Diskussion innerhalb der protestantischen Kirchen.

Die Enzyklika »Pacem in terris« Papst Johannes' XXIII. (1963) zeigt, daß die neue waffentechnische Lage auch

Gegenstand kirchlicher Friedensethik wird[18]. Erörterungen über einen erlaubten und einen unerlaubten Gebrauch von Waffen jeder Art fehlen hier. Immer wieder werden Wege aufgezeigt, mit deren Hilfe der Krieg als Mittel der Politik möglichst ganz ausgeschlossen werden soll. Der Papst beklagt das unaufhaltsame Wettrüsten, fordert ein Ende des Rüstungswettlaufs, ein Verbot der Atomwaffen und eine Schlichtung von Streitigkeiten durch Verträge und Verhandlungen. Es widerstrebt in unserem Zeitalter »der Vernunft, den Krieg noch als das geeignete Mittel zur Wiederherstellung verletzter Rechte zu betrachten« (PT 127, GS 80). Noch entschiedener als Pius XII. schlägt er eine Weltautorität zur Regelung von Konfliktfällen vor. Das Hauptaugenmerk wird darauf gelenkt, die Menschenrechte zu fördern und humane Lebensbedingungen zu schaffen. Auf diese Weise soll auch eine Gewaltminderung bewirkt werden.

3.5.2 Der Ausbau einer kirchlichen Friedensethik

Das Zweite Vatikanische Konzil beschäftigt sich im 5. Kapitel des zweiten Hauptteils der Pastoralkonstitution »Gaudium et spes« mit den Fragen des Friedens und der Völkergemeinschaft (Art. 77–90). Der Krieg wird als ein Übel gesehen, das völlig aus der Welt geschafft werden muß (vgl. GS 82). Man kann jedoch einer Regierung das Recht auf sittlich erlaubte Verteidigung nicht absprechen, wenn alle Möglichkeiten einer friedlichen Regelung erschöpft sind (GS 79). In diesem Sinne knüpft der Konzilstext der Sache nach an die kirchliche Lehre vom »gerechten Krieg« an, nennt aber an keiner Stelle diesen Begriff. Letztlich wird der verbleibende Entscheidungsspielraum zwischen Nachgeben oder Notwehr der Gewissensentscheidung der Staatsmänner überlassen, wie überhaupt immer wieder deren schwerwiegende Verantwortung vor Gott und der ganzen Menschheit betont wird. Im Blick auf den totalen Krieg und die neuen

Waffen heißt es unter wörtlicher Wiedergabe von »Pacem in terris«: »All dies zwingt uns, die Frage des Krieges mit einer ganz neuen inneren Einstellung zu prüfen« (GS 80). Der totale Krieg wird im Anschluß an päpstliche Erklärungen seit Pius XII. verurteilt: »Jede Kriegshandlung, die auf die Vernichtung ganzer Städte oder weiter Gebiete und ihrer Bevölkerung unterschiedslos abstellt, ist ein Verbrechen gegen Gott und gegen den Menschen, das fest und entschieden zu verwerfen ist« (GS 80). Das Konzil nimmt nicht Stellung zu der Frage, ob die Wirkungen bestimmter atomarer Kampfmittel kontrollierbar sind oder nicht.

Die Richtung der konziliaren Friedensethik ist eindeutig: das Ziel muß sein ein umfassender Frieden, die völkerrechtliche Ächtung jedes Krieges. Das Konzil gibt auch eine neue Orientierung hinsichtlich der Gewaltlosigkeit: »Vom gleichen Geist bewegt, können wir denen unsere Anerkennung nicht versagen, die bei der Wahrung ihrer Rechte darauf verzichten, Gewalt anzuwenden, sich vielmehr auf Verteidigungsmittel beschränken, so wie sie auch den Schwächeren zur Verfügung stehen, vorausgesetzt, daß dies ohne Verletzung der Rechte und Pflichten anderer oder der Gemeinschaft möglich ist« (GS 78). Ebenso fordert das Konzil die Regierungen auf, humane Gesetze für die Wehrdienstverweigerer aus Gewissensgründen zu erlassen (GS 79)[19].

Der Besitz von Kernwaffen wird vom Konzil nicht verurteilt, die sittliche Beurteilung der Abschreckung mit Kernwaffen wird offengelassen. Die entscheidende Aussage lautet: »Viele halten dies (gemeint: die Abschreckung möglicher Gegner mit Kernwaffen) heute für das wirksamste Mittel, einen gewissen Frieden zwischen den Völkern zu sichern. – Wie immer man auch zu dieser Methode der Abschreckung stehen mag, die Menschen sollten überzeugt sein, daß der Rüstungswettlauf, zu dem nicht wenige ihre Zuflucht nehmen, kein sicherer Weg ist, den Frieden zu sichern, und daß das daraus sich ergebende sogenannte Gleichgewicht kein sicherer und wirklicher Friede ist« (GS 81). Der politischen Wirklichkeit wird insofern Rechnung getragen, als eine solche Bewaffnung vorübergehend toleriert werden kann, vorausgesetzt, wir nutzen »die Frist, die uns noch von oben gewährt wurde,... um mit geschärftem Verantwortungsbewußtsein Methoden zu finden, unsere Meinungsverschiedenheiten auf eine Art und Weise zu lösen, die des Menschen würdiger ist« (GS 81). Es handelt sich weniger um einen fixierten Standort als um eine Notstandsethik auf dem Weg vom Krieg weg und hin zu mehr Frieden. Im übrigen werden vom Konzil alle Forderungen der Päpste im Blick auf die Schaffung einer Weltautorität und auf eine Reduzierung von Ursachen des Krieges, z.B. durch Ungerechtigkeiten, erneut verstärkt (vgl. GS 82).

Papst Paul VI.[20] hat leidenschaftlich eine Beendigung des Rüstungswettlaufs und eine völlige Beseitigung der Massenvernichtungswaffen gefordert. Papst Johannes Paul II.[21] setzt die Appelle seines Vorgängers fort und begründet seine Forderungen nach Frieden vor allem vom Recht und von der Würde des Menschen her. Die Worte gegen die Rüstung mit Waffen, die Tod und Vernichtung bringen, Furcht hervorrufen und wirtschaftliche Mittel in falsche Kanäle leiten, werden immer schärfer. Besonders eindringlich hat Johannes Paul II. in seinen Ansprachen vor der UNO-Vollversammlung am 2.10.1979[22] und vor dem Friedensdenkmal in Hiroshima am 25.2.1981[23] sowie in seiner Botschaft an die Zweite Sondergeneralversammlung der Vereinten Nationen für Abrüstung vom 14.6.1982[24] an die Stunde der äußersten Gefahr und an die Notwendigkeit eines radikalen Umdenkens gemahnt.

3.5.3 Die Kontinuität der neueren kirchlichen Lehrverkündigung

Der Weg der kirchlichen Lehrverkündigung über Krieg und Frieden in den letzten 30 Jahren spiegelt die Wandlungen in diesem Zeitraum wider. Die Stellungnahmen sind im Grundsätzlichen entschieden, müssen jedoch stärker die jeweilige geschichtliche Situation berücksichtigen, was ihren Wegcharakter unterstreicht und auch unterschiedliche regionale Akzente zuläßt. Die Lehre »gerechter Verteidigung« wird zwar nicht aufgehoben, aber sie kann nicht mehr allein Grundlage sein für ein Gesamtkonzept kirchlicher Friedensethik. Die positiven Weisungen zum Frieden und die Bekämpfung der Ursachen des Krieges treten in den Vordergrund. Papst Paul VI. führt im Jahre 1967 für den 1. Januar eines jeden Jahres den Welttag des Friedens ein[25]. Die Römische Bischofssynode des Jahres 1971 mahnt zur Förderung der »Strategie der Gewaltlosigkeit«[26]. Auch der Beschluß der Gemeinsamen Synode »Der Beitrag der katholischen Kirche in der Bundesrepublik Deutschland für Entwicklung und Frieden« stellt die Friedensförderung in den Vordergrund. Die deutschen Bischöfe haben – ähnlich wie andere Bischofskonferenzen – immer wieder in diesem Sinn ihre Stimme erhoben[27].

Es wäre aber irrig, die neuere Entwicklung der Friedensethik seit Johannes XXIII. und die Lehre von der »gerechten Verteidigung« gegeneinander auszuspielen. Beide Perspektiven ergänzen einander, und auf keine von beiden darf verzichtet werden. Einerseits darf die Politik die Verantwortung für den Schutz grundlegender Rechtsgüter des Gemeinwesens nicht abweisen. Sie muß, wo die Bereitstellung von Verteidigungsmaßnahmen dazu erforderlich ist, entsprechende Vorsorge treffen. Andererseits ist eine solche »defensive« Friedenssicherung nicht genug. Eine Politik der Friedensförderung muß darauf ausgehen, daß das friedliche

Zusammenleben der Menschheit immer weniger auf Waffen und Bedrohungsmechanismen und immer mehr auf die Achtung vor den Rechten aller und auf die Anerkennung des menschheitlichen Gemeinwohls in Freiheit und Gerechtigkeit gegründet wird.

***

Die Bilanz kirchlicher Friedensarbeit mag für viele auf den ersten Blick enttäuschend wirken. Konnte die Kirche den Frieden nicht radikaler und wirksamer fördern? Wir müssen bekennen: die Kirchengeschichte kennt manche Verstrikkung in recht weltliche Händel und manchen Anteil an Gewalttat und Krieg.

Andererseits, was wäre aus der Geschichte – vor allem der europäischen Völker – ohne den positiven Einfluß des christlichen Glaubens geworden? Wir haben kurz skizziert, wieviel sowohl das Völkerrecht als auch ganz allgemein der friedensfördernde und friedenssichernde Beitrag des innerstaatlichen Rechts christlichen Impulsen verdanken. Viele Bewegungen und Institutionen haben diese Impulse aufgenommen, um die Folgen bewaffneter Auseinandersetzungen zu mildern, den Gewaltpegel herabzusetzen und Frieden zu stiften und zu fördern.

Die christliche Friedensbotschaft verlangt, durch ein Mehr an Gesprächsbereitschaft, Vertrauen und Versöhnungsgeist unter den Menschen in der Geschichte verwirklicht zu werden. In seiner Vollgestalt sprengt der Friede Christi jedoch die Grenzen geschichtlicher Machbarkeit. Hier kehrt sich die eingangs gestellte Frage um: Nicht das Evangelium des Friedens erweist sich als Illusion, weil es immer noch Gewalttaten und Kriege gibt; nicht das Evangelium ist widerlegt. Vielmehr ist größte Skepsis, ja Widerspruch am

Platz gegenüber jenen Heilslehren, die eine Entwicklung der Menschheit zu einem Zustand vollendeter Humanität und Friedfertigkeit annehmen oder eine solche heile Welt mit revolutionärer Gewalt herbeiführen wollen.

4. Umfassender Friedensauftrag

Friede ist Frucht der Gerechtigkeit. Wo die Menschen in ihrem Leben Gott zu seinem Recht kommen lassen, da bestehen jene »Rechtsverhältnisse«, in denen das Zusammenleben der Menschen in Frieden geordnet wird. Der christliche Friedensauftrag verlangt von uns, daß wir mit allen Kräften ebensosehr weltweit für Recht und Gerechtigkeit eintreten (Friedensförderung), wie wir den labilen Frieden zu sichern suchen (Friedenssicherung). Das Evangelium gibt uns die Zuversicht, daß unser Friedenshandeln nicht vergeblich ist (Friedenshoffnung). Grundlage dieses Friedensauftrags ist das darin bezeugte Verständnis vom Menschen, das wir hier noch einmal zusammenfassend darlegen und aus dem wir einige grundsätzliche Folgerungen ableiten wollen.

4.1 Friedensethos und christliches Verständnis vom Menschen

Im Verhalten der Menschen gibt es, wie wir aus der Geschichte wissen, von Anfang an eine elementare Spannung und Zweideutigkeit. Mit dem Feuer hat der Mensch nicht nur wärmen und kochen, sondern auch verbrennen und brandschatzen können; mit dem Stein hat er Nahrung vorbereiten und schneiden, aber auch den Mitmenschen verwunden und töten können. Menschwerden heißt immer Aufbrechenkönnen in sehr verschiedene, ja gegensätzliche

Möglichkeiten. So kann der Mensch »dem Menschen zum Wolf«, aber auch zum Bruder werden.

Indem Gott den Menschen als sein Bild erschaffen hat, hat er ihm göttliche Würde verliehen. Er hat ihn auf sich hingeordnet und ihm zugleich den Weg gewiesen, wie er die Erde und deren Güter zu seinem Nutzen und zum Wohl aller gebrauchen soll. Indem der Mensch sich weigert, seinen Schöpfer und Herrn anzuerkennen, und glaubt, nur sein eigener Herr zu sein, zerstört er auch die Harmonie in sich selbst, mit seinem Bruder und mit seiner kreatürlichen Umwelt. Eine erste große Folge dieses Zerwürfnisses, das durch die Sünde Adams in die Welt gekommen ist und seither die Geschichte dieser Welt mitbestimmt, ist der Brudermord (vgl. Gen 4,3 ff).

Darum haben die Schrift und in ihrer Tradition die Geschichte des Glaubens in Adam das Urbild des unerlösten Menschen gesehen. Ihm steht Jesus Christus als Gegenbild und Ursprung einer erneuerten Menschheit gegenüber (vgl. Röm 5,12–21; Kor 15,21 f). In Jesus Christus hat Gott selbst durch die Sendung seines Sohnes einen neuen Anfang gesetzt. Christus ist der neue Adam. In ihm wird unser Menschsein neu. Weil Jesus Christus unseretwegen die Sünde der Welt, die immer auch schon unser eigenes Versagen einschließt, auf sich genommen und uns von ihr erlöst hat, hat er ein neues Verhältnis des Menschen zu Gott dem Vater, des Menschen zu sich selbst und der Menschen untereinander begründet. Durch seinen Tod und seine Auferstehung hat Jesus Christus die Trennwand der Feindschaft niedergerissen (vgl. Eph 2,15 ff). So kann der Mensch durch Gottes Zuwendung in Jesus Christus dem Menschen wieder zum Bruder werden.

Gott hat uns in Christus den Frieden endgültig verheißen und gestiftet. Deshalb können wir das Böse überwinden, wenn unser Leben auf Gott ausgerichtet bleibt. Es kann gerade in der Sache des Friedens nicht gutgehen, wenn wir Gott auslassen. Er verbürgt letztlich die Ordnung des Friedens, indem er das Gewissen der Menschen wachhält und zum Guten lenkt: Die Verheißung des Friedens will – wenigstens als Anfang und Stückwerk – in den konkreten Verhältnissen unseres Lebens verwirklicht werden.

Der christliche Glaube weiß aber, daß der Frieden in dieser Weltzeit immer bedroht bleibt und daß die Gegenwart der Gottesherrschaft sich nie vollständig oder in einem einzigen Gesamtentwurf verwirklichen läßt. Der endgültige Frieden läßt sich nicht in Gestalt irgendeiner neuen politischen Ordnung herbeiführen. Zwar verkündet das Evangelium die Gegenwart der Herrschaft Gottes, die uns die Versöhnung mit Gott und unter den Menschen eröffnet. Die volle Verwirklichung in einem Reich des Friedens steht jedoch noch aus. Die alte Welt der Sünde ist nicht einfach entschwunden. »Die ganze Geschichte der Menschheit«, so lehrt das Zweite Vatikanische Konzil, »durchzieht ein harter Kampf gegen die Mächte der Finsternis, ein Kampf, der schon am Anfang der Welt begann und nach dem Wort des Herrn bis zum letzten Tag andauern wird« (GS 37).

Eigensinn und Verhärtung, Selbstbehauptung und Überheblichkeit bedrohen ständig das Herz des Menschen. Nur so sind die überall verborgene Aggressionslust und Zerstörungswut im letzten zu verstehen. Auch der erlöste Mensch kann trotz der Vergebung der Sünden und eines neuen Lebensanfangs in der Taufe wieder den Versuchungen der Macht und der selbstherrlichen Gewaltausübung über andere verfallen. Aber nicht nur im Innern des Menschen hausen die Mächte des Bösen. Auch in den sozialen und gesellschaftlichen, politischen und institutionellen Verhältnissen unseres Lebens lauern Feindseligkeit, Unterdrückung und Gewalttätigkeit. Die Bereitschaft zur Versöhnung und zum Frieden muß daher das Heimtückische und Hinterhältige des Bösen in der Welt nüchtern und wachsam im Auge behalten, sonst erliegt sie leicht einem luziferischen Schein. Die Notsituation und die Gebrochenheit dieser zwar erlösten, aber noch immer in Wehen liegenden Welt dürfen nicht übersehen werden.

Deshalb hat die Kirche immer an der Notwendigkeit festgehalten, Unschuldige gegen Gewalt und Unterdrückung zu schützen, dem Unrecht zu wehren, Recht und Gerechtigkeit zu verteidigen. Ein einseitig erklärter Verzicht auf diesen Schutz und Widerstand kann, wie die geschichtliche Erfahrung lehrt, als Schwäche und möglicherweise als Einladung zur politischen Erpressung verstanden werden. Ein solcher Verzicht kann gerade das begünstigen, was verhindert werden soll: daß Unschuldige unterdrückt werden, daß ihnen Leid oder Gewalt angetan wird.

Dieser Schutz ist zuvörderst Aufgabe der staatlichen Gewalt, die sich dafür – in den Grenzen, die durch die sittliche Ordnung, durch Recht und Verfassung gesetzt werden – auch staatlicher Machtmittel bedienen kann. Auch wenn solche Machtmittel, für sich allein genommen, ein friedliches Zusammenleben der Menschen im Rahmen der Rechtsordnung nicht garantieren, kann die ethische Legitimität ihres begrenzten und kontrollierten Einsatzes innerhalb des staatlichen Herrschaftsbereichs nicht bestritten werden.

Was die Außenbeziehungen betrifft, so gilt, was auch die christliche Ethik bestätigt, das Gewaltverbot des Völkerrechts, das Verbot der Androhung und Anwendung von Gewalt. Da indessen Gewaltanwendung nicht auszuschließen ist und, anders als im binnenstaatlichen Herrschaftsbereich, ein internationales Gewaltmonopol mit Sanktionsvollmachten faktisch nicht existiert, kann einem Staat unter bestimmten Bedingungen das Recht auf sittlich erlaubte Verteidigung nicht abgesprochen werden. Auch hier gilt einschränkend, daß friedliches Zusammenleben der Völker in Recht und Gerechtigkeit mit militärischen Mitteln allein nicht gesichert werden kann.

Aus diesen Gründen behält der ethisch-normative Kerngehalt der Lehre »gerechter Verteidigung« innerhalb einer umfassenden Friedensethik der Kirche eine beschränkte, im konkreten Fall schwierige, dennoch für die ethische Orientierung bis jetzt unersetzliche Funktion, nämlich im Hinblick auf den Grenzfall einer fundamentalen Verteidigung des Lebens und der Freiheit der Völker, wenn diese in ihrer elementaren physischen und geistigen Substanz bedroht oder gar verletzt werden. Eine solche Aussage hat jedoch nur Existenzrecht im Gesamtkontext einer Friedensethik, die den entschiedenen Willen und die äußerste Anstrengung fordert, daß alles getan wird, um eine solche Situation gar nicht erst eintreten zu lassen. Außerdem wird im Zeitalter von Massenvernichtungswaffen die Frage immer entscheidender, mit welchen Mitteln eine solche Verteidigung grundlegender Rechte der Menschen und der Völker geschieht.

Wenn auch das Wissen und die Erfahrung der Gebrochenheit zum christlichen Verständnis des Menschen gehören, wird sich der Christ mit dieser nüchternen Erkenntnis nicht begnügen. Sein Glaube drängt ihn immer neu zu einer Friedensbereitschaft, die sich durch Enttäuschungen, Niederlagen und Widerspruch nicht entmutigen läßt.

Es ist für dieses Handeln – zu dem auch die Politik gehört – nicht gleichgültig, wie der andere Mensch, das andere Volk, der andere Staat gesehen wird. Wer im andern, auch im Gegner, einen ihm gleichwertigen Menschen, ein sittlich verantwortliches Wesen zu sehen vermag, der wird immer neu auf den andern zugehen, auf dessen Vorstellungen und Absichten hören. Er wird auch die eigene Politik nach der »Goldenen Regel« der Bergpredigt ausrichten: »Alles, was ihr von andern erwartet, das tut auch ihnen« (Mt 7,12). Eine solche Friedenspolitik, die sich von den Forderungen Jesu inspirieren läßt, räumt dem andern, auch dem Gegner, Möglichkeiten zur Umkehr und zum gemeinsamen Lernen ein. So kann und muß das christliche Ethos der Feindesliebe und der Gewaltlosigkeit auch in der Außenpolitik und der internationalen Politik wirksam werden.

Aber auch das genügt nicht. Das christliche Zeugnis für den Frieden muß beglaubigt und ergänzt werden durch den tätigen Dienst an jener Gerechtigkeit, die allein dauerhaften Frieden ermöglicht und trägt. Überall für die elementaren Rechte jedes Menschen eintreten, überall für Lebensbedingungen arbeiten, die seine Freiheit, seine Würde und seine Entfaltung fördern und gewährleisten, das ist ebenso integraler Bestandteil jedes christlichen Friedenshandelns. Die Liebe, die Christus uns lehrt und vorlebt, läßt uns das Maß der größeren Gerechtigkeit erkennen und den selbstlosen Dienst für sie tun.

Wagen wir uns mit all diesen Überlegungen nicht zu weit über den von Gottes Botschaft gesteckten Rahmen hinaus? Wir sind überzeugt: nein. Die Bergpredigt preist jene selig, die Frieden stiften (vgl. Mt 5,9). Es geht hier nicht nur um friedfertige Gesinnung, sondern um das Handeln, aus dem Friede wächst. Dann aber entspricht es dem Geist der Bergpredigt, wenn wir uns nüchtern der Frage stellen, ob das Ergreifen oder Unterlassen bestimmter Maßnahmen, die Bereitstellung oder Nichtbereitstellung bestimmter Mittel den Frieden und jene gerechten Verhältnisse, die ihn gewährleisten, in der Tat erhalten helfen oder aufs Spiel zu setzen drohen. Deshalb wollen wir im folgenden einen Beitrag zur ethischen Beurteilung von Maßnahmen der Friedensförderung und Friedenssicherung leisten.

4.2 *Friedensförderung*

Die Förderung und Sicherung des internationalen Friedens ist zunächst in die Zuständigkeit und Verantwortung der Staaten gestellt. Aber die wachsende Einsicht in die Voraussetzungen des Friedens – in seine gesellschaftlichen Bedingungen und die daraus folgende Mitverantwortung des einzelnen und der sozialen Gruppen – verweist auf eine viel breitere sozialethische Verantwortung. Die Gemeinsame Synode hat entsprechend den Frieden bezeichnet »als dynamischer Prozeß mit dem dreifachen Ziel: gleiche Chancen zur menschlichen Entfaltung des einzelnen sowie aller gesellschaftlichen und nationalen Gruppen zu schaffen bzw. zu sichern; internationale und soziale Gerechtigkeit herzustellen; eine Völkergemeinschaft ohne Krieg aufzubauen« (EF 2.1.2.3). Friedensförderung verlangt demnach:

4.2.1 Achtung der allgemeinen Menschenrechte als Grundrechte

Diese Forderung mag Verwunderung erwecken. Setzt nicht das Gebot der Feindesliebe, wie Jesus sie in der Bergpredigt verlangt und durch Gleichnisse veranschaulicht, die Berufung auf den Rechtsstandpunkt außer Kraft? Da Gott sich radikal und bedingungslos dem Menschen zugewandt hat, darf sich der Mensch nicht durch Berufung auf sein Recht von der Zuwendung zum Menschen dispensieren. Liebe übersteigt nicht nur den eigenen Rechtsstandpunkt, sie geht auch weiter, als der Rechtsanspruch des andern verlangt. Dennoch gilt auch: die Achtung vor dem Recht des Nächsten ist eine Mindestforderung der Liebe. Sie kann nicht einfach übersprungen werden. Caritas kann Recht nicht ersetzen. Liebe verlangt sogar in erster Linie die Achtung der Menschenrechte als Grundrechte jeder Gesellschaft. Ihre

Anerkennung ist die Brücke zum Frieden in Freiheit nach innen und außen.
Um so mehr muß es uns mit Sorge erfüllen, wenn wir täglich hören und lesen, wie vielfältig die Menschenrechte in verschiedenen Ländern unterdrückt und verletzt werden. Wo man das Recht mißachtet, da »entwickeln sich verschiedene Formen von Vorherrschaft, von Totalitarismus, Neokolonialismus, Imperialismus, die auch das Zusammenleben zwischen den Nationen gefährden. Es ist in der Tat eine bezeichnende Tatsache, die mehrmals durch die Erfahrungen der Geschichte bestätigt worden ist, daß nämlich die Verletzung der Menschenrechte mit der Verletzung der Rechte der Nation Hand in Hand geht« (Redemptor hominis 17). Zur Förderung des Friedens gehört darum vorrangig, immer und überall dafür einzutreten, daß die Menschenrechte verwirklicht werden und die Unrechtssysteme sich wandeln. Rechtsbrüche hinzunehmen, das Rechtsbewußtsein zu relativieren, heißt Unrecht und Gewalttätigkeit zu stärken. Eine »Welt ohne Krieg«, wie sie die Kirche immer wieder fordert, kann erst entstehen, wenn Menschenrechte und Völkerrecht universale, von Machtinteressen nicht eingeengte Anerkennung finden.
Für unser Zusammenleben in der freiheitlichen Demokratie folgt daraus, daß wir dem inneren und äußeren Frieden um so besser dienen, je mehr die Grundwerte und Grundrechte unser rechtsstaatliches Verhalten bestimmen. Wo Menschen zusammenleben, entstehen auch Konflikte. Betrachtet dabei jeder seinen Standpunkt für recht und den des Gegners für unrecht, setzt sich der Mächtigere, der Schlauere, der Schnellere, der Zynischere durch. Es gilt »das Recht des Stärkeren«. Durch die Bindung der Staatsgewalt an eine menschenrechts-orientierte Grundordnung ist das Recht des Stärkeren grundsätzlich überwunden. Der demokratische Staat garantiert durch seine Rechtsordnung, daß Konflikte

nach vereinbarten Regeln, vor allem durch unabhängige Gerichte, gelöst werden. Durch die Gewaltenteilung beugt er dem Machtmißbrauch vor. Friede durch Recht verlangt Anerkennung eines die Konfliktpartner gleichermaßen bindenden Rechts, das die Freiheit des einen ebenso sichert und beschränkt wie die des anderen.
Wir erinnern

– an das Recht auf Leben

Für die Kirche ist der Schutz des menschlichen Lebens unteilbar. Wo die Überzeugung von der Würde und dem Wert eines jeden Menschen unabhängig von seiner Geburt oder seiner Leistung in der Gesellschaft lebendig ist, da ist eine fundamentale Voraussetzung gegeben für die Einsicht, daß Krieg niemals ein Mittel zur Lösung von Konflikten sein kann. Wir erinnern mit Nachdruck an das Wort Papst Pauls VI.: »Die Tötung eines menschlichen Lebewesens, sei es vor der Geburt, sei es danach, verletzt in erster Linie das unantastbare Moralprinzip, auf das sich die Auffassung von der menschlichen Existenz immer beziehen muß: das Leben des Menschen ist unantastbar und heilig vom ersten Augenblick seiner Empfängnis an bis zum letzten Augenblick seines natürlichen Lebens in der Zeit.«[28] Die Personwürde und der unverrechenbare Wert jedes einzelnen Menschen bleiben die Grundlage jeder Rechtsordnung.

– an den Zusammenhang von Recht und Freiheit

Nur wo das Recht auf der Basis der Grundrechte geachtet wird, kann sich die Freiheit entfalten. Wo das Rechtsempfinden schwindet, wo Rechtsbrüche nicht nur öffentlich provoziert werden, sondern man ihnen auch in aller Öffentlichkeit applaudiert, da ist mit dem Frieden auch die Freiheit in Gefahr. Wer sich vom Recht befreit, »befreit« sich schließlich von der Freiheit. Andererseits darf das Recht die Freiheit des einzelnen nur so weit einschränken, wie es das Freiheitsrecht des anderen und das Gemeinwohl erfordern.

– an den Zusammenhang von Recht und Gleichheit

Das Recht geht von der grundsätzlichen Gleichwertigkeit aller Menschen aus. Es weist uns darauf hin, daß jeder Mensch gleichermaßen in seinem Menschsein zu achten und zu fördern ist. Diese Gleichheit ist nicht nur im Rahmen unseres Volkes zu verwirklichen, sie gilt auch gegenüber anderen Völkern und deren Bürgern, die in unserer Mitte leben. Wir können unsere eigene Identität nicht gegen andere, Schwächere verwirklichen, sondern nur mit ihnen.

4.2.2 Förderung internationaler Gerechtigkeit

Das Wort Papst Pauls VI., daß »Entwicklung der neue Name für Friede« sei, stellt sich uns heute als besondere Herausforderung dar. In der öffentlichen Diskussion über den Frieden in der Welt und über die weltweite Wirtschaftskrise sind wir in Gefahr, diesen Teil des Friedensauftrags als zweitrangig einzustufen.

Die Situation der Entwicklungsländer, zu denen auch die sogenannten Schwellenländer zu zählen sind, muß uns mit tiefster Sorge erfüllen. 800 Millionen Menschen leben nach wie vor in absoluter Armut, in Hunger und Elend. Darüber hinaus hat durch die dramatisch gestiegenen Energiekosten die Verschuldung auch der bessergestellten Entwicklungsländer ein Ausmaß erreicht, das vielfach zum Staatsbankrott zu führen droht.

»Um den Frieden aufzubauen, müssen vor allem die Ursa-

chen der Zwietracht in der Welt, die zum Krieg führen, beseitigt werden, an erster Stelle die Ungerechtigkeiten« (GS 83). In der Tat haben nicht zuletzt Ungerechtigkeiten in den politischen und ökonomischen Strukturen während der letzten Jahrzehnte verhindert, daß wirtschaftsschwache Länder und ihre Gesellschaften zu einer sich selbst tragenden Entwicklung finden konnten. Weder ist es gelungen, breite Bevölkerungsschichten am Entwicklungsprozeß teilnehmen zu lassen, noch hat sich zwischen Industrie- und Entwicklungsländern eine gleichberechtigte Partnerschaft ergeben. Durch die weltweite Rezession hat sich dieser Zustand in letzter Zeit noch verschärft. Hinzu kommt, daß der Beitrag des Ostblocks zur weltweiten Entwicklungshilfe weit hinter den Beiträgen der übrigen Industriestaaten zurückbleibt. Aber auch Nationalismus, Stammesrivalitäten und religiöser Fanatismus in manchen Entwicklungsländern hemmen die Entwicklung und bedrohen den Frieden.
Allerdings geht es längst nicht mehr allein um Krisensituationen in den Entwicklungsländern. In den Industrieländern verschärfen sich ebenfalls ökonomische und soziale Probleme. Vor dem Hintergrund wirtschaftlicher Stagnation und hoher Arbeitslosigkeit nimmt allenthalben die Neigung zu, sich an kurzfristigen Eigeninteressen zu orientieren. Vor allem besteht die Gefahr, daß Industrieländer sich gegen Einfuhren aus den Entwicklungsländern noch mehr als bisher abschotten. Ein Zusammenbruch des Welthandels könnte die Folge sein, eine allgemeine Wirtschaftskrise wäre nicht aufzuhalten. In dieser Lage gewinnt das so oft verwendete Wort von der wechselseitigen Abhängigkeit und der Partnerschaft zwischen Industrie- und Entwicklungsländern erhöhte Bedeutung: es fordert uns mehr denn je auf, gemeinsame Verantwortung für uns und für die anderen wahrzunehmen. Eine auf kurzfristige nationale Interessen ausgerichtete Politik kann die weltweiten Probleme nicht lösen.

Hunger, Arbeitslosigkeit und Elend würden sich nur weiter verschärfen, politische Instabilitäten und Krieg bedrohlich zunehmen. Vor allem gilt es, die vielfältigen Ursachen dieser Zustände zu erkennen und zu beseitigen:

- die in vielen Entwicklungsländern bestehenden sozialen Ungerechtigkeiten;
- der Hunger und die Not einer ständig steigenden Zahl von Menschen;
- das Vorenthalten von Menschenrechten und politischen Rechten;
- die ungerechte Behandlung von Minderheiten;
- das Anwachsen religiöser und ideologischer Konfrontation;
- die Ungerechtigkeiten innerhalb der heutigen Weltwirtschaftsordnung;
- die Hochrüstung.

Rüstung der Entwicklungsländer und dadurch ermöglichte kriegerische Auseinandersetzungen kosten nicht nur Menschenleben, sondern verringern auch die Chance, in absehbarer Zeit für eine wachsende Bevölkerung ein menschenwürdiges Dasein zu sichern. An diesem Rüstungswettlauf in der Dritten Welt sind Industrieländer mit ihren wirtschaftlichen Interessen nicht schuldlos.

Die Entwicklung der Länder der Dritten Welt ist zu einer Schicksalsfrage der Menschheit geworden. Sie wird vor dem Hintergrund einer riesige Summen verschlingende Rüstung zur besonderen Herausforderung. Mehr denn je gilt auch die Mahnung des Konzils: »Der Rüstungswettlauf ist eine der schrecklichsten Wunden der Menschheit, er schädigt unerträglich die Armen« (GS 81).

Aufgabe der Kirche ist es, dafür Sorge zu tragen, daß im globalen Kräftespiel die Rechte aller gewahrt und daß gerade die Rechte der Ärmsten nicht mit Füßen getreten werden. Wir können uns nicht damit begnügen, vom Überfluß der

Reichen ein wenig abzugeben. Wir haben auch für mehr Gerechtigkeit in den Strukturen einzutreten, denn sie ist das Fundament des Friedens in einer Welt, in der alle von allen abhängig geworden sind.

Die Botschaft Christi, die von der Würde jedes einzelnen Menschen als Gottes Ebenbild ausgeht, ist zugleich eine Botschaft der Ermutigung für die Völker, die um die Überwindung von Elend, Armut und Ungerechtigkeiten in den nationalen und internationalen Beziehungen ringen.

4.2.3 Entwicklung einer Weltfriedensordnung

Das Völkerrecht bildet eine der entscheidenden Grundlagen für den Weltfrieden. Die Anerkennung seiner Geltung bleibt einstweilen ganz auf die Achtung angewiesen, die ihm von den Regierungen entgegengebracht wird. Jede Friedensordnung, die diesen Namen verdient, beruht letztlich auf dem begründeten Vertrauen in die friedensstiftende Kraft des Rechts. Wo es an diesem Vertrauen mangelt, kommt es schwerlich zur Ausbildung zuverlässiger internationaler Friedensstrukturen, die Gewaltanwendung verhindern. Statt ihrer versuchen dann, wie die Geschichte lehrt, Hegemonialmächte ihrer Region eine »Friedensordnung« aufzuzwingen, die ihren Machtinteressen dient. Oder es herrscht – wie in der Gegenwart zwischen Ost und West – bestenfalls ein prekäres Gleichgewicht der Kräfte, das ebenfalls, »kein sicherer und wirklicher Friede ist« (GS 81).

Die Päpste der letzten sieben Jahrzehnte sind nicht müde geworden, immer wieder eine Weltfriedensordnung zu fordern. Heute wissen wir mehr denn je, wie wichtig eine solche Weltfriedensordnung ist. Sie ist in einer Welt, in der alles und alle in einer früher nie gekannten Weise aufeinander bezogen sind, ein dringendes ethisches Gebot. Die internationalen Organisationen sind im Laufe des letzten Jahrzehnts allzuoft »zum Gegenstand von Manipulationsversuchen durch Nationen geworden, die solche Einrichtungen auszunutzen trachten« (Johannes Paul II.)[29]. Das darf nicht zur Entmutigung und Resignation führen. Vielmehr sind die einzelnen Strukturen der internationalen Organisationen zu überdenken, um den neuen Realitäten und Konflikten Rechnung zu tragen. Jede Chance muß genutzt werden, um den Organisationen »jene Aufgabe zurückzugewinnen, die ihnen von ihrem Ursprung, ihrer Charta und ihrem Mandat zukommt«.

Insbesondere fordern wir die Einhaltung des Kriegs- und Gewaltverbots des Völkerrechts, namentlich der Charta der Vereinten Nationen. Es vedient Beachtung, daß neben anderen Staaten die Bundesrepublik Deutschland in förmlichen Erklärungen und Verträgen den Verzicht auf jede Gewaltanwendung feierlich bekräftigt und danach gehandelt hat. Volk und Regierung müssen weiterhin entschlossen sein, bei allen auftretenden Konflikten nach einer politischen, d.h. nach einer friedlichen Lösung zu suchen.

Das Zweite Vatikanische Konzil hat den Vorschlag gemacht, »eine von allen anerkannte öffentliche Weltautorität« einzurichten, »die über wirksame Macht verfügt, um für alle Sicherheit, Wahrung der Gerechtigkeit und Achtung der Rechte zu gewährleisten« (GS 82). Papst Paul VI. hatte schon in seiner historischen Ansprache vor der Vollversammlung der Vereinten Nationen am 4. Oktober 1965 diesen Vorschlag erhoben[30]. Eine solche Freiheit und Frieden schützende Weltautorität darf allerdings nicht nach dem Vorbild eines zentralistischen Einheitsstaates geschaffen werden. Das Subsidiaritätsprinzip ist eine notwendige Ergänzung zum Prinzip der Solidarität aller Nationen. Umgekehrt müssen die Staaten bereit sein, auf einige ihrer Souveränitätsrechte zu verzichten. Zur Durchsetzung des internationalen Rechts ist vor allem ein Weltgerichtshof einzurichten, dessen Entscheidungen bindend sind und mit entsprechender Sanktionsgewalt durchgesetzt werden können. Solche Vorschläge mögen auf dem Hintergrund der politischen Wirklichkeit unserer Tage utopisch erscheinen. Aber um die Grundlagen für ein menschenwürdiges, freies und gerechtes Zusammenleben aller zu schaffen, gibt es dazu langfristig keine Alternative. Solange dieses Ziel noch nicht erreicht ist, müssen Zwischenlösungen gesucht werden, um den Frieden zu sichern.

4.3 Friedenssicherung

4.3.1 Sicherheitspolitik im Rahmen der Friedenspolitik

Die Diskussion über die Sicherung des Friedens in Freiheit ist heute weitgehend auf militärische Strategien und Rüstungsfragen eingeengt. So entsteht in der Öffentlichkeit der Eindruck, Friedenspolitik sei vor allem militärische Sicherheitspolitik. Demgegenüber kann nicht genug betont werden, daß die Politik des Friedens viel umfassender ist als das Bemühen um seine bloße Sicherung.

Für die Sicherung des Friedens im engeren Sinn – auch und gerade im Ost-West-Verhältnis – gilt zunächst, was wir oben allgemein über den notwendigen Schutz gegen Gewalttat und Unterdrückung, über die Verteidigung von Recht und Gerechtigkeit, über das Verhältnis zum anderen Staat, auch zum Gegner, gesagt haben. Hier sehen wir uns vor allem, wie schon angedeutet, zwei drohenden Gefahren gegenüber: der Bedrohung der Freiheit von Nationen und deren Bürgern durch totalitäre Systeme, die in ihrem Herrschaftsbereich elementare Menschenrechte außer acht lassen und die außerdem versucht sein könnten, ihre Macht zur Expansion oder zur politischen Einflußnahme und Erpressung zu nutzen; zum anderen der Bedrohung durch eine Rüstungseskalation mit einer ungeheuren Anhäufung nuklearer und konventioneller Waffen, die eines Tages, wie viele fürchten, in die Katastrophe eines Krieges führen könnte. Beiden Gefahren ist gleichzeitig zu begegnen, und zwar vor allem mit politischen Mitteln.

Gegenüber der anhaltenden Bedrohung durch totalitäre Systeme bleibt der Bürger zur Verteidigung eines Friedens aufgerufen, der durch die Achtung der Menschenwürde und durch konkrete Freiheiten bestimmt wird. Diese Verteidigung ist nicht allein und nicht in erster Linie Sache der Sicherheitspolitik und eines militärischen Beitrags. Sie erfordert vor allem eine ständige politische, geistige und moralische – konstruktive und sich auf die Grundlagen der freiheitlich-demokratischen Staats- und Gesellschaftsordnung besinnende – Auseinandersetzung mit den ideologischen Grundlagen des Marxismus-Leninismus, und sie braucht als verläßliche Basis das Wissen um den friedensfördernden Charakter von Recht und Verfassung und das Bekenntnis zu ihnen. Sie erfordert außerdem eine aktive und überzeugende Politik der Friedensförderung. Nur auf diese Weise können Menschenrechte und Völkerrecht universale Anerkennung finden. Der Zusammenhang von Frieden, Freiheit, Recht und Gerechtigkeit als Schlüssel zur langfristigen Lösung der heutigen Probleme wird in dieser politischen Auseinandersetzung neu erkennbar.

Dennoch kann diese Verteidigung einstweilen auch auf einen militärischen Beitrag nicht verzichten. Letztlich ist er eine Konsequenz aus der Not der Gebrochenheit des Menschen, die die Abwehr des Unrechts erforderlich macht. Militärische Macht als Teil der Sicherheitspolitik anzuerkennen, widerspricht aber auch nicht der aufgestellten Forderung, Konflikte gewaltfrei zu regeln. Sie hat sogar heute in erster Linie diesem Ziel zu dienen. Wir haben daher zu bedenken, welche Anforderungen an einen solchen militärischen Beitrag heute zu stellen sind und nach welchen Kriterien er zu beurteilen ist.

Gegenüber der anderen Gefahr, die durch den Rüstungswettlauf entsteht, gilt es, alles zu tun, was im gemeinsamen Überlebensinteresse die Risiken der Hochrüstung mindert, ohne die eigene Sicherheit zu gefährden. Die Androhung und Anwendung von Gewalt muß aus den internationalen Beziehungen ganz ausgeschlossen oder wenigstens allmählich vermindert werden. Das Ethos der Gewaltlosigkeit wird auf der politischen Ebene dort bereits wirksam, wo es gelingt, Gewaltverzicht und gewaltfreie Methoden der Konfliktregelung in internationale Vereinbarungen und Verträge einzuführen und durchzusetzen.
Wir haben schon auf die Notwendigkeit verwiesen, daß alle Beteiligten Verhaltensweisen entwickeln, die sich an der »Goldenen Regel« orientieren. Gefährliche Fehleinschätzungen und Mißverständnisse lassen sich nur vermeiden, wenn alle Seiten ständig bereit sind, die eigene Haltung zu überprüfen und zugleich die Erfahrungen und Ängste, die Interessen, Erkenntnisse und Wertungen der anderen Seite zu würdigen. Erst auf dieser Grundlage lassen sich – auch wenn grundlegende Unterschiede in der Auffassung vom Menschen und von der Gesellschaft bestehenbleiben – Spannungen abbauen, werden Kommunikation und Zusammenarbeit zum gemeinsamen Nutzen verstärkt werden können.
Ziel des militärischen Beitrags zur Friedenssicherung darf daher unter den heutigen Bedingungen nicht die Kriegführung, sondern muß die Verhinderung des Krieges sein, und zwar jeden Krieges. Von diesem Ziel und von dieser Einordnung her sind Rüstung und militärische Strategie sittlich zu beurteilen, von daher sind auch die Mittel zu bewerten. Angesichts der nuklearen Vernichtungswaffen gewinnt diese grundsätzliche Sicht eine bisher nicht gekannte Zuspitzung. Konkrete Fragen der Strategie, für die es durchaus verschiedene Wertungen gibt, sind heiß umstritten. Wir wollen uns nicht zu Richtern in diesem Streit erheben. Aber wir halten

es für unsere Pflicht, Kriterien für die Urteilsbildung zu nennen.

4.3.2 Kriegsverhütung

Heute ist der Krieg weniger denn je ein Mittel, um politische Ziele zu erreichen. Er darf niemals sein! Denn niemals sind die Folgen des Krieges so offenbar gewesen, und niemals war so klar, daß jeder mögliche Gewinn in keinem Verhältnis zu den Opfern stehen würde.
Dieses Ziel, jeden Krieg zu verhüten, ist heute bei uns nicht mehr umstritten. Jedoch bewegt die Menschen, jeden Bürger genauso wie Politiker und Strategen, die drängende Frage, wie dieses Ziel am besten und sichersten zu erreichen ist, wie die Strategien und Mittel der Kriegsverhütung im einzelnen zu beurteilen sind. Nach allgemeinem Urteil scheuen auch die Staaten der marxistischen Welt einen militärischen Konflikt zwischen den Bündnissystemen. Allerdings halten sie an dem Anspruch fest, die revolutionäre Umwandlung der Gesellschaft in allen Ländern auch mit gewaltsamen Mitteln zu fördern. Nach der offiziellen, bisher nicht widerrufenen leninistischen Doktrin gelten zu diesem Zweck geführte Kriege als »gerechte Kriege«.
Bisher wird versucht, durch nukleare Abschreckung Krieg zu verhüten: Man droht einander für den Fall eines gegnerischen Angriffs in letzter Konsequenz etwas an, das niemand wollen kann, nämlich gegenseitige Vernichtung. Die Absicht dieser Abschreckungsstrategie besteht darin, auf einen potentiellen Herausforderer dergestalt einzuwirken, daß er keinen politischen oder militärischen Nutzen aus einer möglichen Aggression ziehen kann. Die Abschreckungsdrohung zielt demnach darauf ab, daß eine Friedensverletzung unterlassen wird.
Die Wirksamkeit dieser Strategie ist umstritten. Einerseits wird gesagt, daß die nukleare Abschreckung bisher einen

kriegerischen Konflikt zwischen den Blöcken verhindert habe. Es gebe vorerst zu dieser Strategie keine machbare Alternative. Dagegen wird eingewandt, die Tatsache, daß es bisher zwischen Ost und West keinen Krieg gegeben habe, beweise nicht, daß dies wegen der Abschreckung geschehen sei. Jedenfalls stellt sich die Frage: Kann sich unter den Bedingungen wechselseitiger Abschreckung die eine Seite der Absichten des Gegners wirklich sicher sein? Außerdem ist es – wie Papst Paul VI. in seiner Botschaft zur Ersten Sondergeneralversammlung der Vereinten Nationen für Abrüstung 1978 erklärt hat – »eine tragische Illusion zu meinen, der Rüstungswettlauf könnte bis ins Unendliche so weitergehen, ohne eine Katastrophe heraufzubeschwören«[31]. Diese Gefahren, die mit der Eigendynamik des Wettrüstens verbunden sind, drängen in der Tat zu der Folgerung: Nukleare Abschreckung ist auf Dauer kein verläßliches Instrument der Kriegsverhütung. Vor diesem Hintergrund ist die Botschaft Papst Johannes Paul II. an die Zweite Sondergeneralversammlung der Vereinten Nationen für Abrüstung 1982 zu sehen[24]. Er ruft zur Umkehr im Rüstungswettlauf auf und duldet Abschreckung lediglich noch als Mittel der Friedenssicherung auf einem Weg, der zur Rüstungsbegrenzung und Abrüstung führt: »Unter den gegenwärtigen Bedingungen kann eine auf dem Gleichgewicht beruhende Abschreckung – natürlich nicht als ein Ziel an sich, sondern als ein Abschnitt auf dem Weg einer fortschreitenden Abrüstung – noch für moralisch annehmbar gehalten werden. Um jedoch den Frieden sicherzustellen, ist es unerläßlich, daß man sich nicht mit einem Minimum zufrieden gibt, das immer von einer wirklichen Explosionsgefahr belastet ist.« Diese sittliche Tolerierung der Abschreckung, sofern auf sie zur Aufrechterhaltung der Sicherheit auf dem mühsamen Weg zur Abrüstung nicht sofort und ersatzlos verzichtet werden kann, ist an strengste Bedingungen geknüpft. Im

folgenden wollen wir versuchen, einige Gesichtspunkte zu nennen, die bei der ethischen Beurteilung nuklearer Abschreckung bedacht werden müssen.
Der erste und entscheidende Gesichtspunkt ist das *Ziel*, das mit dieser Strategie verfolgt wird: die Kriegsverhütung. Wenn sie nach dem erklärten Willen der Politiker und Strategen Ziel der Abschreckung ist, muß die politische und militärische Führung begründen können, daß und weshalb durch diese Strategie der Krieg tatsächlich verhindert werden kann. Denn nur so können die enormen Risiken hingenommen werden, die mit Nuklearrüstung stets verbunden sind. Dies betrifft z.B. die Gefahr, daß in Krisensituationen politische Entscheidungen von äußerster Tragweite aufgrund der Art der Waffen unter starkem Zeitdruck getroffen werden müssen. Solche und andere Risiken sind gegenüber der Chance abzuwägen, daß nukleare Abschreckung alle Beteiligten noch zu Verhandlungen und friedlicher Konfliktregelung zwingt. Nur wenn das der Fall ist, kann die politische und militärische Führung Mittel bereitstellen und den Soldaten in die Hand geben, von denen alle zutiefst hoffen und erwarten, daß sie nie zum Einsatz kommen werden. Allerdings müssen die Abschreckungsmittel im einzelnen auf dieses Ziel hin geprüft werden.
Der zweite Gesichtspunkt zur Bewertung der Abschreckung bezieht sich deshalb auf die *Mittel*, d.h. die vorgesehenen konventionellen und nuklearen Waffen sowie die entsprechende Einsatzplanung. Die Absicht, Krieg mit allen Kräften zu verhüten, muß in der Wahl der gesamten Rüstungsmittel selbst glaubhaft werden. Die sicherheitspolitischen Mittel sind an der Ausrichtung auf das Ziel der Kriegsverhütung zu messen. Schließlich müssen die möglichen Auswirkungen gegenwärtiger und künftiger strategischer und taktischer Planung sowie der zugehörigen Waffensysteme auf die Sicherheitspolitik der anderen Seite in die Überlegungen

einbezogen werden. Der potentiell Bedrohte wird ja die Absichten der Gegenmacht nicht zuletzt aus der Art der gegen ihn gerichteten Waffen erschließen. Von dieser Wahrnehmung hängt die Bereitschaft zu Verhandlungen wesentlich ab. Die Rüstung im Ost-West-Verhältnis wird, wie auch die Friedenswissenschaft betont, von Bedrohtheitsvorstellungen auf dem Hintergrund eigener Sicherheitsbedürfnisse bestimmt. Allerdings darf man dann nicht einzelne Waffen oder Systeme isoliert vom Gesamtzusammenhang der Strategie betrachten, auf die sie bezogen sind. Wenn die Abschreckung den Waffen ein politisches Ziel im Rahmen der Kriegsverhütung setzen soll, dann müssen sie unter diesem Blickwinkel beurteilt werden.

Eine von dieser politischen Zielsetzung losgelöste Beurteilung nuklearer Strategien und nuklearer Rüstungsmittel müßte zwangsläufig zu einer radikalen Verurteilung führen. Wird die Androhung eines Einsatzes von Nuklearwaffen als ein Teil der umfassenden Abschreckungsstrategie mit dem Ziel der Kriegsverhütung verstanden, dann müssen ihre Chancen und Risiken mit äußerster Gewissenhaftigkeit geprüft werden. Vor allem sind das Risiko der wachsenden Unkontrollierbarkeit des Nukleareinsatzes einerseits und die Gefahr wachsender Wahrscheinlichkeit eines konventionellen Krieges andererseits gegeneinander abzuwägen.

Aus den genannten Gesichtspunkten ergeben sich *Kriterien*, denen die Abschreckung genügen muß, wenn sie ethisch noch annehmbar sein soll:

- Bereits bestehende oder geplante militärische Mittel dürfen Krieg weder führbarer noch wahrscheinlicher machen.

Es ist uns klar, daß wir mit dieser Forderung an einen kaum auflösbaren Widerspruch stoßen. Denn Waffen sind als Abschreckungsmittel nur wirksam, wenn ihr Einsatz auch glaubhaft angedroht werden kann. Aber unter dem Gesichtspunkt der Kriegsverhütung sind die wechselseitige Drohung mit unannehmbarem Schaden und das damit verbundene Risiko Hauptelemente der Abschreckungsstrategie. Gerade die Aussicht, daß konventioneller und nuklearer Krieg nicht begrenzbar ist, birgt für den Gegner ein unkalkulierbares Risiko, das die wechselseitige Abschreckung vor dem Krieg, und zwar vor jedem Krieg gewährleisten soll. Eine Massenvernichtung anzudrohen, die man nie vollziehen darf – eine moralisch unerträgliche Vorstellung –, wird zum Zweck der Kriegsverhütung als besonders wirksam angesehen. Diese ungeheuerliche Spannung ist nur hinzunehmen, wenn die gesamte Sicherheitspolitik auf das Ziel der Kriegsverhütung ausgerichtet ist und die militärischen Maßnahmen dem vorrangigen Konzept der Friedenssicherung durch politische Mittel eingefügt bleiben.

– Nur solche und so viele militärische Mittel dürfen bereitgestellt werden, wie zum Zweck der an Kriegsverhütung orientierten Abschreckung gerade noch erforderlich sind.

Insbesondere dürfen die militärischen Mittel nicht Überlegenheitsstreben vermuten lassen. Sie müssen sich vielmehr an dem Ziel der Stabilität orientieren, die dann besteht, wenn keine Seite aus ihren Waffensystemen einen politischen oder militärischen Nutzen ziehen kann. Aber auch eine solche Beschränkung der Abschreckungsmittel kann nicht das letzte Wort zur Sache sein. Wir dürfen uns auf Dauer auch mit einem »Minimum« an Zerstörungspotential nicht zufriedengeben, »das immer von einer wirklichen Explosionsgefahr belastet ist« (Johannes Paul II.). Deshalb haben alle Verantwortlichen in Staat und Gesellschaft die dringende Pflicht, mit aller Anstrengung nach Alternativen zur Androhung von Massenvernichtung zu suchen.

– Alle militärischen Mittel müssen mit wirksamer beiderseitiger Rüstungsbegrenzung, Rüstungsminderung und Abrüstung vereinbar sein.

Wenn Abschreckung, wie der Papst sagt, »ein Abschnitt sein (soll) auf dem Weg einer fortschreitenden Abrüstung«, müssen sich die einzelnen militärischen Maßnahmen an glaubhaften Anstrengungen zur Rüstungsbegrenzung und -minderung orientieren. Dieses Ziel ist bisher noch nicht erreicht worden. Wirksamere Rüstungskontrolle als bisher ist daher als Vorstufe zu wechselseitiger Abrüstung dringend geboten. Dazu ist die Bereitschaft beider Seiten nötig. Zum Einfangen, Anhalten und schließlich Umkehren des Rüstungswettlaufs ist eine eigene Abrüstungsstrategie notwendig, die die wechselseitige Bedrohung immer weiter zu reduzieren sucht, zugunsten kooperativer Beziehungen auf allen Ebenen, wo diese möglich sind: diplomatisch, politisch, wirtschaftlich, psychologisch. Eine solche Friedenspolitik setzt Klarheit der Konzepte und Glaubwürdigkeit der Personen auf beiden Seiten voraus, damit über wechselseitige Berechenbarkeit des Verhaltens hinaus begründetes Vertrauen entsteht. Eine Politik der Rüstungsminderung muß ergänzt werden durch die Planung einer Umstellung der Rüstungsproduktion auf zivile Zwecke.

Auch die Beachtung dieser Kriterien bietet keine absolute Gewähr dafür, daß Abschreckung verläßlich den Krieg verhütet. Viele Menschen sorgen sich darum, was geschehen würde, wenn die Abschreckung versagen sollte und es zu bewaffneter Auseinandersetzung käme. Sind Waffen, die zur Abschreckung mit dem Ziel der Kriegsverhütung dienen sollen, in einem Krieg überhaupt noch nach dem Grundsatz der Verhältnismäßigkeit der Mittel sinnvoll einsetzbar? Ist nicht die Eskalationsgefahr auch eines noch so begrenzten Einsatzes so groß, daß keine Situation denkbar ist, in der der Entschluß zum Atomwaffeneinsatz in Abwägung aller Güter noch verantwortet werden könnte? Im europäischen

Bereich stellt sich die Frage auch verschärft im Blick auf die wachsende Zerstörungskraft konventioneller Waffen.
Wir hoffen und beten, daß niemals eine Situation eintreten möge, in der irgend jemand vor solche Entscheidungen gestellt wird. Daraus ergibt sich nochmals und mit höchster Dringlichkeit die Forderung, auf jeder politischen Ebene alle Anstrengungen zu unternehmen, um einen kriegerischen Konflikt zu verhindern. Der Verzicht auf die Androhung und Anwendung von Gewalt, wie er dem Völkerrecht entspricht, muß als Basis der Stabilität auch in Situationen erhöhter Spannung gelten. Gerade dann darf die Kommunikation beider Seiten keinesfalls abgebrochen werden. Denn jede Seite muß wissen, was die andere will. Vor allem darf es keinen Automatismus geben, der etwa von den vorhandenen Waffensystemen auf die Entscheidungsträger ausgeht. Besonders in Krisenzeiten müssen alle politischen Entscheidungen gründlich und möglichst ohne Zeitdruck geprüft und geplant werden können.
Es kann kein Zweifel bestehen: der Einsatz von Atomwaffen oder anderen Massenvernichtungsmitteln zur Zerstörung von Bevölkerungszentren oder anderen vorwiegend zivilen Zielen ist durch nichts zu rechtfertigen. Der Vernichtungskrieg ist niemals ein Ausweg, er ist niemals erlaubt. Daß diese Möglichkeit dennoch besteht, zeigt uns die Menschheit in einer Sackgasse, die uns zu mutigem Handeln herausfordert. Ein Ausweg ergibt sich nur in verstärkten Anstrengungen zur politischen Friedenssicherung und fortschreitenden Abrüstung. Staaten und Machtblöcke müssen endgültig lernen, ihre Beziehungen ohne Androhung und Anwendung von Gewalt zu gestalten.

4.4 *Friedenshoffnung*

Wir verschweigen nicht, daß wir mit unseren Aussagen vor allem zur Friedenssicherung vor einem großen Dilemma stehen. Auf der einen Seite sind wir mit Massenvernichtungswaffen konfrontiert, die in den vergangenen Jahren ständig »perfekter« geworden sind. Ihr Einsatz würde ein Grauen schaffen, das nicht schrecklich genug gedacht werden kann. Um so dringlicher suchen wir mit allen Menschen guten Willens Wege aus dieser Gefahr. Auf der anderen Seite sehen wir nüchtern und illusionslos, wieviel Ungerechtigkeit, Unterdrückung und totalitäre Erpressung in unserer Welt herrschen. Auch dies ist ein explosiver Gefahrenherd, den es einzudämmen gilt, damit alle Menschen und Völker in Freiheit zusammenleben können. Dabei übersehen wir nicht, daß beide Gefahrenherde, so unterschiedlich sie nach Ursachen und Auswirkungen auch sind, miteinander in Verbindung stehen und sich wechselseitig verstärken – eine Lage, die vielen als ausweglos erscheint.

Angesichts dieser Situation nennen wir in der gegenwärtigen »Zwischenzeit« (Paul VI.)[31] jene strengen Bedingungen und Kriterien, unter denen nukleare Abschreckung, solange sie nachweislich der Kriegsverhütung dient, noch zu tolerieren ist. Wir wählen mit dieser Entscheidung unter verschiedenen Übeln jenes, das uns nach menschlichem Ermessen als das geringere erscheint. Es ist das erklärte Ziel unseres Bemühens, einerseits dazu beizutragen, daß der drohende Holocaust der Menschheit verhindert wird und die Massenvernichtungswaffen schrittweise abgebaut werden; andererseits wollen wir für eine umfassende Ordnung des Friedens und der Gerechtigkeit jenseits von Waffenarsenalen und Unterdrückungssystemen eintreten.

Bei den oben dargelegten Prinzipien leitet uns das Gebot der Vernunft. Noch mehr aber folgen wir dem Evangelium jenes

Friedens, der alle unsere Vernunft übersteigt (vgl. Phil 4,7) und alle derzeit noch notwendigen Kompromisse weit hinter sich läßt. Wir möchten uns am Wort Gottes orientieren, das uns jenen Frieden verspricht, den uns diese Welt aus sich heraus nicht geben kann (vgl. Joh 14,27). Die daraus resultierende Spannung zwischen der Verheißung und den faktischen Gegebenheiten ist es, die uns zu einer Not-Ordnung raten läßt, uns zugleich aber über das Jetztmögliche hinausweist. Denn wir glauben: »Für Gott ist alles möglich« (Mt 19,26). Wer sich darauf verläßt, wird sich mit dem bestehenden Zustand niemals zufrieden geben dürfen (vgl. Mk 9,23). Er ist herausgerufen zur Hoffnung gegen alle Hoffnung (vgl. Röm 4,18).

4.4.1 Verheißung und Wirklichkeit

Wir sprechen aus dem Glauben an Gott, der uns in Jesus Christus zuvorgekommen ist. Er zeigt seine Liebe und Treue zu uns darin, daß er uns mit sich versöhnt hat, als wir noch Sünder und Feinde waren (Röm 5,6–11; 2 Kor 5,19 bis 21). Er läßt seine Sonne der Gerechtigkeit aufgehen über Böse und Gute und offenbart sich in seiner befreienden Feindesliebe (Mt 5,43–48). Er lädt uns ein auf den Weg, auf dem er uns selbst entgegengekommen ist, auf den Weg schöpferischer Gewaltlosigkeit, unermeßlicher Vergebungsbereitschaft und unbeirrbarer Feindesliebe. Diese »größere Gerechtigkeit« Gottes (Mt 5,20) ist Ursprung und Maßstab christlichen Hoffens und Handelns. Aus ihr erwächst jene gläubige Gelassenheit (vgl. Mt 6,25–34), die alles verständliche Sicherheitsdenken überbietet, jene entwaffnende Liebe, die Jesus selbst gelebt hat, bevor er andere dazu berief. Wir widerstehen der Versuchung zur Resignation und zur Illusion, auch wenn das eine wie das andere sehr nahe liegen. Wir haben die feste Zuversicht, daß die »Logik« des Wettrüstens durchbrochen wird. Wir glauben an Gott als den einzigen Herrn der Geschichte. Vom Evangelium her wissen wir, daß jene Not-Ordnung nicht der Weisheit letzter Schluß ist. Denn Gottes Weisheit ist nicht unsere Weisheit.

Um so mehr sehen wir uns aufgefordert, als Christen Verhaltensweisen und Lebensformen zu verwirklichen, die Gottes größere Gerechtigkeit schon hier und jetzt bezeugen. Wir dürfen und wollen nicht nur reagieren. Aus dem Glauben heraus suchen wir vielmehr selbst aktiv zu werden und die Alternativen des Evangeliums beim Wort zu nehmen. Christliche Friedensarbeit umfaßt: Einstehen für das Reich Gottes, Bereitschaft zur Versöhnung, Protest und gewaltloser Widerstand gegen das Unrecht in den Grenzen des Rechts bedeutet Feindesliebe, Opfer, Einsatz des eigenen Lebens. Wir müssen schon jetzt jene Ordnung des Friedens vorbereiten, die zu ihrem Schutz keiner Androhung von Gewalt bedarf, sondern auf wechselseitiges Vertrauen und auf Gerechtigkeit gegründet ist. Dazu ist Mut zum Umdenken und zur Umkehr nötig. Der Aufbau von Gewaltpotentialen und die Demonstration von Gewalt können als solche kein politisches Ziel von Christen sein.

4.4.2 Ermutigung zu den nächsten Schritten

Wir bezeugen die »größere Gerechtigkeit« des Evangeliums als den Maßstab unseres Glaubens. Aber haben wir die Verheißungen und Forderungen der Bergpredigt schon genug verstanden und verwirklicht? Haben wir ihren Hoffnungsgehalt und Handlungsspielraum schon ausgeschöpft? Überwinden wir das Böse durch das Gute? (Vgl. Mt 5,39; Röm 12,21) Unser Friedenszeugnis ist in der Tat nur glaubwürdig, wenn wir alle nur möglichen kleinen und kleinsten Schritte in Richtung Frieden tun.

In den internationalen Beziehungen der Staaten widersprechen Expansionsdrang, Vormachtstreben und rücksichtslose

Ausnutzung eigener Vorteile auf Kosten anderer dem Willen Gottes und dem Überlebensinteresse einer Menschheit, die ihre Probleme nur mehr in Partnerschaft und Solidarität lösen kann. Es kommt deshalb darauf an, neben der eigenen Sicherheit immer auch die Sicherheit des andern, des Gegners, in die Überlegungen einzubeziehen. Wo wirtschaftliche Überlegenheit und Vorherrschaft bestehen, wie zwischen Nord und Süd, sind die schwächeren Partner zu stärken, damit sie gleiche Rechte und Pflichten wahrnehmen können. Wo Unterdrückung und Erpressung drohen, gilt es, das Recht auf Selbstbestimmung und Selbstentfaltung ohne Gewaltanwendung und Vergeltungssucht voranzubringen. Auch dem wirtschaftlichen und wissenschaftlichen Austausch zum beiderseitigen Nutzen kommt große Bedeutung zu. Freier Verkehr der Menschen über die Grenzen hinweg, freier Austausch von Informationen und Meinungen dienen der Herstellung einer gerechten Friedensordnung. Jeder, der nur an sich selbst denkt und seinen eigenen Vorteil sucht, muß wissen, daß er schließlich auch sich selbst schadet. Um das Vertrauen in die zwischenstaatlichen Beziehungen zu stärken, sind Vorleistungen zu erwägen, sofern sie Sicherheit und legitimes Eigeninteresse nicht gefährden. Zusammen mit dem Papst ermutigen wir unsere verantwortlichen Politiker »zu allen Schritten, selbst den kleinsten, die in diesem so entscheidenden Bereich einen vernünftigen Dialog ermöglichen« (Johannes Paul II.)[32]. Wer mögliche und damit notwendige Schritte zum Frieden nicht geht, wer die Chancen zur Zusammenarbeit nicht auslotet und anderen Regierungen und Völkern grundsätzlich jede Lernfähigkeit in Richtung auf gewaltfreie Konfliktregelung abspricht, der versäumt nicht nur eine Gelegenheit zur Gewaltminderung, der macht sich außerdem angesichts unserer bedrohlichen Weltlage schuldig an der Zukunft der Lebenden und der künftigen Generationen.

In den zwischenmenschlichen Beziehungen versperren oft tiefsitzende Ängste und daraus entspringender Machtwille den Weg zum Frieden. Aus der eigenen Unsicherheit entspringt ein aggressives Sicherheitsbedürfnis; aus dem Mitmenschen wird der Konkurrent, der Gegner und schließlich der Feind. Wer sich selbst und den anderen von Gott her zu sehen sucht, wird den Balken im eigenen Auge beachten (vgl. Mt 7,3). Er wird mit Mut, Geduld und Einfühlungskraft sich selbst und den andern in den jeweiligen Möglichkeiten und Grenzen wahrnehmen – stets um Verständigung und Vergebung bemüht.

Auch im Leben unserer Gemeinden und in den Beziehungen zwischen Christen und Kirchen kommt alles darauf an, zu bezeugen, was dem Frieden dient. Besonders dort, wo es Konflikte zu lösen und Spaltungen zu überwinden gilt, will sich der uns geschenkte Geist der Versöhnung und Vergebung bewähren. Der innerkirchliche und ökumenische Dialog ist deshalb für unseren Friedensdienst und seine Glaubwürdigkeit von besonderem Gewicht. Je mehr wir als Christen und Kirchen den Verheißungen und Forderungen der Bergpredigt konkret entsprechen, desto mehr können daraus beispielhafte Verhaltensmodelle entstehen, die auch andere überzeugen und einladen.

Es geht darum, daß wir die Friedenskraft der Kirche verstärken. Die Kirche ist in vielen Ländern lebendig und im Volk verwurzelt, sie lebt in der Gemeinschaft aller Ortskirchen, in den internationalen Verbindungen und hat im Papst, der in Gemeinschaft mit den Bischöfen steht, eine Leitung, die für die Weltkirche sprechen kann. In der Art und Weise, wie die Kirche in allen Ländern und Kontinenten sowohl intern als auch nach außen miteinander umgeht, wie der innerkirchliche Dialog gefördert und Konflikte gelöst werden, in der Art der Gestaltung ihres Verhältnisses zur Gesellschaft kann die Kirche mehr als bisher das Vorausbild einer

Weltgesellschaft in Freiheit und Gerechtigkeit werden. Das kann freilich nur in dem Maße gelingen, wie wir alle uns stets neu zur Nachfolge Jesu Christi bekehren lassen.

5. Impulse und Empfehlungen zur Friedensarbeit

Wenn wir als Christen vom Frieden sprechen, dann sprechen wir von mehr als nur von dem Frieden, der politisch oder militärisch erhalten, gesichert, gefährdet, zerstört werden kann. Wir sprechen von jenem Frieden, der größer ist als alles, was wir denken, planen und erreichen können (vgl. Phil 4,7): der größere Friede. Wir sprechen zugleich aber auch von etwas, das unserem eigenen Erfahren und Wirken viel näherliegt als der Friede, der eine unmittelbar politische Aufgabe ist, von jenem Frieden nämlich, der in unserem Herzen und zwischen uns im Alltag anfängt: der nähere Friede.

Daß wir aus christlicher Verantwortung uns nicht von dem Dienst an jenem Frieden zurückziehen dürfen, der das Verhältnis zwischen Staaten und Völkern ohne Gewalt, Bedrohung und Erpressung regelt, davon sind unsere vorgebrachten Überlegungen zur Friedensförderung und Friedenssicherung getragen. Der Ausblick auf den größeren Frieden, den Gott über alles Menschenmaß hinaus allein schenken kann, und die Bemühung um den näheren Frieden, der jeden Tag neu bei uns persönlich und zwischen uns persönlich beginnen muß: das hat indessen ganz entscheidend auch mit dem politischen, zwischenstaatlichen Frieden zu tun. Ohne die größere Perspektive fehlt der Leidenschaft für den Frieden zwischen den Staaten und Völkern der Atem, der die mühseligen und kleinen Schritte nie aufgeben und trotz Rückschlägen weiterdrängen heißt. Ohne das je nähere Anfangen mit dem Frieden im eigenen Herzen und im Lebensraum des Alltags fehlt dem Frieden in der Welt das Netz, das ihn hält und trägt. Die größere Hoffnung und das kleinere Tun öffnen uns für jene Mitwirkung auch und gerade an den politischen Aufgaben eines umfassenden Dienstes am Frieden.

Nirgendwo wird der größere und wird der nähere Friede Gottes so dicht und wirksam Gegenwart wie in der Feier der Eucharistie. In ihr erbitten und empfangen wir den Frieden Christi, den Frieden, der Christus in unserer Mitte selber ist – in ihr wird uns der Friede Christi verkündet –, in ihr werden wir zum Dienst am Frieden hinausgesandt. So formt Eucharistie die drei grundsätzlichen Lebensvollzüge der Kirche und eines jeden Christen:

- den von Gott geschenkten Frieden im Gottesdienst zu feiern, für ihn Gott zu danken und immer wieder um ihn zu bitten;
- das »Evangelium des Friedens« (Eph 6,15) zu verkünden, die Gewissen der Menschen nach der Friedensbotschaft zu bilden und vor der Welt diesen Frieden zu bezeugen;
- den Dienst am Frieden in der Kirche, in Gesellschaft und Staat zu leisten.

5.1 Den Frieden erbitten

In der Begegnung mit Jesus Christus als dem Grundsakrament des Friedens Gottes empfangen Christen jetzt schon Gottes Frieden – gewiß anfanghaft, aber doch wirklich und wirksam. Dieser Friede ist nicht nur ein Friede des Herzens, in dem der Christ sich mit Gott versöhnt glauben darf. In seinem Frieden gibt Gott auch die Menschen einander neu: als Brüder und Schwestern, die den einen Gott als ihren Vater anrufen. Aus dieser Erfahrung vergewissern Christen

sich der unverbrüchlichen Hoffnung, daß Frieden in der Welt möglich ist, auch gegen alle scheinbar widersprechenden Tatsachen des Unfriedens.
In der Eucharistie feiern Christen das Geheimnis des Todes und der Auferstehung Jesu, durch das ihnen ein für allemal die Versöhnung mit Gott und den Menschen geschenkt wurde. In diesem Osterereignis findet die Umkehr von den Wegen des Bösen statt, die von Gott wegführen und auch voneinander trennen. In den Fürbitten gelangen die aktuellen Nöte und Probleme des Unfriedens vor Gott. Wenn auch unterschiedliche Erfahrungen und Überzeugungen nicht verdrängt werden sollen, so haben doch politische Auseinandersetzungen und ideologischer Streit im Gottesdienst keinen Platz. Am Altar wird schon jetzt in der Vergebung der Sünden jener Friede Wirklichkeit, den Christus durch sein Kreuzesopfer aufgerichtet hat. Im Friedensgruß geben die Christen das Geschenk des Friedens einander weiter. Im Mahl der Eucharistie lädt Gott an seinen Tisch. Das gemeinsame Mahl ist ein Ursymbol des Friedens. Hier überwinden die Glaubenden, was sie noch trennt. Die Kirche wird, zumal wenn Christen aus anderen Ländern den Gottesdienst mitfeiern und mitgestalten, als eine auch die Staaten und Nationen übergreifende Glaubensgemeinschaft konkret erfahrbar.
Eucharistie und Sonntag bilden eine Einheit. Darum wird der Sonntag zu einer Vorahnung des vollendeten Friedens, den der Herr der Welt schenken will, wenn er wiederkommt. Christen feiern daher den Sonntag als ständig wiederkehrenden Tag des Friedens. Das Gebet um Frieden hat seinen zentralen Platz im Leben des einzelnen Christen und im Leben der Gemeinde. Was Christen erbeten, ist im Grunde Segen Gottes. Im umfassenden Sinn ist Segen die Einfügung in die göttliche Ordnung der Welt. Segen Gottes bedeutet dann, daß alles menschliche Tun von ihm seinen

Sinn erhält. Betende Hinwendung zum Herrn, Feier des Friedens in der Eucharistie, die auch das christliche Leben im Alltag für den Frieden bereitmacht: das ist nicht frommer Nachtrag, religiöse Überhöhung, sondern wirksamer Teil des Dienstes am Frieden; es ist im Grunde der einzige Ansatz, um Angst, Mißtrauen und Feindseligkeit zu überwinden. Wir müssen nüchtern anerkennen, wie gering und hilflos für sich allein genommen das bleibt, was wir aus Eigenem für den Frieden zu leisten vermögen.
Im Gebet wurzelt die geistige und moralische Kraft jener Erneuerung, die die Welt braucht, um entscheidende Schritte zum Frieden zu tun. Friedensandacht und Friedenswallfahrt sind einer Gemeinde von Christen angemessen. Das tägliche Gebet des »Engel des Herrn«, das unsere Vorfahren in Zeiten der Gefahr als Friedensgebet sprachen, kann auch heute der ständige Gebetsruf um Frieden sein. Wir bitten Maria, die Königin des Friedens – auch im Gebet des Rosenkranzes –, um ihre Fürsprache. In den Fürbitten gedenken wir auch der Gegner, denn das Gebet für sie ist ein besonderer Ausdruck der Feindesliebe.
Wir laden die Familien, die Gemeinden und Verbände dazu ein, Gebetsgemeinschaften mit einer Familie, einer Pfarrei oder einem Verband im Ausland zu vereinbaren, so daß z.B. an jedem ersten Sonntag im Monat zugleich etwa in einer Kirche in Polen und in einer Kirche in unserem Land für den Frieden der Welt gebetet wird. Der ökumenische Kreuzweg der Jugend in der Deutschen Demokratischen Republik und in der Bundesrepublik Deutschland ist bereits ein solches Beispiel.
Da aber auch Christen in Konflikten oft versagen und der Welt allzuoft ein Bild des Unfriedens bieten, sind Umkehr und Buße stets von neuem nötig. Im Bußsakrament wird durch den Dienst des geistlichen Amtes der verletzte Friede mit Gott und der Kirche wiederhergestellt. Bußgottesdien-

ste, Schweigestunden und Fasten geben der Bußgesinnung glaubwürdigen Ausdruck. Ein Freitagsopfer am Todestag des Herrn und die Bußzeiten des Kirchenjahres können den Frieden in der Kirche fördern und so auch für die Welt zu Zeichen des Friedens werden.
Der Dienst der Kirche am Frieden erschöpft sich nicht in Bitten um den Gottesfrieden. Was der Kirche von Gott geschenkt wird, das muß sie auch vor den Menschen bezeugen.

5.2 Den Frieden verkünden

Kirche soll durch ihr Tun und durch ihr Sein diesen Frieden, der Christus ist, vergegenwärtigen. In aller Verkündigung muß sie diesen Frieden Christi zur Sprache bringen. Daß die christliche Botschaft »Evangelium vom Frieden« (Eph 6,15) ist, muß in Predigt und Katechese zur Geltung kommen. So erschließt die Kirche jene Hoffnung, die nicht enttäuscht, bewegt zur Umkehr der Herzen, ohne die Friede nicht wächst, zeigt Wege zum neuen Anfang, der Friede im Kleinen wie im Großen stiftet.
Nur das Fleisch und Leben gewordene Wort bewegt und überzeugt. Nie darf die Kirche darauf verzichten, das Wort zu sagen, aber ebensowenig dürfen wir darauf verzichten, das Wort zu leben. Der Christ ist gerufen, durch sein Leben, durch sein Auftreten, durch sein Gesicht »Friede« zu sagen. Das geht nicht ohne die Annahme seiner selbst. So viele Menschen sind unversöhnt mit ihrem Dasein, mit ihrem Schicksal. Sie können sich, ihre Lebensbedingungen, ihre Vergangenheit und Zukunft nur schwer annehmen. Aber wir alle sind bereits angenommen – und so können wir uns selber annehmen. Wo solche Annahme nicht erfolgt und nicht nach außen hin durchschlägt, bleibt ein unausgeräum-

tes Potential der Spannung und des Unfriedens auch zwischen den Menschen.

Selbstannahme geht nicht ohne Annahme des andern: Wir müssen einander annehmen, wie Christus uns angenommen hat (vgl. Röm 15,7). Grund und Maß dieser Annahme ist die Liebe Christi, der sich selbst für uns hingegeben hat. Frieden setzt Versöhnung voraus. Wir sind in der Nachfolge Jesu dazu aufgefordert, den ersten Schritt auf den Bruder oder auf die Schwester zuzugehen und die Hand zur Versöhnung zu reichen: »Geh und versöhne dich zuerst mit deinem Bruder« (Mt 5,24). Wir wissen, wie oft Christen gerade darin versagen und so das Evangelium Christi verdunkeln. Friede gelingt nicht ohne die Umkehr von Sicht- und Verhaltensweisen, die vom eigenen Ich und meinem Interesse mehr als vom andern und seinem Interesse, vom Ganzen und dem Gemeinwohl ausgehen. Die Umkehr der Perspektive – ich sehe nicht den andern von mir her, sondern mich vom andern her – ist für alle und zumal für die Christen von grundlegender Bedeutung. Eine neue Sprache lernen, welche die Wahrheit in der Liebe sagt, so daß der andere sich und mich verstehen kann, jenes Hören lernen, das jedem Sprechen vorausgeht, jenes Einbeziehen der Sicht und der Interessen des andern lernen, ohne das Zusammenstöße unvermeidlich sind: solche Methodik des Friedens gilt es einzuüben.

Der Dienst am Frieden beginnt also mit einer umfassenden Erziehung zum Frieden, welche die Bereitschaft und die Fähigkeit zum Frieden immer neu wecken und entwickeln hilft. Im Umgang der Christen untereinander muß deutlich werden, daß sie einander achten und daß sie offen miteinander reden können, auch wenn sie unterschiedlicher Meinung sind. Eine solche offene und vorurteilsfreie Diskussion über Fragen des Friedens wird den inneren Frieden einer Gruppe oder einer Gemeinde nicht gefährden. Der erste Ort solcher

Friedenserziehung ist die Familie. Was hier begonnen wird, muß sich fortsetzen in Gruppen und Verbänden, in der Jugendarbeit, im Religionsunterricht. Wir bitten vor allem die Frauen und Mütter, hier mitzuwirken: Sie sind »in ganz besonderer Weise die Vermittler der Versöhnung in den Familien und in der Gesellschaft« (Paul VI.)[33]. Im Schulunterricht dürfen Kinder und Jugendliche nicht zum Freund-Feind-Denken verführt werden. Erziehung zum Frieden steht allen Konfliktideologien entgegen, die Streit und Auseinandersetzung der Menschen steigern. Dabei sollen Konflikte und Meinungsverschiedenheiten nicht verleugnet, sie müssen redlich ausgetragen werden, aber auf eine Weise, die den Frieden fördert, statt ihn zu gefährden.

Auch die Jugend- und Erwachsenenbildung hat ihren Beitrag zu einer gründlichen Urteils- und Gewissensbildung zu leisten. Dabei kann die Mitwirkung von erfahrenen Erziehern, Psychologen und Politikern, Friedensforschern und Militärfachleuten sehr hilfreich sein. Vor allem ist es nötig, die Kenntnis der kirchlichen Friedenslehre zu vertiefen, wie sie in den Äußerungen der Päpste, den Dokumenten des Zweiten Vatikanischen Konzils, den Beschlüssen der Gemeinsamen Synode der Bistümer in der Bundesrepublik Deutschland niedergelegt ist. Auch das Studium der päpstlichen Botschaften zum Weltfriedenstag und der entsprechenden Arbeitshilfen ist zu empfehlen; sie bieten mit ihren thematischen Schwerpunkten einen guten Einstieg in Einzelaspekte des Friedens und der Friedensarbeit.

Vielfach hat Papst Johannes Paul II. hervorgehoben, welche Bedeutung dem kirchlichen Dienst an der öffentlichen Gewissens- und Bewußtseinsbildung in Fragen des Friedens und der Menschenrechte zukommt. Wie schon die Gemeinsame Synode betont hat, haben Verbände, Fachgremien, Gemeinden und Amtsträger dabei verschiedene Aufgaben und Verantwortungen. Die besondere Zuständigkeit der politischen Instanzen wird durch die kirchliche Friedensaktivität nicht eingeschränkt, sondern bekräftigt (vgl. EF 2.2.2). Dem kirchlichen Amt ist aufgetragen, die Prinzipien und Normen des sittlich Verpflichtenden in Fragen des Friedens zu verkündigen, sei es gelegen oder ungelegen. Dadurch werden dem Gewissen der Gläubigen und aller Menschen guten Willens Orientierungshilfen für das Handeln gegeben. Die Verantwortung für die Anwendung moralischer Grundsätze trägt der Handelnde selbst, sie kann ihm nicht abgenommen werden.

Im Dienst am Frieden wissen wir uns besonders eng verbunden mit allen christlichen Kirchen und christlichen Gemeinschaften[34], mit allen mutigen Friedensstiftern im Sinn des Evangeliums Jesu Christi. Im Bewußtsein ihrer gemeinsamen Verantwortung für den Frieden arbeiten katholische Christen mit Christen anderer Bekenntnisse, mit Andersgläubigen, mit Nichtglaubenden und allen Menschen guten Willens zusammen. Große Bedeutung messen wir dem Gespräch der Jugendlichen mit den Erwachsenen über diese Probleme bei. Beide haben einen verschiedenartigen Erfahrungshorizont und können sich daher gegenseitig neue Erkenntnisse vermitteln. Viele junge Menschen in aller Welt lassen heute ein neues Gespür für eine weltweite menschliche Gemeinschaft über alle Grenzen hinweg erkennen. Sie stoßen zu einer Geisteshaltung vor, die von Gerechtigkeitsliebe und Einsatzbereitschaft geprägt ist und dabei weder von Skepsis noch von Feigheit gehemmt wird.

Allerdings kennzeichnen auch Angst und Hoffnungslosigkeit die Lebenseinstellung nicht weniger junger Menschen. Um so mehr ist die Erwachsenengeneration aufgerufen, der Jugend ihre Erfahrungen zu vermitteln und Räume des Handelns zu öffnen, in denen junge Menschen bereits Mitverantwortung ausüben können. Nur auf diese Weise kann es gelingen, die Ordnung der Freiheit und des Rechts, die Ordnung der Demokratie, mit Inhalt und Leben zu erfüllen, damit sie auch kommenden Generationen anziehend und lebenswert erscheint. An die Jugendlichen appellieren wir: Entzieht euch nicht der Verantwortung, in die ihr gerufen seid! Entscheidet euch zur Mitarbeit in den Lebensbereichen, in denen ihr steht! Sucht in eurer Auseinandersetzung mit den verschiedenen Positionen der Friedenspolitik den Dialog mit Sachverständigen und Verantwortlichen! Laßt euch nicht enttäuschen, wenn ihr keine raschen Erfolge erreicht, sondern stellt euch beharrlich in den Dienst der Friedensarbeit! Laßt euch aber auch nicht täuschen von falschen Friedensparolen, die »Frieden« vorgeben, aber zugleich Haß und Feindschaft und Gewalttat propagieren!

Ob einer wirklich dem Frieden dienen will oder ganz andere Ziele verfolgt, erkennt man daran, ob er die Sprache des Friedens spricht oder Haß und Menschenverachtung schürt und eigensüchtige Interessen verfolgt. Friede unter den Menschen und unter den Völkern setzt voraus, daß man voneinander weiß und die jeweiligen Lebensumstände kennt. Die Medien gehören zu den »wirksamsten Kräften und Möglichkeiten«, Verständnis und Verständigung herbeizuführen. Sie »knüpfen Verbindungen unter den Menschen«, schaffen eine »neue Sprache« (Communio et Progressio 12)[35]. Die Verantwortlichen in den Medien tragen daher eine große Verantwortung bei den Bemühungen um einen dauerhaften Frieden. Die Qualität ihrer Arbeit entscheidet weitgehend darüber, welche Chancen die Öffentlichkeit erhält, die Welt von heute zu begreifen und auf der Basis dieses Begreifens friedensfördernd zu handeln.

Schließlich können Christen den Frieden im Sinne des Evangeliums durch eine Gesinnung bezeugen, die über die Grenzen des Gewohnten hinauskommt. Kehren wir um von Wegen, die nicht die des Glaubens sind: des maßlosen

Konsums auf Kosten der Ärmeren, der Anpassung an eigensüchtige Lebensformen eines übertriebenen Wohlstandsdenkens, einer Anspruchsmentalität, die nur auf Eigeninteressen begrenzt ist.
Friedensarbeit darf sich nicht in Worten und schönen Gesten erschöpfen. Wenn unser christliches Zeugnis vor der Welt glaubwürdig sein will, muß es auch durch friedensstiftende Taten bekräftigt werden.

5.3 Den Frieden tun

Das »Evangelium des Friedens« bewegt uns Christen, Frieden zu leben und zu tun. Wir wollen auf einige Aufgabenfelder hinweisen, in denen wir als Christen besondere Verantwortung haben.

5.3.1 Dialog

Wie schon eingangs betont, hat Papst Johannes Paul II. in seiner Botschaft zum Weltfriedenstag 1983 den Dialog als den Weg des Friedens und als Weg zum Frieden beschrieben. Gerade im gegenwärtigen öffentlichen Streit um den Frieden halten wir es für besonders wichtig, die Regeln des Dialogs zu beachten. Zu diesem Zweck sollte der Dialog um den Frieden auf allen Ebenen in Kirche und Gesellschaft geführt werden. Daß einzelne kirchliche Gruppen und Institutionen sich mit den verschiedenen Aspekten des Friedens beschäftigen, verdient Anerkennung. Erforderlich ist allerdings, daß das ganze Volk Gottes – in den Grundfragen des Friedens einig – zu vertieften Einsichten gelangt und zu einem neuen Handeln motiviert wird.
Wir wollen den umfassenden friedensethischen Dialog mit dem Papst und mit den Bischöfen anderer Länder, der seit Jahren im Gang ist, fortführen, um klarer zu erkennen, was zu tun ist. Diese Kontakte sind besonders mit jenen Natio-

nen wichtig und notwendig, deren Verhältnis zu uns aus der Vergangenheit belastet ist.
Wir wünschen, daß sich die theologische Forschung und Lehre intensiver mit den grundlegenden Problemen des Friedens, aber auch mit seiner Realisierung in der politischen Wirklichkeit und mit den praktischen Beiträgen der Kirche beschäftigt[36].

5.3.2 Menschenrechte
Zur Förderung des Friedens gehört es, für die Verwirklichung der Menschenrechte einzutreten und deren Verletzung überall und immer wirksam entgegenzutreten.
Zentrale kirchliche Stellen und Institutionen werden regelmäßig Dokumentationen und Mitteilungen über Menschenrechtsverletzungen, auch Verletzungen des Rechts auf Religionsfreiheit, vorlegen. Wir bitten die Gemeinden und Verbände, sich zu informieren und sich ihrerseits im Rahmen ihrer Möglichkeiten dafür einzusetzen, daß die Menschenrechte eingehalten werden. Wir empfehlen, das Thema Menschenrechte in den Ausschüssen für »Mission, Entwicklung, Frieden« auf den verschiedenen Ebenen bis zu den Pfarrgemeinden sowie in den Verbänden immer wieder auf die Tagesordnung zu bringen.
Wir bitten die Journalisten und Redakteure der Medien, durch ihre Arbeit verstärkt dazu beizutragen, daß die Bürger unseres Landes Menschenrechtsverletzungen und Gewalttätigkeiten in der Welt nicht teilnahmslos hinnehmen. Die Verantwortlichen in Wirtschaft und Politik bitten wir, bei Verhandlungen mit ihren Gesprächspartnern immer zu berücksichtigen, daß die Achtung der menschlichen Würde nicht der Verwirklichung kurzfristiger Interessen geopfert wird.

5.3.3 Dienste für den Frieden

Die Bewegung für den Frieden sollte sich mehr als bisher auf die Bekämpfung der Ursachen der Konflikte konzentrieren und nicht bei der Kritik von deren Folgen stehenbleiben. Die Päpste sind in den letzten Jahrzehnten nicht müde geworden, immer wieder zu betonen, daß Friedensförderung gegenüber der Friedenssicherung die weitaus größere und wichtigere Aufgabe ist.

Dankbar stellen wir fest, daß die Kirche in Deutschland auf diesem Gebiet in einer ganzen Reihe von Werken und Initiativen tätig geworden ist. Hier sei auf die großen Werke ADVENIAT, MISEREOR und MISSIO, den Caritas-Verband, die Kommission Iustitia et Pax, den Europäischen Hilfsfonds hingewiesen. Auch die Katholikentage haben sich mehr und mehr diesen Fragen geöffnet. Die Initiativen der katholischen Flüchtlings- und Vertriebenenverbände unmittelbar nach dem Zweiten Weltkrieg und die Beiträge von Pax Christi zur Aussöhnung mit Frankreich und Polen sind hier ebenfalls zu erwähnen. Sie alle haben sich in den Dienst der gesellschaftlichen Diakonie, der Mission, der Entwicklung und des Friedens gestellt.

Schon die Gemeinsame Synode hat auf die Wichtigkeit von institutionalisierten Freiwilligen-Diensten hingewiesen, die nach ihrem Selbstverständnis speziell auf die Förderung des Friedens hingeordnet sind (vgl. EF 2.2.4). Diese Freiwilligen-Dienste können in der Entwicklungshilfe, in sozialen Projekten im Ausland oder in sozialen Einsatzfeldern in unserem Land geleistet werden. Wir begrüßen die Dienstbereitschaft vieler Jugendlicher. Wir werden alle geeigneten Initiativen unterstützen, die vor allem jungen Menschen die Möglichkeit geben, ihr Engagement für den Frieden konkret und wirksam in Taten umzusetzen. Es wäre zu begrüßen, wenn der Staat eigenen und gesellschaftlichen Diensten, die

vornehmlich zur Förderung des Friedens eingerichtet sind, mehr Gewicht beimessen würde.
Nachdrücklich wiederholen wir auch den Grundsatz, den ebenfalls die Gemeinsame Synode ausgesprochen hat: »Sofern die einzelnen Dienste für den Frieden im Ziel übereinstimmen und die weltweite Sicherung und Förderung des Friedens anstreben, kann man sagen, daß sie sich auf ihren unterschiedlichen Wegen zu diesem Ziel gegenseitig bedingen und ergänzen« (EF 2.2.4.5).

Wehrdienst, Zivildienst

Ein besonderes Wort möchten wir an alle diejenigen richten, die Wehrdienst oder Zivildienst leisten. Sicherung und Förderung des Friedens sind zentrale Aufgaben der Politik. Die Entwicklung der internationalen Beziehungen zwischen Ost und West, die zu der in dieser Erklärung ethisch reflektierten sicherheitspolitischen Problematik geführt hat, wirft die Frage auf, welche Kriterien bei einer ethischen Beurteilung von Wehrdienst und Kriegsdienstverweigerung bzw. Zivildienst anzuwenden sind.
Dabei ist zunächst auf das bleibende Dilemma allen Dienens für den Frieden hinzuweisen. Der Unterschied zwischen der Verheißung und Erfüllung des Friedens und den Verhältnissen dieser Weltzeit bleibt bestehen. Er hat auch Auswirkungen auf diejenigen, die einen konkreten Dienst leisten. Der Soldat, der der Sicherung des Friedens dient, muß die Spannung aushalten, daß er sich im Auftrag des Staates rüstet, sich auf den Kampf vorbereitet und zu tun lernt, was er hofft, nie vollziehen zu müssen, weil er nichts entschiedener will, als den Frieden ohne Gewaltanwendung zu bewahren und die Konflikte auf dem Weg von Verhandlungen zu lösen.
Wer den Wehrdienst aus Gewissensgründen verweigert,

muß nicht weniger mit einer anderen Spannung leben: Wenn alle seinem Beispiel folgten, würde ein Machtvakuum entstehen, das zur politischen Erpreßbarkeit führen könnte, die er sicher nicht will. Zudem: jene Dienstleistungen des Soldaten, die er selbst nicht erfüllen kann, ermöglichen unter Umständen gerade eine friedliche Regelung von Konflikten, für die auch er in Freiheit eintritt und vielleicht demonstriert.

Was den Dienst des Soldaten angeht, so erinnern wir an die Lehre des Zweiten Vatikanischen Konzils: »Wer als Soldat im Dienst des Vaterlandes steht, betrachte sich als Diener der Sicherheit und Freiheit der Völker. Indem er diese Aufgabe recht erfüllt, trägt er wahrhaft zur Festigung des Friedens bei« (GS 79). Wenn und solange die Sicherheitspolitik ethisch zulässige, ja verpflichtende Ziele – Verhinderung des Krieges, Verteidigung der sittlich-politischen Wertordnung gegen totalitäre Bedrohung, Ermöglichung von Abrüstung – verfolgt und sich dabei ethisch annehmbarer Methoden und Mittel bedient, ist der Dienst des Soldaten unverzichtbar und ethisch gerechtfertigt.

Auf dieser Grundlage anerkennen wir Auftrag und Dienst der Soldaten in der Bundeswehr. Staat, Gesellschaft und auch die Kirche vertrauen darauf, daß die Soldaten mit fachlicher Kompetenz und persönlichem Mut ihren Dienst erfüllen. Der Soldat trägt selbst durch ein waches Bewußtsein seiner moralischen Verantwortung zum Dienst am Frieden bei. Die Teilnahme an der politischen und ethischen Meinungs- und Urteilsbildung ist Ausdruck seines Verantwortungsbewußtseins.

Auch diejenigen, die angesichts des bei der Sicherung des Friedens auftretenden Dilemmas den Kriegsdienst aus Gewissensgründen verweigern und ihren Zivildienst leisten, fördern den Frieden, zumal wenn von ihnen schöpferische Anstöße ausgehen, etwa durch ihren Dienst für Benachtei-

ligte und soziale Randgruppen (vgl. EF 2.2.4.3). Wir wissen um die Wirksamkeit dieser Dienste und anerkennen ihren Einsatz.
Es ist erfreulich, daß in den vergangenen Jahren viele Vorurteile zwischen den verschiedenen Gruppen der Dienstleistenden abgebaut wurden. Wir bitten dringend, in den Gemeinden und Verbänden das gemeinsame Gespräch nach den Regeln des Dialogs zu suchen, die unterschiedlichen Überzeugungen zu achten und sich gemeinsam den ethischen Fragen im Licht der kirchlichen Friedenslehre zu stellen.

5.3.4 Entwicklungsarbeit

Der Unfriede, der in der Hochrüstung sichtbar wird und der uns in diesem Schreiben besonders beschäftigt, darf – wir wiederholen es auch an dieser Stelle – die anderen Konflikte nicht überlagern, die aus der mangelnden Gerechtigkeit zwischen Nord und Süd erwachsen. Entwicklungspolitik und Entwicklungshilfe können gerade in Zeiten großer weltwirtschaftlicher Schwierigkeiten nicht zur Disposition gestellt werden. Auf keinen Fall ist wirtschaftliche Sicherheit durch verstärkte Rüstungsexporte zu erkaufen. Die Menschen in Nord und Süd brauchen Perspektiven, die über den Staatshaushalt der nächsten Jahre hinausgehen. Sie fordern auch immer dringlicher, daß Entwicklung sich nicht im Aufbau wirtschaftlicher Beziehungen und Strukturen erschöpft, sondern den wechselseitigen kulturellen Austausch mit einschließt. Wir Christen wissen um die neuen Impulse für unser kirchliches Leben, die wir unseren Mitbrüdern in Afrika, Lateinamerika und Asien verdanken.

5.3.5 Einheit Europas

Wir alle erwarten, daß die Verwirklichung der Einheit Europas Fortschritte macht. Europa war in seinen besten

Zeiten immer eine religiöse, geistige und kulturelle Einheit. Es bedarf eingehender Prüfung, was zur Förderung dieser geistigen Einheit Europas über die derzeit gegebenen, politisch scheinbar unüberwindbaren Grenzen hinaus getan werden kann. Die Kirche hat dazu, wie die Ergebnisse des Symposiums des Rates der Europäischen Bischofskonferenzen in Rom 1982 gezeigt haben[37], einen wichtigen Beitrag zu leisten. Die Katholizität unserer Kirche können Gemeinden und Verbände auch dadurch zum Ausdruck bringen, daß sie Partnerschaften zu einer Gemeinde oder einem Verband in einem anderen Land Europas pflegen. Für Städte, in denen bereits auf politischer Ebene Partnerschaften bestehen, empfehlen wir, daß die Kirchengemeinden sich an solchen Kontakten beteiligen. Weltkirche wird so beispielhaft erfahren. Gerade mit Polen haben sich die zwischenkirchlichen Kontakte so erfreulich intensiviert, wie es noch vor Jahren niemand für möglich gehalten hätte; dies gilt besonders in der gegenwärtigen Zeit der Bedrängnis. Wir erinnern auch an die Europäische Wallfahrtsbewegung und bitten, diese Chancen zu nutzen. Der Zusammenhalt Europas wird auch durch die Art und Weise gefördert oder behindert, wie wir unsere ausländischen Mitbürger behandeln. Wir empfehlen, in den Gemeinden, in denen Mitbürger anderer Muttersprachen leben, Treffen von Deutschen und Ausländern zu veranstalten und in Arbeitskreisen und in der Nachbarschaftshilfe sich ihrer besonderen Probleme anzunehmen. Gerade in der jetzigen wirtschaftlich schwierigen Situation bitten wir alle Christen, Zeichen der Solidarität mit den ausländischen Mitbürgern zu setzen und offener oder versteckter Ablehnung der Ausländer entgegenzutreten. So kann Frieden unmittelbar vor der eigenen Haustür verwirklicht werden.

Gerade wenn sich zwischen sozialen Gruppen, Völkern und Staaten unlösbar erscheinende Konflikte entwickelt haben, kommt es darauf an, den ersten Schritt zu tun, als erster Verzeihung zu erbitten und den Ausgleich zu suchen. Christen, darunter die Heimatvertriebenen, die schon frühzeitig ausdrücklich auf Rache verzichtet und Versöhnung angeboten haben, durften – besonders in Polen, Frankreich und Deutschland – dazu beitragen[38], Vergebung und Versöhnung zwischen den leidgeprüften Völkern Europas auf den Weg zu bringen. Dieses Werk gilt es, verstärkt in Richtung auf unsere östlichen Nachbarn fortzusetzen, vor allem mit jenen, die in dieser Zeit auf schmerzliche Weise Unfreiheit und Enttäuschung vieler Hoffnungen hinnehmen müssen.

5.3.6 Politische Verantwortung

Frieden zu fördern und zu erhalten ist Aufgabe aller Bürger. Einzelne, Familien, Gruppen, Verbände, Parteien und gesellschaftliche Organisationen, politische Gremien und Institutionen, Regierungen und internationale Organisationen haben je auf ihre Weise an der Verwirklichung des Friedens zu arbeiten. Jeder soll nach seinen Möglichkeiten auch politische Verantwortung übernehmen. Die Wahrnehmung solcher Verantwortung muß sich von ethischen Maßstäben leiten lassen, wie wir sie, am Evangelium orientiert, hier dargelegt haben. Der innere und äußere Frieden einer Gesellschaft darf nicht aufs Spiel gesetzt werden. Demokratisch legitimierte Mehrheitsentscheidungen, die sich auf Gerechtigkeit und Recht berufen können, verlangen, gerade von Christen respektiert zu werden. Das gilt besonders für den Fall, daß sie mit dem eigenen Urteil im Einzelfall nicht übereinstimmen. Gruppen und Initiativen, die Entscheidungen der Politiker als falsch empfinden, müssen immer wieder prüfen, ob die Methoden ihres Einspruchs oder Protests ihren christlichen Friedenswillen glaubhaft bezeugen. Wir bitten sie, Wege zu wählen, von denen sie begründet sagen können, daß sie gewaltfrei bleiben, den Grundwerten des Grundgesetzes verpflichtet sind und nicht zu gesetzwidrigen Handlungen führen.

***

Wir bitten zum Schluß alle, die dieses Schreiben lesen, um ihre Mitarbeit in der Sache des Friedens. Wir sind uns bewußt, daß wir keine fertigen Lösungen anbieten können. Aber die Weisungen der Päpste und des Zweiten Vatikanischen Konzils zeigen uns die Richtung an, in die wir weitergehen müssen. Zu manchen Einzelfragen konnten wir nicht Stellung nehmen. Aber wir werden uns weiter bemühen, die rechten Wege zu suchen. Alle Menschen sind aufgerufen, sich am Dialog um den Frieden und am Dienst für den Frieden zu beteiligen.

Das Heilige Jahr der Erlösung, das Papst Johannes Paul II. vor wenigen Wochen eröffnet hat, soll zu einem Jahr der Buße und auch des Gebetes um den Frieden werden. Im Geist des heiligen Franziskus ist uns folgendes Gebet überliefert (vgl. Gotteslob Nr. 29,6):

Herr, mach mich zu einem Werkzeug Deines Friedens,
daß ich liebe, wo man haßt;
daß ich verzeihe, wo man beleidigt;
daß ich verbinde, wo Streit ist;
daß ich die Wahrheit sage, wo Irrtum ist;
daß ich Glauben bringe, wo Zweifel droht;
daß ich Hoffnung wecke, wo Verzweiflung quält;
daß ich Licht entzünde, wo Finsternis regiert;
daß ich Freude bringe, wo der Kummer wohnt.
Herr, laß mich trachten,
nicht, daß ich getröstet werde, sondern daß ich tröste;
nicht, daß ich verstanden werde, sondern daß ich verstehe;
nicht, daß ich geliebt werde, sondern daß ich liebe.

Denn wer sich hingibt, der empfängt;
wer sich selbst vergißt, der findet;
wer verzeiht, dem wird verziehen;
und wer stirbt, der erwacht zum ewigen Leben.

Gemeinsamer Hirtenbrief der katholischen Bischöfe in der DDR zum Weltfriedenstag 1983

Liebe Brüder und Schwestern im Herrn!

Der jährlich wiederkehrende Weltgebetstag um den Frieden ist uns Anlaß, in einem gemeinsamen Hirtenwort über bedrängende Fragen der Erhaltung und Sicherung des Friedens in der heutigen Zeit zu Euch zu sprechen. Es bedarf keiner ausführlichen Darlegung, daß die Sorge um das hohe Gut des Friedens heute die Völker wie auch jeden einzelnen Menschen zutiefst bewegt. Mit der zunehmenden Angst vor einem möglichen Krieg, der angesichts der modernen Waffen in seiner Furchtbarkeit nicht schrecklich genug gedacht werden kann, breitet sich nahezu überall in der Welt der Wille zu einem aktiven Friedensdienst aus. Das ist ein Hoffnungszeichen, das nicht übersehen werden kann. Und es ist auch nicht zu übersehen, daß das Friedensengagement gerade durch den christlichen Glauben einen starken Impuls erhält. Das Evangelium Jesu Christi ist seinem tiefsten Wesen nach eine Botschaft des Friedens, wenn auch der Friede, den Christus uns schenken kann, umfassender ist als der politische Friede, um den die Welt heute bangt.
Unser Wort möchte dazu beitragen, Euch in den aktuellen Auseinandersetzungen über den rechten Friedensdienst den Standpunkt der katholischen Kirche zu verdeutlichen: Vor allem aber möchten wir Euch mit unserem Hirtenwort ermutigen, unbeirrt an der Überzeugung festzuhalten, daß Frieden möglich und der Einsatz für ihn sinnvoll ist.

I.

Worin ist diese Zuversicht begründet? Wenn Christen über den Frieden sprechen, dann verweisen sie darauf, daß der Friede letztlich eine Gabe Gottes in Jesus Christus ist. Dieser Hinweis darf nicht als fromme Floskel abgetan werden. Das Wissen um den umfassenden Frieden als Heilsgabe Gottes bewirkt etwas Zweifaches: Es weist die falsche Hoffnung zurück, daß ein ewiges Friedensreich schon auf Erden zu verwirklichen sei, zugleich aber gibt es unserem Friedensengagement Festigkeit und Durchhaltekraft. Als Christen wissen wir, daß der Friede, von dem in den Friedensdiskussionen unserer Tage die Rede ist, nur ein Ausschnitt dessen ist, was in der Bibel als »Friede« (Schalom) bezeichnet wird. Dieser Friede meint die umfassende Versöhnung und Einheit der Menschen mit Gott, die uns durch Jesu Ostersieg ein für allemal geschenkt wurde und die an uns in der neuen Schöpfung am Ende der Tage sichtbar werden soll. Solange die Welt trotz des österlichen Sieges Jesu sich der Macht der Sünde unterwirft, wird auch das Reich des ewigen Friedens ein Zukunftsgut bleiben. Doch dürfen wir hoffen, daß Gott uns trotz unserer Sünde Zeiten des Friedens gewährt. Aus biblischer Sicht besteht der Beitrag des Menschen zu solchem Frieden darin, sich der eigenen Sünde bewußt zu werden und sich durch den Glauben an Jesus Christus Tilgung der Schuld schenken zu lassen; denn der Friede mit Gott ist die Voraussetzung für den Frieden unter den Menschen. Der Friede zwischen den Staaten und Machtblöcken ist also für den Christen nicht das höchste Gut. Noch entscheidender ist für ihn der Friede mit Gott. Wer in der Friedensfrage seine Augen vor der Realität der Sünde verschließt, wird anfällig für utopische Träume. Diese Aussagen werden manche nicht gern hören, aber sie geben unserer Überzeugung nach jedem Bemühen um Frieden erst ein solides Fundament.

Doch ist uns andererseits durch unseren Glauben jede Form von Resignation oder gar Angst verwehrt. Jesus Christus gibt uns die Gewißheit, daß das wahre Leben nicht nur ein Wunschtraum, sondern schon Wirklichkeit ist. Darum ist die Verkündigung der Kirche von Zuversicht getragen, auch wenn uns äußere Widerstände und manche Erfahrungen der Hilflosigkeit bedrängen. Gottes Erbarmen ist uns in Christus schon geschenkt. Darum darf und muß die Kirche diesen Frieden Gottes selbst in Zeiten der Bedrohung des Weltfriedens als Frohbotschaft verkünden. Der christliche Einsatz für den Frieden zwischen Menschen, Gruppen und Völkern hat deshalb bei allem Streit um die rechten Methoden der Friedenssicherung ein unzerstörbares Fundament, auf dem wir immer wieder neu, auch nach mißglückten Ansätzen, aufbauen können: »Wir haben Frieden mit Gott durch Jesus Christus unseren Herrn« (Röm 5,1).

II.

Das also ist unsere Grundüberzeugung: Der Friede ist möglich, der Krieg ist kein unausweichliches Geschick. Die Kirche kann freilich kein politisches Konzept der Friedenssicherung vorlegen. Das ist nicht ihre Aufgabe. Aber die Kirche kann dort nicht schweigen, wo sie Fehlentwicklungen sieht, die ins Verderben führen können, und sie weiß sich ferner verpflichtet, mit ihrer ganzen Autorität für jene Grundsätze und Werte einzutreten, auf denen eine gerechte Friedensordnung aufruht. Wir tragen Euch darum die folgenden Aussagen vor, selbst auf die Gefahr hin, manches schon Bekannte zu wiederholen.

1. Wir Bischöfe machen uns die eindringliche Forderung des Heiligen Vaters nach einer fortschreitenden beiderseitigen und kontrollierbaren Abrüstung der Machtblöcke zu

eigen[1]. Der Rüstungswettlauf zwischen Ost und West ist »ein unerträgliches Ärgernis«[2]. Er macht aus dem Gleichgewicht der Kräfte ein Gleichgewicht des Schreckens, er zerstört das Vertrauen zwischen den Völkern und Staaten und steigert das Elend der hungernden Menschen in der Dritten Welt. Es muß gelingen, die innere Logik des Wettrüstens, den Drang zur Überlegenheit über den möglichen Gegner, aufzubrechen.

In Übereinstimmung mit den Aussagen der Päpste verwerfen wir jede Kriegsplanung, die – mit welchen Waffen auch immer – auf die Vernichtung ganzer Städte oder weiter Gebiete samt ihrer Bevölkerung gerichtet ist[3]. Ein Krieg mit modernen Massenvernichtungswaffen ist in jedem Fall in sich unmoralisch und daher zu verwerfen. In keinem Krieg, aus welchem Grund er auch geführt werden mag, ist der Einsatz von ABC-Waffen zu rechtfertigen. Aber auch die konventionellen Waffen erreichen eine immer größere tödliche Perfektion. Sie bedrohen im Konfliktfall ebenfalls die Zivilbevölkerung eines Kampfgebietes. Daher ist es nach den Worten von Papst Johannes XXIII. in unserem Zeitalter nicht mehr möglich, »den Krieg noch als das geeignete Mittel zur Wiederherstellung verletzter Rechte« zu betrachten[4].

2. Es ist offenkundig, daß die moderne Kriegstechnik die überkommene Auffassung von »gerechten Kriegen« in eine Krise führt. An sich vertritt die kirchliche Lehre keinen absoluten Pazifismus, das heißt, sie hält unter Umständen die Anwendung von Gewalt für erlaubt, angebracht oder sogar geboten, etwa dort, wo das Recht des Schwächeren geschützt werden muß. Die Kirche weiß, daß das Böse im Menschen so hinterhältig, hartnäckig und brutal sein kann, daß man seine verheerende Wirkung nur mit Gewalt einschränken kann. Die Lehre vom »gerechten Krieg« meinte ja nicht, daß der Krieg an sich eine gerechte Angelegenheit sei.

Sie wollte vielmehr sagen, daß ein Krieg, wenn er schon nicht vermieden werden kann, wenigstens gerecht geführt werden muß, also aus einem gerechten Grund und mit angemessenen Mitteln. Bei begrenzten Konflikten mag dieser Grundsatz durchaus stimmen. Aber kann er auch dort gelten, wo Gewalt unterschiedslos zuschlägt, wie etwa in einem Krieg mit dem Einsatz von Kernwaffen? Gewinnt hier nicht das häufig belächelte Ideal der Gewaltlosigkeit, wie es uns Jesus Christus in der Bergpredigt verkündigt, eine bisher ungeahnte rationale Aussagekraft? Wir verstehen die Gewissensnot vieler, besonders junger Menschen, die zwischen dem legitimen Anspruch eines Staates auf Verteidigungsbereitschaft und der Einsicht in die Ausweglosigkeit einer Friedenssicherung, die auf militärische Überlegenheit setzt, hin- und hergerissen sind. Für diese Gewissensnot gibt es keine Patentlösungen. Wenn überhaupt, ist die Androhung von Gewalt nur dort zu rechtfertigen, wo diese überzeugend die Gerechtigkeit, die Freiheit und die Sicherheit eines Volkes gegenüber offensichtlicher Böswilligkeit verteidigt. Aber bekanntlich sind gerade die Begriffe Gerechtigkeit und Freiheit in der Welt recht umstritten. Hier wird das Gewissen des einzelnen nach der inneren Glaubwürdigkeit und äußeren Wahrhaftigkeit eines Sicherungsanspruchs fragen müssen. Es wird sich ferner von den Aussagen der Heiligen Schrift und dem in der Kirche wirkenden Geist Gottes leiten lassen, um zu einem eigenen Urteil zu kommen. Dazu soll und will die Kirche auch hier bei uns Hilfe und Stützung geben, wobei sie selbst lernt, in dieser Hinsicht den Willen Gottes tiefer zu verstehen.

3. Wir begrüßen es, daß in der Frage des Wehrdienstes das Recht auf freie Gewissensentscheidung auch durch die staatliche Gesetzgebung in der DDR ausdrücklich anerkannt wird. In der »Anordnung des nationalen Verteidigungsrates in der DDR für die Aufstellung von Baueinheiten... vom

7.9.1964« wird gesetzlich geregelt, daß die Wehrpflichtigen, die aus religiösen Anschauungen oder aus ähnlichen Gründen den Dienst mit der Waffe ablehnen, einen Wehrersatzdienst ohne Waffe leisten dürfen. Diese Regelung bleibt auch nach dem neuen Wehrdienstgesetz vom 25.3.1982 in Kraft. Wer von dieser gesetzlichen Möglichkeit Gebrauch macht, sollte sicher sein, daß ihm daraus keine Nachteile für den eingeschlagenen oder zukünftigen Berufsweg erwachsen. Es wäre auch zu wünschen, daß Reservisten, die bereits mit der Waffe gedient haben, nachträglich die Möglichkeit des waffenlosen Dienstes eingeräumt wird. Wir möchten denen, die aus religiösen Gründen den Wehrdienst mit der Waffe ablehnen, unsere Achtung zum Ausdruck bringen. Wir respektieren freilich auch die Überzeugung jener, die den Waffendienst in der Hoffnung ableisten, damit der Sache des Friedens in der Welt zu dienen. Darüber hinaus plädieren wir dafür, daß auch über mögliche andere Formen eines Wehrersatzdienstes nachgedacht und gesprochen werden kann. Der Sehnsucht der Jugend auch unseres Landes nach Frieden sollte nicht mit Verdächtigungen, sondern mit Offenheit und Vertrauen begegnet werden.

4. Wenn wir dies alles bedenken, und wenn wir es zudem hochschätzen, daß Menschen sich dem Worte Jesu folgend für den Weg der Gewaltlosigkeit entscheiden, dann können wir nicht zum Wehrkundeunterricht schweigen. Das Konzil mahnt: »Wer sich der Aufgabe der Erziehung, vor allem der Jugend, widmet, und wer die öffentliche Meinung mitformt, soll es als schwere Pflicht ansehen, in allen eine neue Friedensgesinnung zu wecken«[5]. Mit Sorge beobachten wir, wie das Denken in militärischen Kategorien immer mehr zum Bestandteil der schulischen Erziehung und der Berufsausbildung wird. Es ist zu befürchten, daß eine solche Erziehung die Bereitschaft für gewaltsame Konfliktlösungen

weckt und so die Friedensgesinnung in der nachfolgenden Generation schwächt. Zudem sollte auch in den Schulen und Ausbildungsstätten die Freiheit der Gewissensentscheidung im Blick auf die vormilitärische Ausbildung respektiert werden. Die Berliner Bischofskonferenz hatte seinerzeit der Regierung der DDR ihre schweren Bedenken gegen die Einführung des Wehrkundeunterrichts mitgeteilt. Wir hätten gewünscht, mit unserer Besorgnis mehr Beachtung zu finden. Wir sehen uns durch die bisherige Entwicklung in diesen Bedenken bestärkt.

5. In diesem Zusammenhang weisen wir erneut auf das unaufgebbare Erziehungsrecht der Eltern hin, für das wir Bischöfe mehrfach öffentlich eingetreten sind[6]. »Eltern dürfen ihr Ersterziehungsrecht nicht aus der Hand geben, und keiner darf es ihnen aus der Hand nehmen. Auch der Staat muß bei seinen Erziehungszielen den Willen der Eltern beachten«, so schrieben wir Euch in einem gemeinsamen Hirtenwort im Frühjahr 1981. Wir ermutigen jene Eltern, die sich mit allen Kräften dafür einsetzen, daß ihre Kinder in der Gesinnung und der Bereitschaft zum Frieden, zur Gewaltfreiheit und zur Toleranz erzogen werden. Wo Friedfertigkeit im kleinen gedeiht, dürfen wir auch Hoffnung für den Frieden in der Welt haben.

Liebe Eltern! Sprecht mit den Kindern über das, was sie hören und was sie bewegt. Habt den Mut, in eindeutiger Weise Euer Urteil abzugeben. Sorgt in Eurer häuslichen Erziehung dafür, daß die Kinder nicht durch das Fernsehen oder durch Spielzeug an die Gewalt gewöhnt werden. Weckt in ihnen die Bereitschaft, vor allem durch Euer eigenes Beispiel, Vorurteile abzubauen und bei Konflikten zuerst den Weg der Verständigung zu gehen. Schafft für die Kinder die Erfahrung, daß echte Verzeihung Gräben zuschüttet und das Herz froh machen kann. Und vor allem: Macht Eure Kinder mit Jesus Christus bekannt, damit sie an seinen

Worten und seinem Leben lernen, wahre Jünger des Friedens zu werden.

6. Schließlich erinnern wir Euch in diesem Hirtenbrief, der dem Thema »Frieden« gewidmet ist, an die weltüberwindende Macht des Gebetes. Das flehentliche Rufen nach Frieden für die Welt soll Euer privates und gemeinschaftliches Gebet durchdringen. Das Gebet in der Kraft des Glaubens weiß, daß Gott die Macht hat, den Frieden zu schenken. Gott vermag »unendlich mehr zu tun, als wir erbitten oder uns ausdenken können« (Eph 3,20). Das Gebet bewegt das Herz Gottes, damit bewegt es die Welt. Die Gebetsbitte um Frieden ist daher der grundlegende Friedensdienst der Christen. Es ist zu begrüßen, wenn wir uns auch über die Grenzen der eigenen Kirche hinweg zum gemeinsamen Gebet mit allen Christen in diesem Anliegen vereinen[7]. Das gemeinsame Gebet der Christen wird so selbst zu einem Friedenszeichen. Lassen wir uns auch nicht durch den Vorwurf beirren, beten sei nur das Alibi derer, die sonst nichts für den Frieden tun wollen. Aus dem Gebet für den Frieden erwächst auch die Gesinnung des Friedens, und diese wird nicht ohne Folgen für unser Handeln bleiben.

Liebe Brüder und Schwestern! Papst Paul VI. erklärte 1965 in einer Ansprache vor der UNO: »Der Friede kommt nicht nur mit Hilfe der Politik und des Gleichgewichts der Kräfte und Interessen zustande. Er kommt mit Hilfe des Geistes, der Ideen, der Werke des Friedens zustande«[8]. Der Friede zwischen Menschen erwächst wie eine Frucht aus bestimmten geistigen Grundhaltungen. Er stellt sich dort ein, wo Wahrheit, Gerechtigkeit, Liebe und Freiheit herrschen. Die Kirche kann bei der Zurüstung dieser geistigen Grundlagen einer tragfähigen Friedensordnung einen bedeutenden Beitrag leisten, wobei sie dort am überzeugendsten wirkt, wo sie sich selbst ganz dem Wort des Evangeliums Jesu Christi unterwirft. Das wird nicht ohne Bereitschaft zur Kreuzesnachfolge gehen. Aber wo in der Welt könnte ein Christ oder eine Kirche, die sich nach dem Wort Jesu ausrichtet, völlig ohne Widerspruch leben? Nicht der Widerspruch der Welt sollte uns unruhig machen, sondern allein der Mangel an »Werken des Friedens« in unserer Mitte. Es sei unsere gemeinsame Sorge, daß Gott unsere Kirche zu überzeugenden Werken des Friedens befähige. Im Vertrauen auf den Frieden Christi, der in unseren Herzen wohnt, erbitten wir Euch den Segen des allmächtigen Gottes: des Vaters und des Sohnes und des Heiligen Geistes.

Berlin, am Weltfriedenstag, dem 1. Januar 1983
Dr. Joachim Meisner
Bischof von Berlin

Gerhard Schaffran
Bischof von Dresden-Meißen

Bernhard Huhn
Bischof und Apostolischer Administrator von Görlitz

Heinrich Theissing
Bischof und Apostolischer Administrator in Schwerin

Johannes Braun
Bischof und Apostolischer Administrator in Magdeburg

Dr. Joachim Wanke
Bischof und Apostolischer Administrator in Erfurt-Meiningen

Georg Weinhold
Weihbischof in Dresden-Meißen

Theodor Hubrich
Weihbischof in Magdeburg

Norbert Werbs
Weihbischof in Schwerin

Wolfgang Weider
Weihbischof in Berlin

***

Vorstehendes Hirtenwort ist am Sonntag, dem 2. Januar 1983, in allen Gottesdiensten einschließlich der Vorabendmessen zu verlesen.

gez. Steinke
Generalvikar

DER ERZBISCHOF VON WIEN

Wien, am 12. April 1983

Sehr geehrte Damen und Herren!

Die Österreichische Bischofskonferenz hat sich entschlossen, mit einem Friedensappell an die Öffentlichkeit zu treten und alle Katholiken Österreichs, darüber hinaus aber alle Mitbürger und Menschen guten Willens aufzurufen, sich diesem Appell anzuschließen.

Die Bischöfe sind zu diesem Entschluß gekommen, weil die jüngste Entwicklung der weltpolitischen Lage und des Wettrüstens es als notwendig erscheinen läßt, noch einmal an beide Weltmächte und ihre Verbündeten mit der dringenden Forderung heranzutreten, der bisherigen gefährlichen Entwicklung Einhalt zu gebieten.

Damit soll den Friedensbemühungen ein neuer Impuls gegeben werden - freilich so, daß nicht einseitig den Interessen eines der Machtblöcke direkt oder indirekt Vorschub geleistet wird. Beide Seiten müssen ja einander entgegenkommen, wenn wirklich eine Wende zum Besseren stattfinden soll.

Ich hoffe, daß sich möglichst viele Gremien und Organisationen, Verbände, Gruppen und Initiativen diesem Friedensappell anschließen. Selbstverständlich sind uns auch Zustimmungserklärungen von Einzelpersonen sehr willkommen.

Daher bitte ich Sie herzlich, den beiliegenden Friedensappell der österreichischen Bischöfe zu unterzeichnen und an das Sekretariat der Österreichischen Bischofskonferenz, per Adresse Spiegelgasse 3, lolo Wien, zurückzusenden.

Sollten Sie weitere Unterzeichnungsformulare benötigen, können unter der angegebenen Adresse oder telefonisch unter der Wiener Nummer 53 25 61 DW 66o noch weitere Exemplare angefordert werden.

Mit herzlichem Dank für Ihr Bemühen grüßt

+ Kard. König

Friedensappell der österreichischen Bischöfe

Seit langem machen sich viele Menschen Sorgen um den Frieden. Die Anlässe dazu mehren sich. Das Mißtrauen wächst. Die Arsenale werden vergrößert.
Neue, einschneidende Maßnahmen atomarer Aufrüstung stehen bevor, wenn nicht in diesem Jahr eine Übereinkunft zustandekommt, die als Signal der Umkehr wirken könnte.
Das Jahr 1983 bringt manche Gedenkanlässe. Zu ihnen gehört auch der beklemmende Zehnjahrestag der erfolglos gebliebenen Wiener Truppenabbaugespräche.
Die Situation gibt Anlaß zur Besinnung und zu einem ernsten Wort.
Wir wissen, daß Friede mehr ist als der Abbau von Vernichtungsmitteln und als die Milderung internationaler Spannungen.
Wir wissen, daß der Friede ohne den Abbau von Haß und Mißtrauen, ohne die Sicherung der Rechte der Menschen und Völker, ohne soziale Gerechtigkeit nicht gedeihen kann.
Wir erinnern daran, daß der Friede zugleich »ein Geschenk Gottes« und »den Menschen anvertraut« ist (Papst Johannes Paul II.).
So erklären wir:
1. Alle Staatsmänner und alle Regierungen, alle politischen Kräfte und alle Menschen müssen endlich begreifen, daß die gewaltsame Austragung von Konflikten unmenschlich ist. Krieg kann nicht mehr als Mittel zur Erreichung politischer Ziele gelten.
2. Vor allem sind Massenvernichtungsmittel – namentlich atomare, bakteriologische und chemische – zu verwerfen.

Alles muß getan werden, um ihre Anwendung zu verhindern, ihre Benützung zu politischen Drohungen auszuschalten und ihre Abschaffung voranzutreiben.

3. Dies wird nicht auf einmal erreicht werden können. Aber es ist nötig, daß die Gefahren Schritt für Schritt vermindert, die Chancen des Friedens Schritt für Schritt gefördert werden.

4. In diesem Sinne appellieren wir an die politisch Verantwortlichen, alle Anstrengungen zu unternehmen, damit Ost und West auf alle sogenannten Mittelstreckenraketen – seien sie geplant oder bereits stationiert – verzichten.

Es ist offenkundig, daß gerade diese Raketen zur Verschärfung und Verunsicherung der Lage beitragen.

5. Wir appellieren an die Verhandlungspartner der Wiener Truppenabbaukonferenz, endlich einen »konventionellen« Rüstungsabbau im europäischen Raum zu vereinbaren und dadurch auch die Chancen für einen Verzicht auf sogenannte taktische Atomwaffen zu verbessern.

6. Wir appellieren an die Großmächte, auch auf allen anderen Ebenen wenigstens die Beschränkung und den schrittweisen Abbau der Vernichtungspotentiale in die Wege zu leiten.

7. Wir rufen dazu auf, sich der Einsicht nicht länger zu verschließen, daß die Vermeidung einer nuklearen Menschheitskatastrophe ein vorrangiges Interesse aller Völker und Staaten ist, ungeachtet gesellschaftlicher Unterschiede, gegensätzlicher Interessen und geistiger Auseinandersetzungen.

Die Sicherung des Überlebens ist ein gemeinsames Anliegen.

Wir appellieren an die Politiker unseres Landes, an alle Österreicher und an alle Menschen guten Willens, sich diesem Appell anzuschließen.

Die Mitglieder der Österreichischen Bischofskonferenz

Erläuterungen zum »Friedensappell der österreichischen Bischöfe«
vorgelegt bei der Pressekonferenz am 14. April 1983

A. Voraussetzungen und Absichten:

1. Die *Probleme des Weltfriedens* sind seit langem *Gegenstand kirchlicher Aufmerksamkeit und Sorge.*
   Zu erinnern ist z.B. an die Friedensenzyklika Papst Johannes XXIII. vom 11. April 1963 »Pacem in Terris«, an die Aussagen des Zweiten Vatikanischen Konzils, an das Abrüstungsmemorandum der Päpstlichen Kommission »Justitia et Pax«, an die alljährlichen päpstlichen Aufrufe zum Weltfriedenstag (jeweils der 1. Jänner), u.a.m.
2. *Auch in Österreich* hat es *entsprechende Bemühungen* gegeben, schon lange vor dem Aufkommen der neuen Friedensbewegungen. Zu erinnern ist z.B. an
   - eine Studientagung des Katholischen Akademikerverbandes und an die Aussagen der Wiener Diözesansynode zum Friedensthema im Jahre 1971
   - die Errichtung des bislang einzigen Friedensforschungsinstituts in Österreich an der Kath.-Theol. Fakultät der Universität Wien
   - das langjährige Wirken der Österreichischen Kommission »Justitita et Pax« und der österreichischen Sektion von »Pax Christi«.
3. Die *besorgte Beschäftigung mit einschlägigen Fragen* hat aus Gründen der politischen Entwicklung in *jüngster Zeit zugenommen.* Zu erwähnen sind u.a.:
   - Mehrere Diskussionen und Studientagungen über Probleme der Friedenssicherung (u.a. die Erarbeitung der »Hütteldorfer Thesen« im März 1980).

- Eine Studientagung über die rüstungspolitischen und eurostrategischen Probleme unter Teilnahme mehrerer Bischöfe sowie in- und ausländischer Fachleute im Herbst 1981.
- Die Herausgabe einer Broschüre »Erfordernisse des Friedens« im Frühjahr 1981.
- Die Durchführung der Studientagung »Friede Christi – Friede der Welt: Bergpredigt und Gewaltpolitik« mit mehr als 500 Teilnehmern (darunter auch mehrere Bischöfe) im November 1982 in Wien-Strebersdorf.
- Nicht zuletzt zahlreiche, zum Teil internationales Aufsehen erregende Initiativen und Äußerungen von Kardinal König, u.a. die Sylvesterpredigt 1981, Artikel in der Frankfurter Allg. Zeitung im März 1982, die Ansprache bei der erwähnten Studientagung, die Veranstaltung von internationalen Treffen von Wissenschaftlern aus allen Weltteilen und von Religionsführern aus verschiedenen Kulturen sowie mehrerer österreichischer Bischöfe, darunter Weihbischof Dr. Helmut Krätzl (Männerwallfahrt Klosterneuburg 1981), ORF-Ansprache vom 25. 12. 1982, Friedensmesse mit katholischen Soldaten vom 21. 1. 1983.

Auch die *Österreichische Bischofskonferenz* hat sich mehrmals eingehend mit der friedenspolitischen Situation befaßt, zuletzt im Rahmen ihrer Frühjahrstagung im März 1983.

4. Alle diese Vorgänge bilden die Voraussetzungen des nun vorgelegten »Friedensappells«. Dieser beruht also auf sorgsamen Erwägungen.

Anlaß für die jetzige Veröffentlichung und für den *Aufruf an alle Österreicher*, sich den Forderungen anzuschließen, ist aber die derzeitige *Verschlechterung der internationalen Beziehungen* und die zum Teil in Gang befindliche, zum Teil bevorstehende *Zuspitzung der rüstungspolitischen Lage.*

5. Der Appell *unterscheidet sich* in mehrfacher Hinsicht *von Dokumenten anderer Bischofskonferenzen,* deren Veröffentlichung bevorsteht (z. B. in den USA oder in der Bundesrepublik Deutschland):
   - Es wird zugunsten *markanter, knapp gefaßter Forderungen* auf ausführliche politische, sozialethische und theologische Analysen verzichtet.
   - Es handelt sich *nicht um ein »Lehrschreiben«,* sondern um die *Initiative zu einer Willensbekundung,* für die eine breite *Zustimmung und Beteiligung im kirchlichen und außerkirchlichen Bereich erhofft* wird.

6. Von manchen *anderen Friedensappellen* ist der vorliegende Text durch folgende Besonderheiten *unterschieden:*
   - Ohne Verzicht auf Konkretheit und Deutlichkeit werden *beide Machtblöcke gleichermaßen* angesprochen.

     Es soll *weder direkt noch indirekt den Interessen einer der beiden Supermächte* (mit ihren jeweiligen Verbündeten) *Vorschub geleistet* werden.
   - Die Problematik wird *nicht auf das Thema der sogenannten »Mittelstreckenraketen« eingeengt.* Deren besondere Gefährlichkeit wird zwar gesehen, aber es wird berücksichtigt, daß es auch andere Gefährdungen des Friedens gibt.

7. Dieser *Unterschied zu allen »einseitigen« oder »politisch einäugigen« Themen* entspricht auch der *Einstellung der überwiegenden Mehrheit der Österreicher,* insbesondere auch derjenigen Mitbürger, die mit den Friedensbewegungen sympathisieren, wie aus neueren Untersuchungen hervorgeht.

   Allerdings beruht die eindeutige Ausrichtung dieses Appells auf Forderungen an beide Machtblöcke *weder auf*

Popularitätserwägungen noch auf der Idee einer grundsätzlichen »politischen Äquidistanz«, sondern auf *politischen Vernunftsgründen:*
Eine wirkliche Wende zum Besseren auf rüstungspolitischem Gebiet kann nur erwartet werden, wenn *beide Seiten solche Konzessionen machen,* die für die jeweils andere Seite *akzeptabel sind* und doch die *Situation quantitativ und qualitativ verändern.*
Einseitige Aktionen von Friedensbewegungen sind aber eher geeignet, den jeweils nicht kritisierten (nicht unter Druck gesetzten) Verhandlungspartner dazu zu veranlassen, daß er seine Konzessionsbereitschaft einschränkt. Dies *vermindert die Erfolgsaussichten von Verhandlungen.*
(Ähnlich argumentiert z.B. auch Carl Friedrich von Weizsäcker).

8. Es geht den Bischöfen mit dieser Aktion *nicht um kirchliche Belange,* sondern um ein Anliegen, das zugleich *ein Gewissensanliegen vieler Österreicher* verschiedener weltanschaulicher und politischer Einstellung ist.
Die Bischöfe wollen mit ihrer Initiative einen *Dienst am Frieden* leisten. Sie hoffen auf breite Zustimmung.

B. Zu den einzelnen Aussagen des »Friedensappells«:

Zur Präambel:

- Es wird auf die bedenkliche Lage hingewiesen, auch auf die kritische Situation der *Genfer Verhandlungen.*
- Ein besonderer Hinweis gilt dem makabren *Zehnjahresjubiläum der Wiener Truppenabbaugespräche.*

Zehn Jahre hindurch war Österreich Gastland dieser

Verhandlungen; als neutrales Land durfte es nicht einmal mitreden.

Nun aber (im Jahr des Katholikentages!) sollte *von Österreich ein Anstoß zum Umdenken ausgehen.*

– Die Bischöfe wissen und betonen, daß *»Friede«* im vollen Sinn des Wortes *mehr ist als Abrüstung, als Modifikation der strategischen Planungsideen.* Christlich verstandener Friede ist etwas viel Umfassenderes.

Aber die derzeitige, sehr bedenkliche Situation rechtfertigt es, daß man die brennendsten Gefahren in erster Linie in den Blick nimmt.

Das schließt nicht aus, daß man sich zugleich den *Menschen- und Völkerrechten,* den Ideen der Freiheit und der Gerechtigkeit verpflichtet weiß.

Zu Ziffer 1:

Die Bischöfe bekennen sich zum Prinzip der *Überwindung der Gewalt.* Konflikte können in dieser Welt nicht abgeschafft werden, aber es gilt, gewaltsame Formen der Austragung zu überwinden.

Krieg ist kein Mittel mehr zur Durchsetzung politischer Absichten. (Dies schließt »Notwehr« freilich nicht aus. Rein und unzweifelhaft *defensive Schutzvorkehrungen sind daher zu rechtfertigen!*)

Zu Ziffer 2:

Massenvernichtungsmittel werden verurteilt. Nicht nur ihre Anwendung wird abgelehnt, sondern auch ihr Einsatz zu politischen Drohungen.

Wenn ihre Abschaffung gefordert wird, heißt dies, daß auch schon ihr bloßes Vorhandensein als beunruhigend und als sittlich fragwürdig (wenn nicht als verwerflich) gilt.

Dies ist keine neue Aussage; entsprechende Thesen finden sich auch in Äußerungen des Konzils und der Päpste.

Zu Ziffer 3:

Die Bischöfe wollen nicht etwas fordern, was offenkundig hier und heute undurchsetzbar ist. Der *Friede darf nicht nur die Sache von Utopisten sein.* Daher muß das Notwendige schrittweise ermöglicht werden.

Zu Ziffer 4:

Daß an erster Stelle die sogenannten *Mittelstreckenraketen* genannt werden, hat gute Gründe. »Mittelstreckenraketen« sind sogenannte »Grauzonenwaffen«.
Das heißt:
- Sie dienen weder der sogenannten globalstrategischen Abschreckung (wie die Interkontinentalraketen und vergleichbare Systeme), d.h. der Kriegsverhinderung im Sinne des »strategischen Atompatts« (»stalemate«) zwischen den Supermächten.
- Sie sind auch nicht notwendig (oder mindestens angeblich notwendig), um eine tatsächliche oder vermeintliche »konventionelle« Unterlegenheit auszugleichen (wie die im engeren Sinn »taktischen« Nuklearwaffen, Gefechtsfeldwaffen, usw.).
- Es liegt daher besonders nahe, sie als »Erpressungsmittel« einzuschätzen. Das heißt: für sie gilt nicht die konziliare und päpstliche Aussage, daß für eine Übergangszeit echte »Abschreckungssysteme« noch hingenommen werden können, wenn gleichzeitig mit allen Mitteln versucht wird, den Abschreckungsmechanismus durch andere Vorkehrungen zur Friedenssicherung zu ersetzen.

Der Friedensappell der österreichischen Bischöfe versieht

daher die *Forderung nach dem Verzicht auf Mittelstreckenwaffen* – ebenso wie andere Friedensappelle – mit einem *besonderen Akzent.*
Er richtet diese Forderung allerdings ebenso *an den Osten wie an den Westen;* gemeint sind also gleichermaßen die bereits stationierten *sowjetischen SS-20-Raketen* (und vergleichbare Systeme) wie die vorgesehenen *amerikanischen Pershing-II-Raketen* (und vergleichbare Systeme).

Zu Ziffer 5:

Daß an zweiter Stelle der »konventionelle« Rüstungsabbau gefordert wird, beruht nicht nur darauf, daß die Verhandlungen hierüber in Wien stattfinden, so daß man gerade in Österreich besondere Aufmerksamkeit und Betroffenheit erwarten kann.
Es geht vielmehr darum, daß ein Durchbruch bei den Verhandlungen über eine abgewogene »konventionelle« Rüstungsverminderung auch eine *Schlüsselfunktion für die Verminderung der Atomkriegsgefahr* bedeuten würde.
Die Stationierung von Atomwaffen in Europa wurde nämlich damit begründet, daß dadurch ein konventionelles militärisches Ungleichgewicht ausgeglichen werden müßte. Die Herstellung eines konventionellen Gleichgewichts könnte daher die *Chance für die Ausweitung atomwaffenfreier Zonen* (und von Zonen, die einer Nichteinsatzgarantie in bezug auf Atomwaffen unterliegen) *verbessern.*

Zu Ziffer 6:

Daß – nach den »Grauzonenwaffen« und den »taktischen Nuklearwaffen« – erst an dritter Stelle die übrigen Vernichtungsmittel genannt werden, hat ebenfalls Gründe. Schon in der Erläuterung zu Ziffer 4 wurde dargelegt, daß *die global-*

strategische Abschreckung – entsprechend kirchlicher Lehraussage – vorübergehend noch *toleriert* werden muß, sofern sie dazu dient, die potentiellen Gegner vom Entschluß zum Krieg abzuschrecken und, sofern gleichzeitig Mittel und Wege gesucht werden, andere Friedenssicherungsmechanismen zu etablieren.
So wird hier nicht der sofortige Verzicht verlangt, sondern der *schrittweise Abbau*. Die österreichischen Bischöfe befinden sich damit im Einklang mit der kirchlichen Lehrentwicklung der letzten Jahre.

Zu Ziffer 7:

Hier bezieht sich der Friedensappell der Bischöfe auf die *»Common Security«-These* der Unabhängigen Kommission für Abrüstung und Sicherheit (»Palme-Kommission«), ohne daß der Bericht dieser Kommission ausdrücklich zitiert wird. Es besteht aber eine inhaltliche Übereinstimmung zwischen den Thesen dieser Kommission und kirchlichen, insbesondere päpstlichen, Lehraussagen.
Trotzdem handelt es sich keineswegs um Selbstverständlichkeiten. Insbesondere wird damit nämlich gesagt, daß *zwei heute weitverbreitete Friedenskonzeptionen unzulänglich* sind:
- sowohl jene, die den Frieden auf die *Machtüberlegenheit* des jeweils »eigenen« Lagers zu gründen sucht,
- als auch jene, die die Hoffnung auf ein mechanisch verstandenes *Machtgleichgewicht* zwischen den Weltblöcken setzt.

Das Interesse am gemeinsamen Überleben ist ein *gemeinsames Interesse,* und es muß *Vorrang* haben.
Nur wenn ein dritter Weltkrieg vermieden wird, ist es in Zukunft überhaupt möglich, sich für die Freiheit der Menschen, für die Gerechtigkeit und für alle anderen »Grundwerte« zu engagieren.

Zu den Abschlußsätzen:

Der Appell richtet sich zunächst an alle diejenigen, die die entsprechenden Entscheidungen treffen oder beeinflussen können.

Letztlich liegen die *Entscheidungen weitgehend in den Händen der Großmächte.* Aber diese Entscheidungen fallen nicht in einem luftleeren weltpolitischen Raum. Auf die öffentliche Weltmeinung kann auch Österreich Einfluß nehmen.

So sollte die *österreichische Außenpolitik* alles tun, um Fortschritte auf den angedeuteten Wegen zu fördern.

Auch die österreichische Politik findet nicht in einem »luftleeren Raum« statt. Sie sollte von einer breiten Bewegung eines besonnenen, durchdachten und zugleich *entschieden engagierten Friedenswillens* getragen und angespornt werden.

Zugleich sollte dieser Friedenswille auch über die Grenzen hinweg unsere Mitmenschen in anderen Ländern zum Nachdenken und zum eigenen Engagement anregen.

Die Wirkungschancen werden um so größer sein, je mehr der Appell Resonanz findet. Katholische Organisationen und andere Gruppierungen, politische Kräfte und Massenmedien, Friedensinitiativen und gewissenhafte Mitbürger sind daher aufgerufen, sich mit den Thesen des Appells auseinanderzusetzen und sich den Forderungen – soweit sie sich mit ihnen einverstanden erklären können – anzuschließen.

Beiwort der Schweizer Bischofskonferenz zu »Gerechtigkeit schafft Frieden – Dienst der Kirche am Frieden«

Die Förderung des Friedens ist eine der großen Aufgaben unserer Zeit. Was in christlicher Sicht »Friede« heißt und wie aus christlicher Verantwortung für den Frieden gearbeitet werden kann, das darzulegen ist der Sinn der Schrift »Gerechtigkeit schafft Frieden«.
Die Schrift wurde erarbeitet von der Deutschen Bischofskonferenz. Bereits in der Entwurfsphase wurden die Österreichische, die Französische und Schweizerische Bischofskonferenz um ihre Meinungen gebeten und angefragt, ob sie bereit wären, den Text grundsätzlich zu übernehmen; die drei Bischofskonferenzen sind damit einverstanden und sehen in der Übernahme der Schrift ein Stück internationaler Zusammenarbeit im Dienst des Friedens.
Die Schrift zitiert des öfteren den Beschluß der Gemeinsamen Synode: »Der Beitrag der Kirche in der Bundesrepublik Deutschland für Entwicklung und Frieden«. Für die schweizerischen Verhältnisse heranzuziehen ist das Dokument X der Diözesansynoden »Weltweites Christsein: Die Verantwortung der Kirche in der Schweiz für Frieden, Entwicklung und Mission«.
Besonders in den Abschnitten 4 und 5 ist erkennbar, daß der Text auf spezifisch bundesdeutsche Verhältnisse eingeht.
Aus schweizerischer Sicht ergeben sich einige Ergänzungen und Differenzierungen:
1. Die schweizerische Armee verfügt wie auch die deutsche Bundeswehr über keine Atomwaffen; im Gegensatz zur Schweiz sind aber auf dem Boden der Bundesrepublik Atomwaffen stationiert. Die Bürger der Bundesrepublik

sind daher unmittelbar von den Fragen der weiteren Stationierung und des Einsatzes nuklearer Waffen betroffen. Des ungeachtet würde aber ein Atomkrieg der Großmächte mit allen anderen auch die Schweiz in Mitleidenschaft ziehen.

2. Die Verteidigung der Bundesrepublik ist gerichtet gegen Angriffe aus dem Osten. Die Schweiz ist neutral, keinem Militärbündnis angeschlossen. Sie hat sich verpflichtet, diese Neutralität gegen jede Macht gegebenenfalls mit Waffen zu verteidigen. Die Diözesansynoden der Schweiz haben die militärische Landesverteidigung bejaht, als letztes Mittel zur Abwehr gegen Aggression von außen. Die Neutralität verpflichtet aber auch, sich international für den Abbau von Spannungen und für die friedliche Regelung von Streitfällen einzusetzen.

3. Das Problem Wehrdienst und Zivildienst stellt sich in der Schweiz insofern anders, als das Problem Zivildienst noch ungelöst ist. Die Diözesansynoden haben, den Wünschen des Konzils entsprechend, die Lösung dieses Problems als dringend bezeichnet und unterstützten die Bemühungen, die Bundesverfassung in dem Sinn abzuändern, daß ein Zivildienst als Alternative ermöglicht wird.

4. Auch wir dürfen dankbar feststellen, daß die Kirche in der Schweiz sich bemüht, Dienste für den Frieden zu leisten (vgl. 5.3.3): Es sei verwiesen auf das Fastenopfer der Schweizer Katholiken, die Caritas, die Missio, die verschiedenen Verbände, welche sich des Anliegens des Friedens annehmen, das Interteam, das Freiwillige für den Dienst in Ländern der Dritten Welt ausbildet und begleitet.

Die Schweizer Bischofskonferenz hofft, daß die Schrift »Gerechtigkeit schafft Frieden« auch in unserem Land den »Dienst der Kirche am Frieden« fördern hilft.

Bethanienheim, den 26. April 1983.

Für die Schweizer Bischofskonferenz

† Dr. *Heinrich Schwery*, Bischof von Sitten, Präsident.

»Wir rufen feierlich: Halt für die todbringenden Waffen!«

Wortlaut des Friedenshirtenbriefes der ungarischen Bischöfe

Liebe katholische Brüder!

Wir sprechen zu den Nachfolgern Jesu Christi, zu den gläubigen Menschen. Gott hat uns die geschaffene Welt anvertraut. Das menschliche Leben ist ein großes und heiliges Geschenk Gottes. Die zerstörerischen Waffen unserer Zeit bedrohen uns nicht bloß mit schrecklichem Krieg; es droht viel Schwerwiegenderes, was auch anders bewertet werden muß. Die neuen Waffen bedrohen die ganze Menschheit, jene Erde, die Gott den Menschen als Wohnstätte gegeben und mit der Menschwerdung seines Sohnes geheiligt hat. Wir dürfen nicht gleichgültig und tatenlos bleiben!

Die ganze Welt kämpft mit schweren wirtschaftlichen Problemen, vor denen auch wir nicht verschont sind. Unsere Regierung bemüht sich, die Autorität und Kreditwürdigkeit des Landes, das Gleichgewicht des wirtschaftlichen Lebens und den bisher erreichten Lebensstandard zu wahren. Das kann die Regierung nur dann bewerkstelligen, wenn wir alle unsere Lage klar und deutlich sehen, sie objektiv beurteilen und mit unseren Möglichkeiten besser wirtschaften als im vergangenen Jahr.

Wenn wir jetzt fragen, welche Gründe diese Schwierigkeiten ausgelöst haben, müssen wir gemeinsam mit den Experten feststellen, daß die Verschlechterung der Beziehungen zwischen den Völkern und Nationen sie verursacht und infolge-

dessen die stetige Steigerung der wirtschaftlichen und machtkämpferischen Rivalität mittels Vermehrung der Waffenbestände mit sich gebracht hat, namentlich also die Gefahr des Krieges.
Immer mehr Energie, Rohstoffe und Geld werden für die Rüstung ausgegeben. Die Arsenale füllen sich mit immer größeren Mengen von Atombomben und Raketen. Wenn die Menschen das sehen, wachsen in ihnen Unsicherheit und Gewißheit der Bedrohung. Es wäre nutzlos, wenn sich in uns nur ein Gefühl des Ausgeliefertseins und der Ohnmacht verbreitete. Was menschlicher Wille fertiggebracht hat, das kann menschlicher Wille und Zusammenhalt auch ändern. Auch wir Bischöfe fühlen diese große Verantwortung. Wir möchten deshalb auf diese Gefahr aufmerksam machen, um alle Menschen guten Willens zu gemeinsamem Handeln zu mobilisieren.
Wir können die Arbeit und die Erfolge so vieler Jahre nicht verlorengehen lassen. Als Mitträger des Kreuzes unseres Herrn wollen wir im christlichen Sinn noch mehr tun: gewissenhaft hinhören, mehr arbeiten und mehr Opfer bringen in dieser schwierigen Lage. Wir wollen unseren berechnenden Egoismus ablegen. Als gutwillige Bürger stellen wir uns in die Reihe jener Ungarn, die ihre Heimat lieben – zur Bewältigung der gemeinsamen Aufgaben. Wir müssen uns an der Lösung der schwierigen Probleme in den kommenden Monaten beteiligen – seien die Herausforderungen auch noch so groß. Wir vertrauen darauf, daß uns das Licht des Glaubens und unser reines Gewissen bei dieser Arbeit helfen.
Wir schließen uns dem Friedensprogramm unseres Papstes, Johannes Paul II., an: Der Dialog für den Frieden ist die dringendste Aufgabe unserer Zeit. Nur in diesem Bereich des Dialogs können sich Vertreter verschiedenster Ansichten treffen, führende Wissenschaftler, Intellektuelle und Arbei-

ter. Die Zusammenarbeit der Menschen guten Willens kann unmöglich ohne Erfolg bleiben. Vor uns haben schon viele Bischofskonferenzen anderer Länder – von der Verantwortung für die Menschheit überzeugt – mit dramatischer und entschlossener Stimme zum größten Problem der Menschheit, der Schicksalsfrage von Frieden und Krieg, Stellung bezogen. Für die ganze Welt hat die amerikanische Bischofskonferenz ein nachahmenswertes Beispiel gegeben, als sie entschlossen gegen die Aufrüstung und die Vermehrung der Waffen protestierte und die Beendigung der weiteren Anhäufung von Waffen verlangte. In ähnlichem Sinn haben sich auch die Bischöfe der Niederlande, Belgiens und Englands geäußert.

Wir rufen feierlich: Halt für die todbringenden Waffen und für die Aufrüstung, weil wir wissen, daß wir gegen die kriegerischen Mächte nicht machtlos sind. In unserem Friedensprogramm denken wir auch daran, in unserer Seele Frieden zu stiften, um das Leben unserer Familien besser zu schützen sowie Mütter, die für mehrere Kinder Verantwortung tragen. Unsere Jugend wollen wir vor äußeren Bedrohungen – wie Alkohol, Suchtgift – und anderen moralischen Gefährdungen schützen. Wir halten den Schutz des Lebens für unsere Pflicht: in der Frage des Friedens und des Krieges, aber auch in der Frage der Bedrohung werdenden Lebens und bei der Betreuung der kranken, alten und alleinstehenden Menschen.

Erheben wir unsere Stimme im Bewußtsein unserer Verantwortung für den Schutz des Lebens und wecken wir unsere gemeinsame Verantwortung dafür! Wir bitten und beten dafür, daß Gott Ungarn segnen möge – und über die Grenzen hinweg alle Menschen guten Willens.

Die Herausforderung des Friedens – Gottes Verheißung und unsere Antwort

Pastoralbrief der katholischen Bischofskonferenz der USA über Krieg und Frieden

Autorisierte Zusammenfassung des Pastoralbriefes

Das Zweite Vatikanische Konzil eröffnete die Bewertung der modernen Kriegführung mit der Feststellung: »Die gesamte Menschheitsfamilie (ist) in einer entscheidenden Stunde ihrer Entwicklung zur Reife angelangt.« Wir stimmen dieser Einschätzung durch das Konzil zu; die derzeitige Krise ist in der Bedrohung verkörpert, die der Welt und vielem, was uns in der Welt teuer ist, durch die Kernwaffen erwächst. Wir sehen und fühlen die Wirkungen dieser Krise des Atomzeitalters im Leben der Menschen, denen wir dienen. Die Kernwaffen haben das Wesen der Kriegführung drastisch verändert, und der Rüstungswettlauf bildet eine noch nie dagewesene Bedrohung für das menschliche Leben und die menschliche Zivilisation.

Wir schreiben diesen Brief aus der Sicht des katholischen Glaubens. Der Glaube isoliert uns nicht von den täglichen Herausforderungen des Lebens, sondern verstärkt unser Bestreben, ihnen im Licht des Evangeliums zu begegnen, das in der Person des auferstandenen Christus zu uns gekommen ist. Mit Hilfe von Glauben und Vernunft möchten wir in diesem Brief den Menschen unserer Tage Hoffnung und Führung geben in Richtung auf eine Welt, die frei ist von der nuklearen Bedrohung.

Wir schreiben diesen Brief als katholische Bischöfe in Ausübung unseres Lehramtes. Die katholische Lehre von Krieg

und Frieden hat eine lange und vielfältige Tradition; sie reicht von der Bergpredigt bis zu den Aussagen von Papst Johannes Paul II. Wir wollen die Quellen der religiösen Ethik untersuchen und erklären und sie auf die besonderen Fragen unserer Zeit anwenden. Wenn wir dies tun, ist uns klar – und wir möchten, daß auch die Leser dieses Briefes sich darüber klar sind –, daß nicht alle Aussagen dieses Briefes die gleiche moralische Verbindlichkeit haben. Einmal stellen wir allgemein bindende moralische Grundsätze der kirchlichen Lehre fest; ein anderes Mal machen wir besondere Anwendungen, Beobachtungen und Empfehlungen, die Meinungsverschiedenheiten unter denen gestatten, die Fakten und Situation anders beurteilen als wir. Wir erwarten aber, daß die Katholiken unsere moralischen Beurteilungen ernsthaft erwägen, wenn sie sich ihre eigene Meinung zu bestimmten Problemen bilden.
Die Erfahrungen bei der Vorbereitung dieses Briefes haben uns deutlich gemacht, wie weit das Spektrum entschieden vertretener Meinungen über Fakten und über die Beurteilung der Probleme von Krieg und Frieden in der katholischen Gemeinschaft reicht. Wir bitten dringend um gegenseitigen Respekt bei einzelnen und bei Gruppen in der Kirche, wenn dieser Brief analysiert und diskutiert wird. Als Bischöfe sind wir der Ansicht, daß diese Meinungsverschiedenheiten so ausgedrückt werden sollten, wie es der Rahmen der katholischen Morallehre erlaubt. Wir brauchen in der Kirche nicht nur Überzeugung und Hingabe, sondern auch Höflichkeit und Nächstenliebe.
Dieser Brief wendet sich zwar grundsätzlich an die katholische Gemeinschaft, aber wir möchten ihn darüber hinaus auch als Beitrag zur öffentlichen Debatte in unserem Land über die Gefahren und Zwänge des Atomzeitalters sehen. Unser Beitrag ist nicht in erster Linie technisch oder politisch; aber wir sind überzeugt, daß es keine befriedigende

Antwort auf die menschlichen Probleme des Atomzeitalters gibt, wenn nicht die moralische und religiöse Dimension der Probleme, vor denen wir stehen, berücksichtigt wird. Wir Bischöfe der Kirche in den Vereinigten Staaten sprechen zwar in unserem eigenen Namen, aber wir waren uns bei der Vorbereitung dieses Briefes über die Konsequenzen klar, die unsere Lehräußerung nicht nur für die Vereinigten Staaten, sondern auch für andere Nationen haben würde. Ein wichtiger Ausdruck dieses Bewußtseins war die Beratung durch Briefe und in einem bedeutsamen Treffen im Vatikan (18./19. Januar 1983) mit Vertretern europäischer Bischofskonferenzen. Die Beratung mit Bischöfen anderer Länder und natürlich mit dem Heiligen Stuhl ist für uns sehr hilfreich gewesen.

Die katholische Lehre hat Frieden immer mit positiven Begriffen beschrieben. Mit den Worten von Papst Johannes Paul II.: »Friede ist nicht bloß Abwesenheit von Krieg... Wie eine Kathedrale muß Friede mit Geduld und unerschütterlichem Glauben gebaut werden« (Coventry, England, 1982). Friede ist eine Frucht der Ordnung, und Ordnung muß in der menschlichen Gesellschaft auf der Grundlage von Respekt vor der Transzendenz Gottes und der einzigartigen Würde jedes Menschen gestaltet werden in Freiheit, Gerechtigkeit, Wahrheit und Liebe. Um heute Krieg zu vermeiden, müssen wir fest entschlossen sein, Frieden in einer zunehmend interdependenten Welt zu bauen. Im dritten Teil unseres Briefes legen wir eine positive Sicht von Frieden vor wie von den Forderungen, die eine solche Sicht an Diplomatie, Innenpolitik und persönliche Entscheidungen stellt.

Während man unermüdlich auf Frieden aus sein muß, ist es notwendig, den Einsatz von Gewalt zu begrenzen in einer Welt, die aus Nationalstaaten besteht und sich vor gemeinsamen Problemen sieht, aber keine adäquate internationale politische Autorität besitzt. Den Frieden im Atomzeitalter zu wahren, ist ein moralisches und politisches Gebot. In Teil I und II dieses Briefes stellen wir die Grundsätze der katholischen Lehre vom Krieg dar und äußern eine Reihe von Beurteilungen über konkrete politische Maßnahmen, die auf diesen Grundsätzen beruhen. Wir sprechen als Ethiker, wenn wir diese Urteile treffen, nicht als Experten.

I. Einige Grundsätze, Normen und Voraussetzungen der katholischen Lehre

A. Zum Krieg

1. Die katholische Lehre beginnt in jedem Fall mit einem Vorbehalt gegen den Krieg und für eine friedliche Beilegung von Meinungsverschiedenheiten. In Ausnahmefälle ist Einsatz von Gewalt erlaubt, bestimmt durch die moralischen Grundsätze der Tradition vom gerechten Krieg.
2. Jedes Volk hat das Recht und die Pflicht, sich gegen einen ungerechten Angriff zu *verteidigen.*
3. *Angriffskriege* jedweder Art sind moralisch nicht zu rechtfertigen.
4. Es ist niemals erlaubt, nukleare oder konventionelle Waffen »für eine unterschiedslose Zerstörung ganzer Städte oder weiter Gebiete« einzusetzen (Pastoralkonstitution über die Kirche in der Welt von heute, 80). Die absichtliche Tötung unschuldiger Zivilisten oder Nicht-Kombattanten ist immer unrecht.
5. Auch Verteidigung gegen einen ungerechtfertigten Angriff kann Zerstörungen verursachen, die das Prinzip der Verhältnismäßigkeit verletzen und weit über die Grenzen legitimer Verteidigung hinausgehen. Dieses Kriterium ist besonders wichtig, wenn man den geplanten Einsatz von

Nuklearwaffen beurteilen soll. Keine Defensivstrategie, sei sie nuklear oder konventionell, die das Gebot der Proportionalität verletzt, ist moralisch erlaubt.

B. Zur Abschreckung

1. »Unter den gegenwärtigen Bedingungen kann eine auf dem Gleichgewicht beruhende Abschreckung – natürlich nicht als ein Ziel an sich, sondern als ein Abschnitt auf dem Weg einer fortschreitenden Abrüstung – noch für moralisch annehmbar gehalten werden. Um jedoch den Frieden sicherzustellen, ist es unerläßlich, daß man sich nicht mit einem Minimum zufrieden gibt, das immer von einer wirklichen Explosionsgefahr belastet ist.« (Papst Johannes Paul II., Botschaft an die Zweite Sondergeneralversammlung der Vereinten Nationen über Abrüstung, Nr. 8, Juni 1982.)

2. In einer Abschreckungsstrategie darf kein *Einsatz* von Kernwaffen *intendiert* werden, der die Grundsätze der Unterscheidung von Kombattanten und Nicht-Kombattanten oder der Verhältnismäßigkeit verletzt. Die Forderungen der katholischen Morallehre verlangen den entschlossenen Willen, moralisch Böses weder zu intendieren noch zu tun, auch nicht um das eigene Leben oder das Leben derer, die wir lieben, zu retten.

3. Abschreckung ist keine geeignete Strategie, den Frieden langfristig zu sichern; sie ist eine Übergangsstrategie, die nur zu rechtfertigen ist in Verbindung mit der unbedingten Entschlossenheit, für Rüstungskontrolle und Abrüstung zu arbeiten. Wir sind überzeugt, daß »an die Stelle des obersten Gesetzes, worauf der Friede sich heute stützt, ein ganz anderes Gesetz treten muß, wonach der wahre Friede unter den Völkern nicht durch die Gleichheit der militärischen Rüstung, sondern nur durch gegenseitiges Vertrauen fest und sicher bestehen kann« (Papst Johannes XXIII., Pacem in Terris 113, 1963).

C. Der Rüstungswettlauf und die Abrüstung

1. Der Rüstungswettlauf ist eine der schrecklichsten Wunden der Menschheit; er muß verurteilt werden als eine Gefahr, als ein Akt der Aggression gegen die Armen und als ein Wahnsinn, der nicht die Sicherheit geschaffen hat, die er verspricht (vgl. Pastoralkonstitution 81; Stellungnahme des Heiligen Stuhls an die Vereinten Nationen, 1976).
2. Verhandlungen müssen in jeder möglichen vernünftigen Form angestrebt werden; sie sollten von der Forderung bestimmt sein, »daß der Rüstungswettlauf aufhört; daß ferner die in verschiedenen Staaten bereits zur Verfügung stehenden Waffen auf beiden Seiten und gleichzeitig vermindert werden; daß Atomwaffen verboten werden; und daß endlich alle aufgrund von Vereinbarungen zu einer entsprechenden Abrüstung und wirksamer gegenseitiger Kontrolle gelangen« (Papst Johannes XXIII., Pacem in Terris 112).

D. Zum persönlichen Gewissen

1. *Militärdienst:* »Wer als Soldat im Dienst des Vaterlandes steht, betrachte sich als Diener der Sicherheit und Freiheit der Völker. Indem er diese Aufgabe recht erfüllt, trägt er wahrhaft zur Festigung des Friedens bei« (Pastoralkonstitution 79).
2. *Wehrdienstverweigerung aus Gewissensgründen:* »Ferner scheint es angebracht, daß Gesetze für die in humaner Weise Vorsorge treffen, die aus Gewissensgründen den Wehrdienst verweigern, vorausgesetzt, daß sie zu einer anderen Form des Dienstes an der menschlichen Gemeinschaft bereit sind« (Pastoralkonstitution 79).
3. *Gewaltlosigkeit:* »Vom gleichen Geist bewegt, können wir denen unsere Anerkennung nicht versagen, die bei der Wahrung ihrer Rechte darauf verzichten, Gewalt anzuwen-

den, sich vielmehr auf Verteidigungsmittel beschränken, so wie sie auch den Schwächeren zur Verfügung stehen, vorausgesetzt, daß dies ohne Verletzung der Rechte und Pflichten anderer oder der Gemeinschaft möglich ist« (Pastoralkonstitution 78).

4. *Bürger und Gewissen:* »Nochmals ermahnen wir unsere Söhne, sie möchten sich für die Wahrnehmung der öffentlichen Aufgaben bereitwillig zur Verfügung stellen und mitwirken, das Wohl der gesamten Menschheit und des eigenen Staates zu fördern... Ja, auch das verlangt die rechte Ordnung, daß die Menschen in gewissenhafter Befolgung der unser Heil beabsichtigenden Weisungen und Gebote Gottes ihre wissenschaftliche, technische und berufliche Betätigung in eine Einheit mit den höheren inneren Werten bringen« (Papst Johannes XXIII., Pacem in Terris 146, 150).

II. Ethische Grundsätze und politische Entscheidungen

In Anbetracht der konkreten Situation in unserer Gesellschaft haben wir als Bischöfe in den Vereinigten Staaten moralische Grundsätze auf bestimmte politische Entscheidungen angewendet und daraus eine Reihe von Beobachtungen und Empfehlungen abgeleitet.

A. Zum Einsatz von Kernwaffen

1. *Einsatz gegen Zivilbevölkerung:* Unter keinen Umständen dürfen Kernwaffen oder andere Massenvernichtungsmittel zum Zweck der Vernichtung von Bevölkerungszentren oder anderen vorwiegend zivilen Zielen benutzt werden. Auch Vergeltungsaktionen müssen verurteilt werden, sofern sie unterschiedslos vielen völlig unschuldigen Menschen das Leben nehmen würden, Menschen, die in keiner

Weise für rücksichtslose Handlungen ihrer Regierung verantwortlich sind.

2. *Einleitung nuklearer Kriegführung:* Wir können uns keine Situation vorstellen, in der die vorbedachte Einleitung nuklearer Kriegführung, und sei sie noch so begrenzt, moralisch gerechtfertigt werden könnte. Nicht-nuklearen Angriffen anderer Staaten muß mit anderen als mit nuklearen Mitteln begegnet werden. Daher besteht eine ernste Verpflichtung, so schnell wie möglich moralisch annehmbare nicht-nukleare Verteidigungsstrategien zu entwickeln. Wir bitten die NATO in diesem Brief dringend, sich schnellstens auf die Einführung einer Politik des »Verzichts auf den Ersteinsatz« hin zu bewegen, aber wir räumen ein, daß dies Zeit braucht und die Entwicklung einer angemessenen alternativen Defensivstrategie erfordert.

3. *Begrenzter Atomkrieg:* Wir haben die verschiedenen Argumente zu dieser Frage geprüft und sind äußerst skeptisch, was die wirkliche Bedeutung von »begrenzt« ist. Ein Kriterium der Lehre vom gerechten Krieg ist, daß begründete Hoffnung bestehen muß, Gerechtigkeit und Frieden zu schaffen. Wir müssen fragen, ob eine solche begründete Hoffnung besteht, wenn einmal ein nuklearer Schlagabtausch stattgefunden hat. Die Beweislast liegt bei denen, die behaupten, daß eine sinnvolle Begrenzung möglich sei. Wir sind deshalb der Ansicht, daß das oberste Gebot ist, jeden Einsatz von Kernwaffen zu verhindern, und wir hoffen, daß die Verantwortlichen der Vorstellung widerstehen, ein nuklearer Konflikt könne in irgendeinem traditionellen Sinne begrenzt gehalten oder gewonnen werden.

B. Zur Abschreckung

In Übereinstimmung mit der Bewertung durch Papst Johannes Paul II. sind wir zu einer an strenge Bedingungen gebundenen moralischen Billigung nuklearer Abschreckung gelangt. Wir haben in diesem Brief Kriterien und Empfehlungen dargelegt, die anzeigen, wie diese bedingte Billigung der Abschreckungspolitik zu verstehen ist. Eine solche Politik ist unserer Ansicht nach nicht als langfristige Grundlage für den Frieden angemessen.

C. Zur Förderung des Friedens

1. Wir unterstützen unverzügliche, beidseitige, überprüfbare Vereinbarungen, um die Erprobung, Produktion und Stationierung neuer nuklearer Waffensysteme anzuhalten.
2. Wir unterstützen Bemühungen, um einschneidende Reduzierungen der Arsenale beider Supermächte zu erreichen; die Bemühungen sollten sich zunächst auf Systeme konzentrieren, die die Zweitschlagskapazität beider Großmächte bedrohen.
3. Wir unterstützen einen baldigen und erfolgreichen Abschluß der Verhandlungen über ein umfassendes Teststoppabkommen.
4. Wir fordern neue Bemühungen, um die Verbreitung von Kernwaffen in der Welt zu verhindern und den Wettlauf auf dem Gebiet der konventionellen Rüstung zu kontrollieren, insbesondere den Handel mit konventionellen Waffen.
5. Wir unterstützen in einer zunehmend interdependenten Welt politische und ökonomische Maßnahmen zum Schutz der Menschenwürde und zur Förderung der Menschenrechte für alle, besonders die Geringsten unter uns. Zu diesem Zweck fordern wir die Errichtung einer Art globaler Autorität, die den Bedürfnissen des internationalen Gemeinwohls entspricht.

Dieser Brief enthält viele Urteile aus der Sicht der Ethik, Politik und Strategie; sie sind nötig, um konkret und zutreffend zur »Situation der größten Krise«, wie das Zweite Vatikanische Konzil sagt, sprechen zu können. Wir betonen noch einmal, daß sich die Leser, ebenso wie wir, über den Unterschied klar sein sollten, der zwischen Aussagen über moralische Grundsätze und offizielle kirchliche Lehre und deren Anwendung auf konkrete Fragen durch uns besteht.

Wir bitten dringend, daß mit besonderer Sorgfalt darauf geachtet wird, daß keine Stellen ohne den entsprechenden Kontext benutzt werden; noch sollten kurze Stücke aus diesem Dokument zitiert werden, um Positionen zu stützen, die dieses nicht zu vermitteln beabsichtigt oder die nicht wirklich im Einklang mit dem Geist seiner Lehre stehen.

Zum Abschluß dieser Zusammenfassung antworten wir auf zwei Schlüsselfragen, die oft zu diesem Hirtenbrief gestellt werden.

Warum befassen wir uns mit diesen Fragen, die so schwierig, so kontrovers und so emotional befrachtet sind? Wir sprechen als Hirten, nicht als Politiker. Wir sind Lehrer, keine Techniker. Wir können unserer Verantwortung nicht ausweichen, die ethischen Dimensionen der Entscheidungen herauszuarbeiten, vor denen unsere Welt und unsere Nation stehen. Das Atomzeitalter ist eine Zeit der Gefahr für Moral und Leben. Wir sind die erste Generation seit Erschaffung der Welt, die die Macht hat, die Schöpfungsordnung zu gefährden. Angesichts dieser Gefahr können wir nicht schweigen. Warum sprechen wir über diese Probleme? Wir versuchen einfach, der Forderung Jesu zu entsprechen, in unserer Zeit und unserer Situation Friedensstifter zu sein.

Was sagen wir? Grundsätzlich sagen wir, daß die Entscheidungen über Kernwaffen zu den bedrängendsten moralischen Fragen unserer Zeit gehören. Zwar haben diese Entscheidungen offensichtlich militärische und politische

Aspekte, aber sie umfassen auch grundsätzliche moralische Entscheidungen. Ganz einfach ausgedrückt sagen wir, daß gute Zwecke (Verteidigung des Vaterlandes, Schutz der Freiheit usw.) nicht unmoralische Mittel (Einsatz von Waffen, die unterschiedslos töten und ganze Gesellschaften bedrohen) rechtfertigen können. Wir fürchten, daß unsere Welt und unsere Nation in die falsche Richtung gehen. Tag für Tag werden immer mehr Waffen mit immer größerer Zerstörungskapazität produziert. Immer mehr Staaten bemühen sich, Nuklearmächte zu werden. Wir fürchten, daß wir in unserem Streben nach immer mehr Sicherheit tatsächlich immer weniger sicher werden. Mit den Worten unseres Heiligen Vaters: Wir brauchen eine »moralische Kehrtwendung«. Die ganze Welt muß den moralischen Mut und die technischen Mittel aufbringen und Nein zum Atomkrieg sagen, Nein zu Massenvernichtungsmitteln, Nein zu einem Rüstungswettlauf, der Raub an den Armen und Schwachen ist, Nein zur moralischen Gefahr des Atomzeitalters, das die Menschheit vor die unhaltbare Wahl zwischen dauerndem Schrecken und Unterwerfung stellt.

Die Pflicht, Frieden zu stiften, steht nicht zur Wahl. Sie ist eine Forderung unseres Glaubens. Wir sind aufgefordert, Friedensstifter zu sein, nicht von einer Bewegung des Augenblicks, sondern von unserem Herrn Jesus. Inhalt und Umfeld unseres Friedensschaffens werden nicht durch politische Tagesordnungen oder ideologische Programme bestimmt, sondern von der Lehre seiner Kirche.

Abschließend soll dieser Brief ein Ausdruck des christlichen Glaubens sein und uns in unserem Vertrauen bestärken, daß der auferstandene Herr bei uns ist, gerade auch in Augenblicken der Krise. Unser Glaube an seine Gegenwart und Macht unter uns hilft uns, der furchtbaren Herausforderung des Nuklearzeitalters zu begegnen. Wir sprechen aus dem Glauben, um allen jenen Hoffnung zu geben, die die

Herausforderung erkennen und daran arbeiten, ihr mit Hilfe von Glauben und Vernunft zu begegnen.
Sich mit dem Nuklearproblem im Glauben zu befassen, heißt, die absolute Notwendigkeit des Gebetes zu erkennen: Wir fordern alle auf und laden sie ein zu unablässigem Gebet und Werken der Buße für einen Frieden in Gerechtigkeit für alle Menschen. In diesem Geist der vom Gebet getragenen Hoffnung legen wir diese Friedensbotschaft vor.

Einleitung

»Die gesamte Menschheitsfamilie (ist) in einer entscheidenden Stunde ihrer Entwicklung zur Reife angelangt.«[1] So begann das Zweite Vatikanische Konzil seine Stellungnahme zum modernen Krieg. Die Dynamik des atomaren Wettrüstens seit dem Konzil hat diese Krise verschärft. Heute ist die Furcht vor einem Atomkrieg fast greifbar und sichtbar. So sagte Papst Johannes Paul II. in seiner Botschaft an die Vereinten Nationen zur Abrüstung: »Nun aber lassen die Befürchtungen und Sorgen zahlreicher Gruppen in verschiedenen Teilen der Welt erkennen, daß sie immer mehr Angst haben bei dem Gedanken, was geschehen könnte, wenn Verantwortungslose einen Atomkrieg auslösten.«[2]

Als Bischöfe und Hirten, die ihren Dienst in einer der Hauptatommächte tun, erleben wir diese schreckliche Angst in Herz und Sinn unseres Volkes – auch wir teilen sie. Wir schreiben diesen Brief, weil wir uns einig sind, daß sich die Welt in einem Augenblick äußerster Krise befindet, und die Auswirkungen dieser Krise sind im Leben der Menschen sichtbar. Wir beabsichtigen jedoch nicht, mit der Furcht der Menschen zu spielen, sondern wir wollen Worte der Hoffnung und Ermutigung in einer Zeit der Angst sprechen. Der

Glaube isoliert uns nicht von den täglichen Herausforderungen des Lebens, vielmehr verstärkt er unseren Wunsch, sie im Licht der guten Botschaft lösen zu helfen, die in der Person Jesu, des Herrn der Geschichte, zu uns gekommen ist. Aus unserem Glauben versuchen wir, all jenen Hoffnung und Stärke zu geben, die nach einer Welt streben, die frei von atomarer Bedrohung ist. Hoffnung stärkt die Fähigkeit, mit der Gefahr zu leben, ohne von ihr überwältigt zu werden; Hoffnung in dem Gott, der uns das Leben gab, der die Welt durch seine Macht erhält und uns berufen hat, daß wir das Leben eines jeden Menschen und aller Völker achten.

Die Krise, von der wir sprechen, hat folgenden Grund: Der Nuklearkrieg bedroht die Existenz unseres Planeten; es ist eine gefährlichere Bedrohung als alles, was die Welt bisher gesehen hat. Es ist weder erträglich noch notwendig, daß Menschen unter einer solchen Bedrohung leben. Sie jedoch zu beseitigen, erfordert eine große Anstrengung an Intelligenz, Mut und Glauben. So sagte Papst Johannes Paul II. in Hiroshima: »Von nun an kann die Menschheit nur dank einer verantwortungsbewußten Entscheidung und einer entsprechenden Politik überleben.«[3]

Als Amerikaner, als Bürger der Nation, die als erste Atomwaffen hergestellt hat, der einzigen, die sie eingesetzt hat, und einer der wenigen, die heute entscheidenden Einfluß auf die Zukunft des Nuklearzeitalters nehmen können, haben wir die schwere menschliche, moralische und politische Verantwortung, dafür zu sorgen, daß eine »bewußte Entscheidung« getroffen wird, um die Menschen zu retten. Dieser Brief ist daher eine Einladung und eine Herausforderung an die Katholiken in den Vereinigten Staaten, zusammen mit anderen die bewußten Entscheidungen und wohlüberlegten politischen Maßnahmen in diesem »Moment äußerster Krise« zu treffen.

I. Frieden in der Welt von heute: Religiöse Perspektiven und Grundlagen

Die globale Bedrohung durch einen Atomkrieg ist eine zentrale Sorge der Weltkirche, wie die Worte und Taten der letzten Päpste und des Zweiten Vatikanischen Konzils lebhaft zeigen. In diesem Pastoralbrief sprechen wir als Bischöfe der Weltkirche, als Erben dessen, was die religiöse und moralische Lehre der letzten vier Jahrzehnte über die moderne Kriegführung sagt. Wir sprechen auch als Bischöfe der Kirche in den Vereinigten Staaten, die sowohl die Verpflichtung als auch die Gelegenheit haben, die moralische und religiöse Weisheit der katholischen Tradition zu kennen und zu interpretieren, indem wir diese auf die Probleme von Krieg und Frieden heute anwenden.

Die nukleare Bedrohung überschreitet religiöse, nationale und kulturelle Grenzen. Wenn man dieser Gefahr begegnen will, muß man alle Kräfte der Vernunft und des Glaubens aufbieten. Dieser Brief ist ein Beitrag zu dem allgemein vorhandenen Bemühen und soll alle Katholiken und alle Glieder unserer politischen Gemeinschaft aufrufen, in einen Dialog einzutreten und bestimmte Entscheidungen über dieses furchtbare Problem zu treffen.

Die katholische Tradition über Krieg und Frieden ist lang und komplex; sie reicht von der Bergpredigt bis zu den Äußerungen von Papst Johannes Paul II. Ihre Entwicklung kann nicht in einer geraden Linie gezeichnet werden, und sie gibt selten eine einfache Antwort auf komplexe Fragen. Sie spricht durch viele Stimmen und hat zahlreiche Formen des religiösen Zeugnisses hervorgebracht. Was unseren Standort innerhalb dieser Tradition betrifft, die wir heranziehen und weiterentwickeln möchten, so ist das Dokument, das uns tiefe Einsicht und Führung gewährt, die *Pastoralkonstitution über die Kirche in der Welt von heute* des Zweiten Vatikani-

schen Konzils; denn sie beruht auf Lehrgrundsätzen und spricht die Beziehung zur Welt in einer der bedrängendsten Fragen unserer Zeit an.[4]
Eine Leitlinie für die Interpretation, die für die Pastoralkonstitution wichtig ist, ist ebenso bedeutsam auch für diesen Pastoralbrief, obwohl die Autorität, die den zwei Dokumenten innewohnt, sehr unterschiedlich ist. Beide Dokumente verwenden Grundsätze der katholischen Morallehre und wenden sie auf bestimmte heutige Probleme an. Die Bischöfe des Zweiten Vatikanischen Konzils eröffneten die Pastoralkonstitution mit den folgenden Richtlinien, wie man Prinzipien mit konkreten Problemen verbinden solle:
»Im ersten Teil entwickelt die Kirche ihre Lehre vom Menschen, von der Welt, in die der Mensch eingefügt ist, und von ihrem Verhältnis zu beiden. Im zweiten Teil betrachtet sie näher die verschiedenen Aspekte des heutigen Lebens und der menschlichen Gesellschaft, vor allem Fragen und Probleme, die dabei für unsere Gegenwart besonders dringlich erscheinen. Daher kommt es, daß in diesem zweiten Teil die Thematik zwar den Prinzipien der Lehre unterstellt bleibt, aber nicht nur unwandelbare, sondern auch geschichtlich bedingte Elemente enthält. Die Konstitution ist also nach den allgemeinen theologischen Interpretationsregeln zu deuten, und zwar, besonders im zweiten Teil, unter Berücksichtigung des Wechsels der Umstände, der mit den Gegenständen dieser Thematik verbunden ist.«[5]
Auch in diesem Pastoralbrief sprechen wir viele konkrete Fragen an, so den Rüstungswettlauf, die heutige Kriegführung, Waffensysteme und Verhandlungsstrategien. Wir fordern bei der Behandlung dieser Fragen nicht die gleiche moralische Autorität wie für unsere Aussagen über allgemeingültige moralische Grundsätze und die offizielle Lehre der Kirche. Wir betonen hier am Beginn ausdrücklich, daß nicht jede Äußerung dieses Briefes die gleiche moralische

Verbindlichkeit hat. Zum einen bestätigen wir allgemein bindende moralische Grundsätze (wie z.B. die Immunität von Nichtkombattanten und die Verhältnismäßigkeit der Mittel). Ein anderes Mal bestätigen wir Aussagen der letzten Päpste und die Lehre des Zweiten Vatikanischen Konzils. Dann wieder wenden wir moralische Grundsätze auf bestimmte Fälle an.

Wenn wir Grundsätze auf bestimmte Fälle anwenden, sind wir uns im klaren – und möchten, daß dies auch der Leser erkennt –, daß es dabei um Klugheitsurteile geht, die auf bestimmten Bedingungen beruhen –, Bedingungen, die sich ändern können oder die von Menschen guten Willens unterschiedlich interpretiert werden können (z.B. die Stellungnahme zu »kein Ersteinsatz«). Unsere moralischen Urteile in spezifischen Fällen binden zwar nicht das Gewissen, sie sollen jedoch von den Katholiken bei ihrer Entscheidung, ob ihre moralischen Beurteilungen mit dem Evangelium vereinbar sind, ernsthaft beachtet und erwogen werden.

Wir werden unser Bestes tun, um sowohl stilistisch als auch inhaltlich darauf hinzuweisen, wann wir solche Beurteilungen vornehmen. Wir sind der Meinung, daß diese spezifischen Beurteilungen ein wichtiger Teil dieses Briefes sind, aber sie sollten im Licht einer anderen Stelle aus der Pastoralkonstitution interpretiert werden: »Oftmals wird gerade eine christliche Schau der Dinge ihnen eine bestimmte Lösung in einer konkreten Situation nahelegen. Aber andere Christen werden vielleicht, wie es häufiger, und zwar legitim, der Fall ist, bei gleicher Gewissenhaftigkeit in der gleichen Frage zu einem anderen Urteil kommen. Wenn dann die beiderseitigen Lösungen, auch gegen den Willen der Parteien, von vielen anderen sehr leicht als eindeutige Folgerung aus der Botschaft des Evangeliums betrachtet werden, so müßte doch klar bleiben, daß in solchen Fällen niemand das Recht hat, die Autorität der Kirche ausschließlich für sich und seine eigene Meinung in Anspruch zu nehmen. Immer aber sollen sie in einem offenen Dialog sich gegenseitig zur Klärung der Frage zu helfen suchen; dabei sollen sie die gegenseitige Liebe bewahren und vor allem auf das Gemeinwohl bedacht sein.«[6]

Diese Stelle erkennt an, daß die Kirche bei manchen schwierigen gesellschaftlichen Fragen unterschiedliche Ansichten erwartet, auch wenn alle die gleichen moralischen Grundsätze haben. Die Erfahrungen bei der Vorbereitung dieses Pastoralbriefes haben uns gezeigt, wie weit das Spektrum entschieden vertretener Meinungen in der katholischen Gemeinschaft über die Fragen von Krieg und Frieden reicht. Es ist klar, daß wir als Bischöfe meinen, daß diese Meinungsverschiedenheiten innerhalb des Rahmens der katholischen Morallehre ausgedrückt werden sollten. Wir bitten dringend um gegenseitigen Respekt zwischen den verschiedenen Gruppen in der Kirche, wenn sie diesen Brief und die Fragen, die er anspricht, analysieren. Die Kirche braucht nicht nur Hingabe und Überzeugung, sondern auch Höflichkeit und Nächstenliebe.

Die *Pastoralkonstitution* fordert uns auf, das Licht des Evangeliums auf die »Zeichen der Zeit« zu richten. Drei Zeichen der Zeit haben uns besonders bewogen, diesen Brief zu schreiben. Das erste ist, mit den Worten von Johannes Paul II. vor den Vereinten Nationen: »Die Welt sehnt sich nach Frieden, die Welt braucht Frieden.«[7] Das zweite ist das Urteil des Zweiten Vatikanischen Konzils über den Rüstungswettlauf: »Der Rüstungswettlauf ist eine der schrecklichsten Wunden der Menschheit. Er schädigt unerträglich die Armen.«[8] Das dritte ist die Art und Weise, wie die einzigartigen Gefahren und die Dynamik des atomaren Wettrüstens qualitativ neue Probleme aufwerfen, die man mit neuen Anwendungen unserer traditionellen moralischen Prinzipien angehen muß. Angesichts dieser drei Fragen möchten wir die katholische Lehre über Krieg und Frieden untersuchen.

Die katholische Soziallehre, wie sie sich in der *Pastoralkonstitution* und neueren päpstlichen Lehraussagen darstellt, ist eine Mischung von biblischen, theologischen und philosophischen Elementen, die auf die konkreten Probleme des Tages bezogen werden. Die biblische Sicht der Welt, die von Gott geschaffen und erhalten, von der Sünde verunstaltet, in Christus erlöst und für das Reich Gottes bestimmt ist, ist das Herzstück unseres religiösen Erbes. Diese Sicht muß in jedem Zeitalter genau ausgearbeitet, erklärt und angewendet werden; die wichtige Aufgabe der Theologie ist, immer tiefer in das Wesen der biblischen Sicht vom Frieden einzudringen und sie mit einer Welt, die noch nicht im Frieden ist, in Beziehung zu setzen. Folglich untersucht die Lehre vom Frieden beides, wie man eine friedlichere Welt bauen kann und wie man das Phänomen des Krieges bewerten soll.

Im Mittelpunkt der kirchlichen Lehre vom Frieden und im Mittelpunkt der ganzen katholischen Soziallehre stehen die Transzendenz Gottes und die Würde der menschlichen Person. In der menschlichen Person spiegelt sich die Gegenwart Gottes in der Welt am klarsten; alle Arbeit der Kirche für Gerechtigkeit und Frieden ist bestimmt, die Würde jedes Menschen zu schützen und zu fördern. Denn jede Person ist nicht nur ein Bild Gottes, sondern auch ein Ausdruck von Gottes Schöpfungswerk und das Ziel von Christi Erlösungswerk. Christen gehen das Problem von Krieg und Frieden sowohl mit Furcht als auch mit Ehrfurcht an. Gott ist der Herr des Lebens, darum ist jedes Menschenleben heilig. Der moderne Krieg droht mit der Auslöschung menschlichen Lebens in einem bisher unvorstellbaren Ausmaß. Das Gefühl von ehrfürchtiger Scheu und »Furcht des Herrn«, das frühere Generationen angesichts dieser Fragen erfüllte, bekommt für uns ein ganz neues Gewicht und neue Dringlichkeit. Mit den Worten der Pastoralkonstitution: »Die Menschen unseres Zeitalters sollen wissen, daß sie über ihre kriegerischen Handlungen einmal schwere Rechenschaft abzulegen haben. Von ihren heutigen Entscheidungen hängt nämlich weitgehend der Lauf der Zukunft ab.«[9]

Die katholische Lehre über Krieg und Frieden hat immer zwei Ziele gehabt: den Katholiken zu helfen, ihr Gewissen zu bilden, und zur öffentlichen politischen Debatte über die Moralität des Krieges beizutragen. Diese beiden Ziele haben dazu geführt, daß die katholische Lehre sich an zwei verschiedene, aber sich überschneidende Zuhörergruppen wandte. Die erste ist die der katholischen Glaubenden, die von den Grundsätzen des Evangeliums und der katholischen Morallehre geprägt sind. Die zweite ist die größere bürgerliche Gemeinschaft, eine mehr pluralistische Zuhörerschaft, in der unsere Brüder und Schwestern, mit denen wir den Namen »Christen« gemeinsam haben, Juden, Muslime, andere Religionsgemeinschaften und alle Menschen guten Willens zusammen unser Gemeinwesen ausmachen. Da die katholische Lehre sich traditionellerweise bemüht hat, beide Zuhörerkreise anzusprechen, beabsichtigen wir, in diesem Brief zu beiden zu sprechen in der Erkenntnis, daß die Katholiken auch Glieder der größeren politischen Gemeinschaft sind.

Die in der katholischen Ekklesiologie verwurzelte Überzeugung, daß sowohl die Gemeinde der Glaubenden als auch die bürgerliche Gemeinschaft auf die Fragen von Frieden und Krieg angesprochen werden sollten, hat zwei sich ergänzende, aber voneinander unterschiedene Lehrformen hervorgebracht. Die religiöse Gemeinschaft hat eine gemeinsame Perspektive des Glaubens und kann aufgerufen werden, die Konsequenzen dieser Perspektive im Leben zu verwirklichen. Obwohl die größere bürgerliche Gemeinschaft nicht die gleiche Sicht des Glaubens teilt, ist sie doch durch bestimmte moralische Grundsätze gebunden. Denn alle Männer und Frauen finden in der Tiefe ihres Gewissens ein Gesetz, das von Gott in das Herz des Menschen geschrieben ist.[10] Aus diesem Gesetz leitet die Vernunft moralische Normen ab. Diese Normen mögen nicht so umfassend sein wie die Sicht des Evangeliums, aber sie beziehen sich auf kritische Fragen, die das Wohlergehen der menschlichen Gesellschaft, die Rolle der Staaten in den internationalen Beziehungen und die Grenzen dessen betreffen, was bei einzelnen und Völkern in Fragen von Krieg und Frieden noch akzeptabel ist.

Man kann in der modernen katholischen Lehre Beispiele für beide Lehrformen finden. Einmal liegt der Nachdruck auf den Problemen und Erfordernissen einer gerechten Politik (z. B. Papst Johannes Paul II. auf der UN-Sondergeneralversammlung 1982); ein anderes Mal liegt der Nachdruck auf der besonderen Rolle der Christen (z. B. Papst Johannes Paul II. in Coventry, England, 1982). Den gleichen Unterschied in Betonung und Ausrichtung kann man finden in »Pacem in Terris« von Papst Johannes XXIII. und in der Pastoralkonstitution des Zweiten Vatikanischen Konzils.

Als Bischöfe glauben wir, daß das Wesen der katholischen Morallehre, die Prinzipien der katholischen Ekklesiologie und die Forderungen unseres Hirtenamtes es verlangen, daß dieser Brief zu beiden Gruppen spricht: zu den Katholiken in einer besonderen Weise und zur größeren politischen Gemeinschaft im Hinblick auf die Politik. Wir können es uns nicht gestatten, daß eine der beiden Hörergruppen oder eine Form der Ansprache übergangen wird, wenn das Problem die kosmischen Ausmaße des atomaren Wettrüstens hat.

Wir schlagen daher vor, sowohl die religiöse Sicht vom Frieden zwischen den Völkern und Staaten zu diskutieren,

als auch die Probleme, die entstehen, wenn man diese Sicht in einer Welt von souveränen Staaten verwirklichen will, die keinerlei Zentralgewalt besitzt und durch Ideologie, Geographie und konkurrierende Ansprüche entzweit ist. Wir glauben, daß die religiöse Sicht eine objektive Grundlage hat und schrittweise verwirklicht werden kann. Christus ist unser Friede, denn er »vereinigte die beiden Teile und riß... die trennende Wand der Feindschaft nieder... Er stiftete Frieden und versöhnte die beiden durch das Kreuz mit Gott in einem einzigen Leib...« (Eph 2, 14–16). Wir wissen auch, daß dieser Friede erst im Reich Gottes vollendet wird. Die Verwirklichung des Reiches Gottes in der Welt ist daher eine ständige Aufgabe, die nur schrittweise ausgeführt und mit Mühe durchgehalten werden kann; die ständiger Anstrengung bedarf, damit der schon erreichte Friede bewahrt und seine Geltung im persönlichen wie im politischen Leben ausgeweitet wird.
Der Aufbau des Friedens innerhalb und zwischen den Nationen ist das Werk vieler einzelner und vieler Institutionen; er ist die Frucht von Gedanken und Entscheidungen auf dem politischen, kulturellen, ökonomischen, sozialen, militärischen und rechtlichen Sektor des Lebens. Wir glauben, daß die Kirche als eine Glaubensgemeinschaft und als gesellschaftliche Institution eine eigene, notwendige und ganz bestimmte Rolle bei der Suche nach Frieden in der Welt zu spielen hat.
Der eigene Beitrag der Kirche stammt aus ihrer religiösen Natur und aus ihrem Auftrag. Die Kirche ist aufgerufen, in einzigartiger Weise das Werkzeug des Reiches Gottes in der Geschichte zu sein. Da Friede eines der Zeichen der Gegenwart dieses Reiches in der Welt ist, erfüllt die Kirche einen Teil ihrer wesensmäßigen Sendung, indem sie den Frieden des Reiches Gottes in unserer Zeit sichtbarer macht.
Weil Friede wie das Reich Gottes selbst sowohl göttliches

Geschenk als auch menschliches Werk ist, sollte die Kirche unablässig um dieses Geschenk beten und an dem Werk mitarbeiten. Wir sind aufgerufen, Kirche im Dienst des Friedens zu sein, eben weil Frieden eine Manifestation von Gottes Wort und Werk in unserer Mitte ist. Die Anerkennung der Verantwortung der Kirche, sich mit anderen zur Arbeit für den Frieden zu vereinen, ist die treibende Kraft hinter dem Ruf nach der Entwicklung einer Friedenstheologie heute. Ein Großteil der Geschichte der katholischen Theologie über Krieg und Frieden hat sich darauf konzentriert, den Rückgriff auf Gewalt zur Lösung menschlicher Probleme einzuschränken; diese Aufgabe ist immer noch dringend, wie weiter unten in diesem Pastoralbrief dargelegt wird. Aber das ist keine ausreichende Antwort auf die Herausforderung des Zweiten Vatikanischen Konzils, »die Frage des Krieges mit einer ganz neuen inneren Einstellung zu prüfen«.[11]

Eine neue innere Einstellung, die eine fortgeschrittene Theologie des Friedens einschließt, erfordert Beiträge aus mehreren Zweigen des kirchlichen Lebens: Bibelstudium, systematische Theologie und Moraltheologie, Ekklesiologie sowie die Erfahrungen und Erkenntnisse von Gliedern der Kirche, die auf verschiedene Weise sich abgemüht haben, in diesem oft gewalttätigen Zeitalter Frieden zu stiften und zu erhalten. Dieser Pastoralbrief ist mehr eine Einladung, die neuere innere Einstellung zu Krieg und Frieden weiterzuentwickeln, als eine abschließende Synthese der Ergebnisse einer solchen Einstellung. Wir haben eine gewisse Vorstellung von den Kennzeichen einer Friedenstheologie, aber wir legen keine systematische Darstellung ihres Bezugsrahmens vor.

Eine Theologie des Friedens sollte die Aufgabe, Frieden zu stiften, fest in der biblischen Vision des Reiches Gottes verankern, dann sollte sie diese in den Mittelpunkt des

Dienstes der Kirche stellen. Sie sollte die Hindernisse auf dem Weg zum Frieden genau benennen, und zwar im theologischen wie im sozialwissenschaftlichen und politischen Sinn. Sie sollte den besonderen Beitrag bestimmen, den eine Glaubensgemeinschaft zum Werk des Friedens leisten kann, und sie sollte diesen in den größeren Rahmen der Friedensarbeit stellen, die von anderen Gruppen und Institutionen in der Gesellschaft getan wird. Schließlich gehört zur Friedenstheologie eine Botschaft der Hoffnung. Die Vision der Hoffnung muß für alle vorhanden sein, aber eine Quelle für ihr Vorhandensein sollte in einer Kirche zu finden sein, die dem Frieden dient.

Wir bieten jetzt einen ersten Schritt in Richtung auf eine Botschaft des Friedens und der Hoffnung an. Er besteht in einer Darstellung der biblischen Vorstellung vom Frieden; im theologischen Verständnis, wie Frieden in einer Welt, die von der Sünde gezeichnet ist, geschaffen werden kann; in einer moralischen Bewertung der vor uns liegenden Schlüsselfragen bei der Verwirklichung des Friedens heute; schließlich einer Bewertung der politischen und persönlichen Aufgaben, die von allen Menschen guten Willens in dieser höchst kritischen Periode der Geschichte gefordert sind.

A. Friede und Reich Gottes

Für uns Glaubende ist die Heilige Schrift die Grundlage, wenn wir mit dem Dilemma von Krieg und Frieden heute konfrontiert werden.

Die Benutzung der Bibel in diesem Bereich wird von drei Faktoren bestimmt. *Erstens* ist der Begriff »Friede« auf verschiedene Weise zu verschiedenen Zeiten und in verschiedenem Kontext verstanden worden. So kann Friede z. B. auf das Gefühl des Wohlbefindens oder der Sicherheit eines einzelnen hinweisen, oder er kann das Ende bewaffneter Feindseligkeiten bedeuten, wodurch eine Atmosphäre entsteht, in der Völker in Beziehung zueinander treten und ihre Konflikte ohne den Einsatz von Waffen regeln können. Für gläubige Männer und Frauen gehört zum Frieden die rechte Beziehung zu Gott, zu der Vergebung, Versöhnung und Gemeinschaft gehören. Schließlich weist die Schrift auf den eschatologischen Frieden hin, eine endgültige, volle Verwirklichung von Gottes Erlösung, wenn die ganze Schöpfung heil sein wird. Unter den verschiedenen Bedeutungen überwiegen in der Schrift die beiden letzteren und geben die Richtung für die beiden ersten an.

Zweitens müssen wir beachten, daß die Bibel, wie wir sie heute haben, über einen langen Zeitraum geschrieben wurde und viele verschiedene historische Situationen spiegelt, die alle anders sind als die unsere. Durch diese Verschiedenheit wird unser Verständnis sowohl komplexer als auch größer, aber keineswegs verdunkelt oder beeinträchtigt. *Drittens,* da die Bibel hauptsächlich von Gottes Eingreifen in die Geschichte spricht, enthält sie keine besondere Abhandlung über Krieg und Frieden. Frieden und Krieg müssen immer im Licht von Gottes Eingreifen in die menschlichen Angelegenheiten gesehen werden und von unserer Antwort auf dieses Eingreifen. Beide sind Elemente der weitergehenden Offenbarung von Gottes Willen für seine Schöpfung.

Wenn wir auch diese Komplexität anerkennen, so ist die Bibel für uns trotzdem eine einzigartige Quelle der Offenbarung, ein Wort Gottes, das so gewiß an uns gerichtet ist wie an alle vorhergehenden Generationen. Wir rufen den Geist Gottes an, der in diesem Wort und in unserem Herzen spricht, daß er uns in unserem Hören leite. Die heiligen Texte haben uns viel darüber zu sagen, auf welche Weise Gott uns ruft, in Einheit und Treue zu seinem Willen zu leben. Sie geben uns Richtlinien für unser Leben und stellen uns eine Hoffnung, eine endgültige Verheißung vor Augen, die unser Handeln hier und heute leitet und orientiert.

1. Altes Testament

Krieg und Frieden sind wichtige und höchst komplexe Elemente in den vielschichtigen Berichten von der Schaffung und Entwicklung des Volkes Gottes im Alten Testament.

a) Krieg

Gewalt und Krieg sind in der Geschichte des Volkes Gottes dauernd gegenwärtig, besonders von der Zeit des Exodus bis zur Monarchie. Gott wird oft als der gesehen, der die Hebräer in der Schlacht führt, sie vor ihren Feinden schützt, sie über andere Heere siegen läßt (vgl. z.B. Dtn 1,30; 20,4; Jos 2,24; Ri 3,28). Die Metapher von Gott als Krieger hatte ein vielfältiges Bedeutungsspektrum für ein Volk, das wußte, daß es kleiner und schwächer war als die Völker in seiner Umgebung. Sie machte es ihnen auch möglich, ihre Überzeugung zum Ausdruck zu bringen, daß Gott an ihrem Leben interessiert war und wollte, daß sie wuchsen und gediehen. Diese Metapher gab dem Volk das Gefühl der Sicherheit; sie hatten einen Gott, der sie selbst angesichts überwältigender Hindernisse schützen würde. Es war auch ein Aufruf zu Glauben und Vertrauen; dem mächtigen Gott war zu gehorchen und zu folgen. Niemand kann die Anwesenheit solcher Bilder im Alten Testament leugnen, noch ihren mächtigen Einfluß darauf, wie das Volk sein Verständnis vom Eingreifen Gottes in seine Geschichte artikulierte. Gott als Krieger war lange Zeit von höchster Wichtigkeit für Israels Glauben. Aber dies war nicht das einzige Bild, und es wurde schrittweise umgestaltet, vor allem nach der Erfahrung des Exils, als Gott nicht mehr mit militärischem Sieg und militärischer Macht identifiziert wurde. Andere Bilder und Verstehensweisen von Gottes Handeln wurden vorherrschend, wenn das Volk Gottes seinen Glauben ausdrückte.

b) Friede

Wenn man das Bild des Friedens im Alten Testament betrachtet, müssen mehrere Punkte beachtet werden. Zuerst: alle Vorstellungen von Frieden müssen im Licht von Israels Beziehung zu Gott verstanden werden. Friede wird immer als ein Geschenk Gottes und als Frucht seines rettenden Handelns gesehen. Zweitens: der persönliche Friede des einzelnen wird nicht sehr betont. Das Wohlbefinden und Freisein von Furcht, die eine Folge von Gottes Liebe sind, werden vor allem so gesehen, daß sie sich auf die Gemeinschaft und deren Einheit und Harmonie beziehen. Außerdem erstreckt sich diese Einheit und Harmonie auf die ganze Schöpfung; wahrer Friede bedeutete nicht nur die Wiederherstellung der rechten Ordnung zwischen Völkern, sondern in der gesamten Schöpfung. Drittens: während das Bild des Krieges und Gottes als Krieger einem tieferen und umfassenderen Verständnis Gottes in den Texten Platz macht, wird das Bild des Friedens und die Forderung nach Bundestreue des Volkes zu wahrem Frieden dringender und stärker entwickelt.

c) Friede und Treue zum Bund

Wenn Israel Gottes Geboten gehorchte, würde Gott unter ihnen weilen. »Ich gehe in eurer Mitte; ich bin euer Gott« (Lev 26,12). Gott würde sein Volk gegen seine Widersacher stärken und ihnen Frieden im Land geben. Die Beschreibung des Lebens unter diesen Gegebenheiten gibt Zeugnis für die Einheit zwischen Menschen und Schöpfung, für das Freisein von Furcht und für Sicherheit (Lev 26,3–16). Die rechte Beziehung zwischen dem Volk und Gott war begründet und fand ihren Ausdruck im Bund. Der Bund band das Volk an Gott in Treue und Gehorsam; Gott verpflichtete sich im Bund, auch bei seinem Volk gegenwärtig zu sein, es zu retten, es zur Freiheit zu führen. Friede ist ein besonderes Kennzeichen dieses Bundes; als der Prophet Ezechiel auf die Errichtung des neuen wahren Bundes schaute, erklärte er, daß Gott einen ewigen Friedensbund mit dem Volk schließen würde (Ez 37,26).

In Bundestreue mit Gott zu leben, hatte Auswirkungen im Leben des Volkes. Teil der Treue war es, für die Bedürftigen und Hilflosen zu sorgen; eine Gesellschaft, die in Treue zum Bund lebte, war von Gerechtigkeit und Ehrlichkeit gekennzeichnet. Außerdem erforderte die Bundestreue, daß Israel sein Vertrauen allein auf Gott setzte und nur von ihm seine Sicherheit erwartete. Wenn Israel dazu neigte, die Verpflichtungen des Bundes zu vergessen, standen Propheten auf, die das Volk erinnerten und es zur Umkehr zu Gott aufriefen. Wahrer Friede ist ein Bild, das sie mit Nachdruck verkündigten.

Ezechiel, der einen Bund des Friedens verheißen hat, verurteilte mit eindeutigen Worten die falschen Propheten, die sagten, es sei Friede im Land, während Götzendienst und Ungerechtigkeit herrschten (Ez 13,16). Jeremia setzte diese Tradition fort und schalt jene, die den Schaden des Volkes leichthin heilen wollten und »Friede« riefen, während Ungerechtigkeit und Untreue überhandnahmen (Jer 6,14; 8,10–12). Jeremia und Jesaja verurteilten beide die Führer des Volkes, als diese, wahrer Sicherheit zum Trotz, sich auf ihre eigene Stärke oder auf Bündnisse mit anderen Völkern verließen, statt auf Gott zu vertrauen (Jes 7,1–9; 30,1–4; Jer

37,10). Die Klage Jesajas in 48,18 macht den Zusammenhang von Gerechtigkeit, Treue zu Gottes Gebot und Frieden deutlich; er ruft: »Hättest du doch auf meine Gebote geachtet! Dein Glück wäre wie ein Strom und dein Heil wie die Wogen des Meeres.«

d) Hoffnung auf eschatologischen Frieden

Das Volk Gottes lernte durch Erfahrung, daß der Bund des Friedens und die Fülle der Erlösung in ihrer Mitte nicht verwirklicht waren. Es gab immer noch Krieg und Feindschaft, die Ungerechtigkeit wuchs, und die Sünde zeigte sich immer noch. Die gleichen Erfahrungen überzeugten das Volk Gottes aber auch von Gottes Treue zu einem Bund, den sie oft mißachteten. Wegen dieser Treue wurde Gottes Verheißung einer endgültigen Errettung aller Völker und der ganzen Schöpfung sowie seine Verheißung einer endgültigen Herrschaft des Friedens zu einem integralen Bestandteil der Hoffnung des Alten Testamentes. In all seinen Verfehlungen und Sünden strebte das Volk Gottes nach größerer Treue und zu einer engeren Beziehung zu ihm; dies tat es, weil es an die verheißene Zukunft glaubte und sein Leben und Streben nach der eschatologischen Vision ausrichtete, nach der es sich sehnte. Friede ist ein integraler Bestandteil dieser Vision.

Die Endzeit, das messianische Zeitalter, wird als eine Zeit beschrieben in der »der Geist Gottes aus der Höhe über uns ausgegossen wird«. In dieser Zeit wird die Schöpfung heil werden, in der Wüste wird das Recht wohnen, das Werk der Gerechtigkeit wird der Friede sein, und das Volk wird »an einer Stätte des Friedens wohnen, in sicheren Wohnungen, an stillen und ruhigen Plätzen« (Jes 32,15–20). Man wird keine Kriegswerkzeuge mehr brauchen (Jes 2,4; Mi 4,3)[12], Gott wird unmittelbar zu seinem Volk sprechen, und »Ge-

rechtigkeit und Friede küssen sich« (Ps 85,11). Ein Messias wird erscheinen, ein Knecht Gottes, dem Gott seinen Geist gegeben hat und der in Treue den Völkern Gerechtigkeit bringen wird. »Er schreit nicht und lärmt nicht und läßt seine Stimme nicht auf der Straße erschallen. Das geknickte Rohr zerbricht er nicht, und den glimmenden Docht löscht er nicht aus; ja, er bringt wirklich das Recht« (Jes 42,2–3).
Das Alte Testament schildert uns die Geschichte eines Volkes, das seinen Gott darstellte als einen, der in ihr Leben eingriff, sie schützte und zur Freiheit führte, oft als mächtiger Schlachtenlenker. Es erscheint auch als ein Volk, das beständig nach Frieden verlangte. Solcher Friede wurde immer als Ergebnis der Gabe Gottes verstanden, das als Frucht der Treue zum Bund heraufkam. Und inmitten seines unerfüllten Verlangens hielt Gottes Volk hartnäckig an der Hoffnung auf die verheißene eschatologische Zeit fest, wenn in der Fülle der Erlösung Friede und Gerechtigkeit einander umarmen und alle Schöpfung sicher vor Schaden sein würde. Das Volk hielt Ausschau nach einem Messias, dessen Kommen der Beginn dieser Zeit sein würde. Während sie warteten, hörten sie die Propheten, die sie entsprechend der Vision des Bundes zur Liebe und zur Umkehr riefen, damit sie für Gottes Herrschaft bereit seien.

2. Neues Testament

Als Christen glauben wir, daß Jesus der Messias oder der Christus ist, der so lange erwartet wurde. Als Gottes Knecht (Mt 12,18–21), Prophet und mehr als ein Prophet (Joh 4,19–26), als der eine, in dem Gott mit seiner ganzen Fülle wohnen wollte, durch den alles im Himmel und auf Erden mit Gott versöhnt wurde, hat Jesus am Kreuz durch sein Blut den Frieden gestiftet (Kol 1,19–20).

Die Kennzeichen des *Schalom* im Alten Testament (Gabe Gottes, die ganze Schöpfung umfassend, begründet in der Erlösung und der Treue zum Bund, unauflöslich mit Gerechtigkeit verbunden) sind auch in den Traditionen des Neuen Testamentes vorhanden. Doch muß jede Diskussion von Krieg und Frieden im Neuen Testament im Zusammenhang mit der einzigartigen Offenbarung Gottes, die Jesus Christus ist, und der Gottesherrschaft gesehen werden, die Jesus verkündigte und heraufführte.

a) Krieg

Im Neuen Testament gibt es die Vorstellung von dem Kriegsgott nicht mehr, der das Volk in einem historischen Sieg über seine Feinde führt. Der einzige Krieg, von dem die Rede ist, findet sich in den apokalyptischen Bildern der Endzeit, vor allem in der Offenbarung des Johannes. Der Krieg ist hier ein Bild für den eschatologischen Kampf zwischen Gott und Satan. In diesem Krieg ist das Lamm der Sieger (Off 17,14).
Militärische Bilder begegnen an Stellen, wo es darum geht, auf die kommenden Prüfungen vorbereitet zu sein (Lk 14,31; 22,35–38). Das Schwert ist im Neuen Testament ein Bild für Scheidung (Mt 12,34; Heb 4,12); Schwerter sind bei der Verhaftung Jesu vorhanden, und er lehnt ihren Gebrauch ab (Lk 22,51 par.); im Epheserbrief wird der Begriff Waffen umgedeutet, wenn die Christen aufgefordert werden, die Rüstung Gottes anzuziehen, nämlich den Panzer der Gerechtigkeit, den Helm des Heils und das Schwert des Geistes, »als Schuhe die Bereitschaft, für das Evangelium des Friedens zu kämpfen« (Eph 6,10–17; vgl. 1 Thess 5,8–9). Auch Soldaten kommen im Neuen Testament vor. Sie sind natürlich bei der Kreuzigung Jesu anwesend, aber sie sind auch Empfänger der Taufe des Johannes, und der Diener

eines Centurio wird geheilt (Mt 8,5–13 par.; vgl. Joh 4,46–53).

Jesus forderte jedermann auf, in ihm die Gegenwart der Gottesherrschaft zu erkennen und sich unter diese Herrschaft zu stellen. Für viele war ein solch radikaler Wechsel der Treuepflicht schwer zu akzeptieren, und Familien sahen sich geteilt wie durch ein Schwert. Daher erzählt uns das Evangelium, Jesus habe gesagt, er sei nicht gekommen, Frieden zu bringen, sondern das Schwert (Mt 10,34). Jesus brachte nicht den falschen Frieden, vor dem die Propheten gewarnt hatten. Das Schwert, das er brachte, war die Scheidung durch das Wort Gottes, das wie ein zweischneidiges Schwert durchdringt »bis zur Scheidung von Seele und Geist, von Gelenk und Mark; es richtet über die Regungen und Gedanken des Herzens« (Hebr 4,12).

Alle sind zum Reich Gottes geladen. Der Glaube an Jesus und das Vertrauen in Gottes Barmherzigkeit sind die Kennzeichen. Es kommt entscheidend darauf an, mehr im Einklang mit den Forderungen des Reiches Gottes als mit denen des eigenen Standpunktes zu leben.[13]

b) Jesus und die Gottesherrschaft

Jesus verkündete die Gottesherrschaft durch sein Wort und machte sie gegenwärtig durch seine Taten. Sein Wort beginnt mit dem Ruf zur Umkehr und der Verkündigung der Ankunft des Reiches Gottes. »Die Zeit ist erfüllt, das Reich Gottes ist nahe; kehrt um, und glaubt an das Evangelium« (Mk 1,15; Mt 4,17). Der Ruf zur Umkehr war gleichzeitig eine Einladung, in das Reich Gottes einzutreten. Jesus ging weiter als die Bekehrungsrufe der Propheten, wenn er erklärte, daß in ihm die Gottesherrschaft begonnen hatte und tatsächlich mitten unter den Menschen war (Lk 17,20–21; 12,32).

Seine Worte, besonders wie sie uns in der Bergpredigt erhalten sind, beschreiben eine neue Wirklichkeit, in der Gottes Macht sich zeigt und das Sehnen der Menschen erfüllt wird. In Gottes Herrschaft erhalten die Armen das Reich, werden die Trauernden getröstet, die Schwachen erben das Land, die nach Gerechtigkeit Hungernden werden satt, die Barmherzigen erfahren Barmherzigkeit, die Reinen schauen Gott, die Verfolgten haben Teil am Reich Gottes und die Friedensstifter werden Kinder Gottes genannt (Mt 5,3–10).

Jesus beschreibt uns mit seinen Worten auch das Verhalten dessen, der unter der Gottesherrschaft lebt. Seine Worte fordern eine neue Lebensweise, die das Gesetz erfüllt und darüber hinausgeht. Eines der auffälligsten Kennzeichen des neuen Lebens ist die Vergebung. Alle, die Jesus hören, werden immer wieder aufgefordert, einander zu vergeben, und nicht nur einmal, sondern viele Male (Mt 6,14–15; Lk 5,37; Mt 18,21–22; Mk 11,25; Lk 11,4; 17,3–4). Die Vergebung Gottes, der Anfang der Erlösung, offenbart sich in gegenseitiger Vergebung und Barmherzigkeit.

Für Jesus ist im Reich Gottes die Liebe eine aktive, lebenschaffende, umfassende Kraft. Er forderte eine Liebe, die über Familien- und Freundschaftsbande hinausgeht und sogar den Feinden gilt (Mt 5,44–48; Lk 6,27–28). Eine solche Liebe sucht nicht Rache, sondern ist gütig im Angesicht von Drohung und Feindschaft (Mt 5,39–42; Lk 6,29–31). Die Jünger sollen einander lieben, wie Jesus sie geliebt hat (Joh 15,12).

Jesu Worte blieben ein unmögliches weltfernes Ideal, gäbe es nicht sein Handeln und die Gabe seines Geistes. In seinem Handeln zeigte Jesus die Lebensweise im Reich Gottes; er bewies die Vergebung, zu der er aufrief, indem er alle, die zu ihm kamen, annahm, ihre Sünden vergab, sie heilte und von Dämonen befreite, von denen sie besessen waren. Indem er dies tat, brachte er Gottes liebevolle Barmherzigkeit in eine Welt, die Gewalt, Unterdrückung und Ungerechtigkeit kannte. Jesus deckte die Ungerechtigkeiten seiner Zeit auf und widerstand denen, die seinem Volk Lasten auflegten oder den wahren Gottesdienst entweihten. Zuweilen handelte er aggressiv und dramatisch, so als er den Tempel von denen reinigte, die Gottes Haus zur »Räuberhöhle« gemacht hatten (Mt 21,12–17 par.; Joh 2,13–25).

Besonders charakteristisch sind jene Taten Jesu, in denen er seine Liebe zeigte. Wie er anderen geboten hatte, führte seine Liebe ihn selbst dazu, sogar sein Leben zu geben, um Erlösung zu bewirken. Jesu Botschaft und Handeln waren gefährlich in seiner Zeit und führten zu seinem Tod – einem grausamen und aus Bosheit verhängten Tod, einem Verbrechertod (Gal 3,13). In seinem ganzen Leiden, in seinem ganzen Leben und Dienst hat es Jesus abgelehnt, sich mit Macht oder Gewalt zu verteidigen. Er erduldete Gewalt und Grausamkeit, damit Gottes Liebe ganz offenbar würde und die Welt mit dem Einen versöhnt würde, von dem sie sich getrennt hatte. Noch bei seinem Tod bat Jesus um Vergebung für seine Henker: »Vater, vergib ihnen« (Lk 23,34).

Die Auferstehung Jesu ist das Zeichen für die Welt, daß Gott wirklich regiert und im Tod das Leben schenkt, und daß die Liebe Gottes stärker ist als selbst der Tod (Röm 8,36–39).

Nur im Lichte dieser umfassenden Demonstration von der Macht der Herrschaft Gottes kann Jesu Gabe des Friedens – eines Friedens, den die Welt nicht geben kann (Joh 14,27) – verstanden werden. Jesus gibt seinen Jüngern diesen Frieden, ihnen, die Zeugen der Hilflosigkeit der Kreuzigung und der Macht der Auferstehung waren (Joh 20,19–20,26). Der Friede, den er ihnen gibt, als er sie als ihr auferstandener Herr grüßt, ist die Fülle der Erlösung. Es ist die Versöhnung der Welt mit Gott (Röm 5,1–2; Kol 1,20), die Wiederherstellung der Einheit und Harmonie der ganzen Schöpfung, von der das Alte Testament mit solchem Sehnen gesprochen hatte. Weil die Mauer der Feindschaft zwischen Gott und Menschen im Leben und Tod des wahren und vollkommenen Dieners niedergerissen wurde, ist Einigkeit und Einvernehmen zwischen Gott und der Welt endlich voll ermöglicht (Eph 2,13–22; Gal 3,28).

c) Jesus und die Gemeinschaft der Glaubenden

Die erste Gabe des auferstandenen Jesus an seine Jünger war die Gabe des Friedens. Diese Gabe durchdrang die Begegnungen des auferstandenen Jesus mit seinen Jüngern (Joh 20,19–29). Sie war so kraftvoll und beständig, daß die Erinnerung daran das tägliche Leben bestimmte und zum Kennzeichen der Gemeinschaft des Glaubens wurde. Gleichzeitig gab Jesus denen, die ihm nachfolgten, seinen Geist. Diese beiden Gaben, die persönliche und die gemeinschaftliche, sind untrennbar. Im Geist Jesu konnte die Gemeinschaft der Glaubenden den Retter der Welt erkennen und verkündigen.

Mit Jesu Geist beschenkt, konnten sie erkennen, was Gott getan hatte, und in ihrem eigenen Leben die Macht dessen erkennen, der aus dem Nichts erschafft. Die frühen christlichen Gemeinden wußten, daß diese Macht und die Versöhnung und der Friede, die die Kennzeichen dieser Macht waren, in ihrer Welt noch nicht voll wirksam waren. Sie kämpften mit Verfolgung von außen und der Sünde im eigenen Innern, wie alle Menschen. Aber ihre Erfahrung des Geistes Gottes und ihre Erinnerung an den Christus, der bei ihnen weilte, befähigte sie dennoch, mit unerschütterlichem Vertrauen auf die Zeit zu warten, in der die Fülle der Gottesherrschaft sich in der Welt offenbaren würde. Gleichzeitig wußten sie, daß sie die Aufgabe hatten, Diener der

Versöhnung zu sein (2 Kor 5,19–20), Menschen, die den Frieden, den Gott gestiftet hatte, durch die Liebe und die Einheit in den eigenen Gemeinden sichtbar machten.
Jesus Christus also ist unser Friede, und in seiner Auferstehung vom Tod gibt er unserer Welt Gottes Frieden. In ihm hat Gott die Welt wirklich versöhnt und geeint und ein für allemal klar gemacht, daß es sein Wille ist, daß diese Versöhnung, diese Einheit zwischen Gott und allen Menschen und unter den Menschen herrschen soll. Der Weg zur Einheit steht offen, der Bund des Friedens ist geschlossen. Die Gabe des Friedens des auferstandenen Herrn ist unlösbar mit dem Ruf verbunden, Jesus nachzufolgen und weiter die Gottesherrschaft zu verkündigen. Das Evangelium des Matthäus (Mt 28,16–20; vgl. Lk 24,44–53) berichtet uns, daß Jesu letzte Worte an seine Jünger die Aussendung waren und das Versprechen: »Ich bin bei euch alle Tage.« Durch die andauernde Gegenwart Jesu finden Jünger zu allen Zeiten den Mut, ihm zu folgen. Nachfolge Jesu Christi bedeutet ständige Umkehr im eigenen Leben, wenn man versucht, so zu handeln, wie es der Gerechtigkeit, Vergebung und Liebe der Gottesherrschaft entspricht. Die Jüngerschaft reicht bis an die Enden der Erde und predigt Versöhnung unter allen Völkern, damit Gottes Absicht erfüllt wird, »die Fülle der Zeiten heraufzuführen, in Christus alles zu vereinen« (Eph 1,10).

3. Zusammenfassung

Selbst eine kurze Prüfung der Vorstellungen von Krieg und Frieden in der Bibel macht deutlich, daß die Bibel keine detaillierten Antworten auf unsere heutigen speziellen Fragen gibt. Sie spricht nicht ausdrücklich vom Atomkrieg oder von Kernwaffen, denn diese waren in den Gemeinschaften, in denen die heiligen Schriften entstanden, unvorstellbar. Die heiligen Texte geben uns jedoch klare und verpflichtende Weisung, wenn wir die konkreten Gegebenheiten von heute betrachten. Die Fülle des eschatologischen Friedens bleibt Gegenstand unserer Hoffnung; und doch ist in der durch Jesus Christus bewirkten Versöhnung die Gabe des Friedens bereits unser. Für Christen sind diese beiden zutiefst religiösen Bedeutungen von Frieden bestimmend für alle anderen Bedeutungen. Weil Gott uns in dem auferstandenen Christus Frieden geschenkt hat, sind wir aufgerufen, nicht nur selbst Frieden zu haben, sondern in unserer Welt Frieden zu stiften. Als Jünger und Kinder Gottes ist es unsere Aufgabe, nach Wegen zu suchen, um Gottes Vergebung, Barmherzigkeit und Liebe in einer Welt sichtbar zu machen, in der Gewalt und Feindschaft allzu oft die Regel sind. Wenn wir auf Gottes Wort hören, vernehmen wir immer wieder den Ruf zur Umkehr und zum Glauben: zur Umkehr, denn wir brauchen, obwohl wir erlöst sind, immer wieder Erlösung; zum Glauben, denn die Gottesherrschaft harrt, obwohl sie nahe ist, noch ihrer Vollendung.

B. Reich Gottes und Geschichte

Das christliche Verständnis der Geschichte ist voller Hoffnung und Vertrauen, aber auch nüchtern und realistisch. »Der christliche Optimismus, der im siegreichen Kreuz Christi und in der Sendung des Heiligen Geistes gründet, berechtigt durchaus nicht zu Illusionen. Für den Christen ist der Friede auf Erden immer eine Herausforderung wegen der Sünde, die im Herzen des Menschen gegenwärtig ist.«[14] Der Friede muß auf der Grundlage der Gerechtigkeit in einer Welt geschaffen werden, in der die persönlichen und gesellschaftlichen Folgen der Sünde nur zu sichtbar sind.

Christliche Hoffnung in bezug auf die Geschichte wurzelt in unserem Glauben an Gott, den Schöpfer und Erhalter unseres Lebens, und in unserer Überzeugung, daß das Reich Gottes trotz Sünde, menschlicher Schwäche und menschlichen Versagens kommen wird. Eben weil Sünde zur Geschichte gehört, ist die Verwirklichung des Friedens des Reiches Gottes nie von Dauer oder vollständig. Dies ist der immer gleiche Grundton von der Zeit der Kirchenväter bis zu Papst Johannes Paul II.:

»Denn es waren Sünde und Haß, die dem Frieden mit Gott und mit den Mitmenschen hinderlich im Wege standen. Er hat sie durch sein Lebensopfer am Kreuz vernichtet und jene, die einst Feinde waren, in einem Leib versöhnt (vgl. Eph 2,16; Röm 12,5). ... Deshalb wird der Christ, wenn er mit erneutem Eifer alles unternimmt, um kriegerischen Auseinandersetzungen zuvorzukommen oder sie zu beenden, sich nicht täuschen, weder über seine Fähigkeit, dem Frieden zum Sieg zu verhelfen, noch über die Tragweite seiner Bemühungen, die er zu diesem Zweck unternimmt. Infolgedessen interessiert er sich für alle Initiativen der Menschen, die dem Frieden dienen, und beteiligt sich oft an ihnen, wobei er diese mit Realismus und Selbstbescheidung betrachtet. Man könnte fast sagen, daß er sie auf zweifache Weise ›verwirklicht‹: er führt sie aus mit aller Unzulänglichkeit des sündigen Menschen und zugleich setzt er sie in Beziehung zum Heilsplan Gottes.«[15]

Christen sind aufgerufen, die Spannung zwischen der Vision des Reiches Gottes und seiner konkreten Verwirklichung in der Geschichte zu leben. Diese Spannung wird oft mit den Worten »Schon, aber noch nicht« beschrieben; d.h. wir leben bereits in der Gnade des Reiches Gottes, aber es ist noch nicht das vollendete Reich. Also sind wir ein pilgerndes Volk in einer Welt, die von Kampf und Ungerechtigkeit gezeichnet ist. Die Gnade Christi ist in der Welt am Werk;

sein Gebot der Liebe und sein Ruf zur Versöhnung sind nicht rein zukünftige Ideale, sondern rufen uns heute zum Gehorsam.

Mit Papst Paul VI. und Johannes Paul II. sind wir überzeugt, daß Friede möglich ist.[16] Zugleich haben wir die Überzeugung aufgrund unserer Lebenserfahrung, daß »eine völlig und für immer friedliche menschliche Gesellschaft auf Erden leider eine Utopie ist und daß die Ideologien, die diese anpreisen, verständlicherweise unerfüllbare Hoffnungen nähren, was auch immer die Gründe für ihre Einstellung sein mögen«.[17]

Die Erkenntnis, daß Frieden möglich, aber niemals sicher ist, daß die Bedingungen für ihn ständig geschützt und bewahrt werden müssen angesichts von Hindernissen und Angriffen, erklärt, warum die katholische Lehre vom Krieg so komplex ist. Im Reich Gottes werden Friede und Gerechtigkeit voll verwirklicht sein. Gerechtigkeit ist stets das Fundament des Friedens. In der Geschichte stehen jedoch zuweilen die Bemühungen um Frieden und Gerechtigkeit in Spannung zueinander: der Kampf um Gerechtigkeit kann bestimmte Formen des Friedens gefährden.

In diesem Spannungsfeld von Reich Gottes und Geschichte spricht die katholische Lehre das Problem des Krieges an. Kriege kennzeichnen das Gefüge der menschlichen Geschichte, sie entstellen das Leben der Völker heute und drohen – in Gestalt der Atomwaffen – mit der Zerstörung der Welt, wie wir sie kennen, und der Zivilisation, die über Jahrhunderte geduldig aufgebaut worden ist. Die Ursachen für Krieg sind vielfältig und nicht leicht festzustellen. Christen werden in jeder Situation, in der Gewalt angewendet wird, die Folgen der Sünde sehen; nicht nur sündige Formen von Herrschaft, Unterdrückung oder Aggression, sondern den Konflikt von Werten und Interessen, welche die Begrenztheit einer sündigen Welt illustrieren. Die Bedrohung durch Atomkrieg, der die Welt heute ausgesetzt ist, spiegelt diese sündigen Strukturen und Konflikte.

Im »Schon, aber noch nicht« der christlichen Existenz haben die Glieder der Kirche verschiedene Wege in Richtung auf eine Verwirklichung des Reiches Gottes in der Geschichte eingeschlagen. Wenn wir nun die Aussagen prüfen, die den einzelnen zur Schärfung ihres Gewissens hinsichtlich Krieg und Frieden zur Verfügung stehen, und ebenso die katholische Lehre über die Pflicht des Staates, die Gesellschaft zu verteidigen, beziehen wir uns ausführlich auf die Pastoralkonstitution, und zwar aus zwei Gründen.

Erstens finden wir ihre Darstellung über das Wesen des Friedens und die Verhinderung von Krieg überzeugend, denn sie stellt das vom Gebet getragene Denken der Bischöfe der ganzen Welt dar und ruft energisch nach neuen Einstellungen, während sie zugleich die traditionelle Lehre der Kirche getreu wiedergibt. Zweitens waren die Konzilsväter nicht nur mit dem Schrecken des Ersten und Zweiten Weltkrieges vertraut. Sie sahen sich mit Konflikten konfrontiert, die weiterhin »jeden Tag in irgendeinem Teil der Welt (ihre) Verwüstungen fort(setzen)«, mit der wachsenden »Barbarei der Kriegführung«, die durch die modernen wissenschaftlichen Waffen ermöglicht wird, mit Guerilla-Kriegführung, die durch »neue hinterhältige und umstürzlerische Methoden« in die Länge gezogen wird, mit Terrorismus als einer neuen Form von Kriegführung.[18] Die gleichen Erscheinungen kennzeichnen auch unsere Zeit.

Aus dem gleichen Grund berufen wir uns ausdrücklich auf die Päpste des Atomzeitalters, von Papst Pius XII. bis Papst Johannes Paul II. Die Lehre der Päpste und Konzilien muß von jeder Ortskirche in einer Weise angewandt werden, die ihrer Kultur entspricht. Das gestattet jeder örtlichen Kirche, ihre besonderen Einsichten und Erfahrungen für die Gestaltung unserer Welt einzubringen. Von 1966 bis heute haben amerikanische Bischöfe einzeln und gemeinsam zahlreiche Verlautbarungen zu den Fragen von Krieg und Frieden herausgebracht, vom Vietnamkrieg bis zur Kriegsdienstverweigerung aus Gewissensgründen und dem Einsatz von Kernwaffen. Diese Verlautbarungen spiegeln nicht nur die Sorgen der Hierarchie, sondern auch die Stimmen unserer Gläubigen, die uns in wachsendem Maße ihre Beunruhigung über die Kriegsgefahr zum Ausdruck gebracht haben. Wir möchten in diesem Brief die von uns vorgetragene Lehre von Krieg und Frieden weiterentwickeln, die sowohl die Lehre der Weltkirche wiedergibt als auch die Einsichten und Erfahrungen der katholischen Gemeinde in den Vereinigten Staaten.

Es ist bezeichnend, daß die ausdrückliche Behandlung von Krieg und Frieden dem Schlußkapitel der Pastoralkonstitution vorbehalten ist. Erst nachdem das Wesen und die Bestimmung der menschlichen Person behandelt worden sind, greift das Konzil das Thema der Natur des Friedens auf, den es nicht als ein Ziel an sich betrachtet, sondern als eine unverzichtbare Bedingung für die Aufgabe, »die Welt für alle überall wirklich menschlicher zu gestalten«.[19] Die Erkenntnis dieser Aufgabe ist entscheidend für das Verhältnis der Ansicht der Kirche über die ethischen Entscheidungen, die uns als Christen möglich sind.

C. Sittliche Entscheidungen für das Reich Gottes

In einer der am häufigsten zitierten Stellen erklärt die Pastoralkonstitution, daß es notwendig ist, »die Frage des Krieges mit einer ganz neuen inneren Einstellung zu prüfen«.[20] Die Lehre des Konzils stellt diese Forderung nach einer »neuen inneren Einstellung« in den Zusammenhang einer umfassenden Analyse der Würde der menschlichen

Person und des Zustandes der Welt von heute. Wenn wir dieses umfassendere Verständnis aus dem Auge verlieren, können wir den tieferen Sinn der Aussage des Konzils nicht begreifen. Denn die Frage nach Krieg und Frieden stellt jeden vor das Grundproblem: Was trägt zur Errichtung einer wirklich menschlichen Welt bei und was steht ihr im Wege? Wenn wir den Krieg mit einer ganz neuen inneren Einstellung beurteilen sollen, müssen wir uns auch dem Menschen ernsthaft mit einer neuen Einstellung nähern. Die Verpflichtung der ganzen Menschheit, für die allgemeine Achtung der Menschenrechte und der Menschenwürde zu wirken, ist ein Grundgebot der gesellschaftlichen, wirtschaftlichen und politischen Ordnung.

Es ist also klar, daß wir weit über die Untersuchung von Waffensystemen und Militärstrategien hinausgehen müssen, wenn wir den Krieg mit einer neuen Einstellung beurteilen wollen. Wir müssen den Inhalt der Optionen ausloten, die uns als Christen zur Verfügung stehen. In Übereinstimmung mit den Einsichten des Zweiten Vatikanischen Konzils müssen wir sowohl für die Gefahr des Krieges als auch für die Voraussetzungen wahrer Freiheit sensibel sein, innerhalb deren ethische Entscheidungen getroffen werden können.[21] Friede ist der Rahmen, in dem ethische Entscheidungen am wirksamsten getroffen werden können. Wie können wir uns in Richtung auf diesen Frieden bewegen, der für wahre menschliche Freiheit unabdingbar ist? Wie definieren wir diesen Frieden?

1. Das Wesen des Friedens

Die katholische Tradition hat die inhaltliche Bedeutung des Friedens immer positiv verstanden. Friede ist sowohl Geschenk Gottes als auch menschliches Werk. Er muß auf der

Grundlage zentraler menschlicher Werte errichtet werden: Wahrheit, Gerechtigkeit, Freiheit und Liebe. Die Pastoralkonstitution legt die überlieferte Definition von Frieden dar:

»Der Friede besteht nicht darin, daß kein Krieg ist; er läßt sich auch nicht bloß durch das Gleichgewicht entgegengesetzter Kräfte sichern; er entspringt ferner nicht dem Machtgebot eines Starken; er heißt vielmehr mit Recht und eigentlich ein ›Werk der Gerechtigkeit‹ (Jes 32,17). Er ist die Frucht der Ordnung, die ihr göttlicher Gründer selbst in die menschliche Gesellschaft eingestiftet hat und die von den Menschen durch stetes Streben nach immer vollkommenerer Gerechtigkeit verwirklicht werden muß.«[22]

Papst Johannes Paul II. hat diese positive Definition von Frieden noch ausgeweitet, indem er sie in neuer philosophischer Tiefe mit der kirchlichen Lehre von der Menschenwürde und den Menschenrechten verknüpft hat. Dieser Zusammenhang wurde in seiner Rede vor der Vollversammlung der Vereinten Nationen 1979 ausgesprochen und ebenso in seiner Botschaft zum Weltfriedenstag 1982:

»Die vorbehaltlose und praktizierte Achtung vor den unverlierbaren und unveräußerlichen Rechten des einzelnen Bürgers ist unabdingbare Voraussetzung dafür, daß Frieden in einem Volk herrscht. Im Hinblick auf diese Grundrechte sind alle anderen Rechte gleichsam abgeleitet und zweitrangig. In einem Volk, wo jene Rechte nicht geschützt sind, ist sogar die Idee des allgemeinen Charakters des Rechtes tot, da in diesem Falle nur einige wenige zu ihrem alleinigen Vorteil ein Prinzip der Diskrimination aufrichten, so daß schließlich die Rechte und selbst die Existenz der einen nach dem Gutdünken der Stärkeren aufgehoben sind.«[23]

Wir haben aber bereits festgestellt, daß der Schutz der Menschenrechte und die Bewahrung des Friedens Aufgaben sind, die in einer Welt bewältigt werden müssen, die von

Sünde und Konflikten verschiedener Art gekennzeichnet ist. Die Lehre der Kirche zu Krieg und Frieden spricht einen starken Vorbehalt gegen den Krieg aus, die für alle bindend ist; sodann prüft sie, wann man sich über diesen Vorbehalt hinwegsetzen darf, und zwar um eben den Frieden zu bewahren, der Menschenwürde und Menschenrechte schützt.

2. Der Vorbehalt gegen den Krieg und das Prinzip der legitimen Selbstverteidigung

Unter der Überschrift »Der Unmenschlichkeit der Kriege Dämme setzen« betrachtet das Konzil den »beklagenswerten Zustand der Menschheit«. Es sieht die Welt, wie sie ist, nicht einfach, wie wir sie gerne hätten. Der Ausblick ist düster: furchtbare neue Mittel der Kriegführung von bisher nicht gekannter Brutalität, Betrug, Subversion, Terrorismus, Völkermord. Dies letztere Verbrechen insbesondere wird vehement als abscheulich verurteilt, aber auch alle anderen Handlungen, die vorsätzlich in Gegensatz zu den umfassenden Grundsätzen des allgemeinen Naturrechts stehen, das zu jeder Zeit verbindlich ist, sind verbrecherisch, ebenso alle Anordnungen, die solche Handlungen befehlen. Höchstes Lob gebührt dem Mut jener, die offen und furchtlos denen widerstehen, die solche Befehle geben. Jeder einzelne, vor allem Regierungsangehörige und Sachverständige – alle sind verpflichtet, Abmachungen zu achten und zu verbessern, die das Ziel haben, »die Unmenschlichkeit von Kriegshandlungen und -folgen zu mindern« bzw. besser und wirksamer einzudämmen.[24]

Dies ist auch heute eine realistische Einschätzung der Welt. An einer späteren Stelle dieses Abschnitts fordert uns das Konzil auf, »daß wir mit all unseren Kräften jene Zeit vorbereiten müssen, in der auf der Basis einer Übereinkunft zwischen allen Nationen jeglicher Krieg absolut geächtet werden kann«. Es wird jedoch gesagt, daß dieses Ziel die Errichtung einer allgemein anerkannten öffentlichen Weltautorität erfordert, die über wirksame Macht verfügt, »um für alle Sicherheit, Wahrung der Gerechtigkeit und Achtung der Rechte zu gewährleisten«.[25] *Aber was heißt das für die Gegenwart?* Das Konzil und die Päpste äußern sich dazu ganz eindeutig:

»Allerdings – der Krieg ist nicht aus der Welt geschafft. Solange die Gefahr von Krieg besteht und solange es noch keine zuständige internationale Autorität gibt, die mit entsprechenden Mitteln ausgestattet ist, kann man, wenn alle Möglichkeiten einer friedlichen Regelung erschöpft sind, einer Regierung das Recht auf sittlich erlaubte Verteidigung nicht absprechen. Die Regierenden und alle, die Verantwortung für den Staat tragen, sind verpflichtet, das Wohl der ihnen anvertrauten Völker zu schützen, und sie sollen diese ernste Sache ernst nehmen. Der Einsatz militärischer Mittel, um ein Volk rechtmäßig zu verteidigen, hat jedoch nichts zu tun mit dem Bestreben, andere Nationen zu unterjochen. Das Kriegspotential legitimiert auch nicht jeden militärischen oder politischen Gebrauch. Auch wird nicht deshalb, weil ein Krieg unglücklicherweise ausgebrochen ist, damit nun jedes Kampfmittel zwischen den gegnerischen Parteien erlaubt.«[26]

Der Christ hat keine andere Wahl, als den recht verstandenen Frieden gegen Aggression zu verteidigen. Das ist eine unabdingbare Verpflichtung. Sittliche Wahlmöglichkeiten ergeben sich bei der Frage, *wie* der Frieden verteidigt werden soll. Wir betonen diesen Grundsatz noch einmal, weil wir beobachten, daß sowohl diejenigen, die sich weigern, Waffen zu tragen, als auch die Soldaten so vielen Mißverständnissen ausgesetzt sind. Aus beiden Gruppierun-

gen gibt es eine Vielzahl von Beispielen außerordentlichen Mutes, Beispiele, die die Welt nötig hat.
Von den Millionen Männern und Frauen, die mit ehrlicher Überzeugung in den Streitkräften gedient haben, opferten viele ihr Leben, und viele andere dienen heute in der ganzen Welt und helfen, jenen »gewissen Frieden« zu bewahren, von dem das Konzil spricht.
Wir sehen viele zutiefst aufrichtige Menschen, die, weit entfernt davon, gleichgültig oder teilnahmslos gegenüber den Übeln in der Welt zu sein, in ihrem Gewissen fest überzeugt sind, daß sie den wahren Frieden am besten dadurch verteidigen, daß sie sich weigern, Waffen zu tragen. In einigen Fällen lassen sie sich von dem Evangelium und dem Leben und Tod Jesu leiten, die nach ihrem Verständnis jede Gewalt verbieten. Anderen geht es darum, einfach ein persönliches Beispiel für christliche Vergebung zu bieten, für einen positiven und konstruktiven Weg zur liebenden Versöhnung mit dem Feind. Wieder andere setzen sich für »aktive Gewaltlosigkeit« als planvollen Widerstand ein oder beteiligen sich daran, um eine Aggression zu vereiteln oder bewaffnete Unterdrückungsversuche unwirksam zu machen. Keine Regierung und schon gar kein Christ darf einfach unterstellen, daß solche Menschen bloße Werkzeuge konspirativer Kräfte oder Feiglinge sind.
Die katholische Lehre betrachtet diese beiden unterschiedlichen ethischen Entscheidungen als komplementär. Beide wollen dem Gemeinwohl dienen. Sie unterscheiden sich in der Auffassung, wie das allgemeine Wohl am wirksamsten verteidigt werden kann. Aber beide Entscheidungen bezeugen die christliche Auffassung, daß der Friede angestrebt werden muß und Rechte im Rahmen ethischer Einschränkungen und im Zusammenhang mit anderen menschlichen Grundwerten zu verteidigen sind.
In dieser ganzen Diskussion über unterschiedliche Entschei-

dungen sprechen wir natürlich von Wahlmöglichkeiten, die dem einzelnen Menschen offenstehen. Das Konzil und die Päpste haben klar herausgestellt, daß eine Regierung, die von einem bewaffneten ungerechten Angriff bedroht ist, ihr Volk verteidigen *muß*. Dazu gehört die militärische Verteidigung, wenn sie als letztes Mittel notwendig wird. Wir werden weiter unten die Bedingungen und Grenzen einer solchen Verteidigung erörtern. Aber auch wenn das Konzil von einzelnen Menschen spricht, achtet es darauf, das Grund*recht* auf Verteidigung zu bewahren. Manche entscheiden sich dafür, ihr Recht nicht mit bewaffneter Gewalt durchzusetzen und greifen zu anderen Methoden der Verteidigung; aber sie verlieren das Recht auf Verteidigung nicht, und sie dürfen auch nicht ihre Verpflichtungen gegenüber anderen aufkündigen. Das Konzil lobt sie, solange die Rechte und Pflichten anderer oder der ganzen Gemeinschaft nicht verletzt werden.

Papst Pius XII. vertritt entschieden die Überzeugung, daß dem Christen obliegt, ungerechten Angriffen zu widerstehen:

»*Ein Volk, das von einem ungerechten Angriff bedroht oder schon dessen Opfer ist, kann, wenn es christlich handeln will, nicht in passiver Gleichgültigkeit verharren, und noch mehr verbietet die Solidarität der Völkerfamilie den anderen, sich in gefühlloser Neutralität als einfache Zuschauer zu verhalten.* Wer wird je die Schäden ermessen können, die bereits in der Vergangenheit durch eine solche, von christlichem Empfinden weit entfernte Gleichgültigkeit gegenüber dem Angriffskrieg angerichtet worden sind! Wie hat sie das Gefühl mangelnder Sicherheit gesteigert bei den ›Großen‹ und vor allem bei den ›Kleinen‹! Hat sie dafür vielleicht irgendeinen Vorteil eingebracht? Im Gegenteil: sie hat die Anstifter und Begünstiger des Angriffs nur beruhigt und die einzelnen, sich selbst überlassenen Völker in die Notwendigkeit

versetzt, ihre Rüstungen ins Unbegrenzte zu vermehren. ...
Nun aber sind unter diesen Gütern (der Menschheit) manche von solcher Wichtigkeit für das menschliche Zusammenleben, daß ihre Verteidigung gegen den ungerechten Angriff zweifellos vollkommen gerechtfertigt ist. *Zu dieser Verteidigung ist auch die Solidarität der Völker gehalten: sie hat die Pflicht, die Angegriffenen nicht im Stich zu lassen.*«[27]
Das oben Gesagte soll aber nicht bedeuten, daß bewaffnete Gewalt die einzig mögliche Verteidigung gegen einen ungerechten Angriff ist, unabhängig von den Begleitumständen. Aus gutem Grund fordert das Konzil, daß schwerwiegende Angelegenheiten, die den Schutz der Völker betreffen, *nüchtern* behandelt werden. Die Konzilsväter waren sich durchaus bewußt: In der heutigen Welt »(wachsen) mit der Fortentwicklung wissenschaftlicher Waffen... der Schrekken und die Verwerflichkeit des Krieges ins Unermeßliche. Die Anwendung solcher Waffen im Krieg vermag ungeheure und unkontrollierbare Zerstörungen auszulösen, die die Grenzen einer gerechten Verteidigung weit überschreiten.«[28] Daher werden wir gewarnt: »Die Menschen unseres Zeitalters sollen wissen, daß sie über ihre kriegerischen Handlungen einmal schwere Rechenschaft abzulegen haben. Von ihren heutigen Entscheidungen hängt nämlich weitgehend der Lauf der Zukunft ab.«[29] Notwendig sind ernsthafte und unablässige Untersuchungen und Bemühungen, um planmäßig Methoden sowohl für einzelne wie für Staaten zu entwickeln, einen ungerechten Angriff ohne den Einsatz von Gewalt abzuwehren.
Wir glauben, daß Bemühungen um die Entwicklung gewaltfreier Mittel zur Abwehr von Angriffen und zur Konfliktlösung am ehesten der Forderung Jesu nach Liebe und Gerechtigkeit entsprechen. In der Tat unterstreicht jeder Zuwachs an potentieller Zerstörungskraft der Waffen und

daher auch des Krieges nur die Richtigkeit des Weges, den Jesus seinen Nachfolgern geboten hat. Auf der anderen Seite aber legitimiert die faktische Aggression, Unterdrückung und Ungerechtigkeit in unserer Welt auch den Griff zu den Waffen und zu militärischer Gewalt, um die Gerechtigkeit zu verteidigen. Wir müssen dieses echte Paradox erkennen, vor dem wir als Christen in der gegenwärtigen Welt stehen; wir dürfen nicht aufhören, unseren Glauben zu bezeugen, daß Liebe möglich und die einzig wirkliche Hoffnung für alle menschlichen Beziehungen ist, und müssen dennoch zugestehen, daß Gewalt, selbst tödliche Gewalt, zuweilen gerechtfertigt ist, und daß Staaten für ihre Verteidigung Vorsorge treffen müssen. Es ist den Christen aufgetragen, sich darum zu bemühen, dieses Paradoxon durch noch größere Hingabe an Christus und seine Botschaft aufzulösen. Wie Papst Johannes Paul II. sagte:

»Der Christ weiß vor allem darum, daß Angriffslust, Hegemoniestreben und Manipulationsabsichten andern gegenüber im Herzen der Menschen schlummern und manchmal sogar ihre Intentionen beeinflussen trotz eventueller Erklärungen oder Bekundungen pazifistischer Art. Er weiß ebenso, daß eine völlig und für immer friedliche menschliche Gesellschaft auf Erden leider eine Utopie ist und daß die Ideologien, die diese anpreisen, verständlicherweise unerfüllbare Hoffnungen nähren, was auch immer die Gründe für ihre Einstellung sein mögen: falsche Sicht der menschlichen Natur; Unvermögen, die Probleme in ihrer Gesamtheit zu betrachten; Ausflucht, um die Angst zu verdrängen, oder bei wieder anderen kalkulierter Eigennutz.

Der Christ ist sogar davon überzeugt – und das besonders, wenn er selbst die schmerzliche Erfahrung gemacht hat –, daß diese trügerischen Hoffnungen gradlinig zum Pseudo-Frieden der totalitären Regime führen. Diese realistische Sicht entmutigt jedoch keinesfalls die Christen in ihrem

Einsatz für den Frieden. Im Gegenteil, sie stärkt ihren Eifer; denn sie wissen auch, daß der Sieg Christi über Sünde, Haß und Tod den Menschen, die sich nach Frieden sehnen, eine noch stärkere Motivierung zum Handeln bietet, als es die edelsten Auffassungen vom Menschen vermögen, und eine tiefere Hoffnung als jene, die sich an den kühnsten Träumen entfacht.

Aus diesem Grund zögert der Christ nicht, während er sich voller Eifer darum bemüht, alle Formen kriegerischer Auseinandersetzung zu bekämpfen und ihnen zuvorzukommen, gleichzeitig im Namen einer elementaren Forderung der Gerechtigkeit daran zu erinnern, daß die Völker das Recht und sogar die Pflicht haben, durch angemessene Mittel ihre Existenz und ihre Freiheit gegen einen ungerechten Angreifer zu verteidigen.«[30]

Im Lichte dieses Rahmens der katholischen Lehre über das Wesen des Friedens, das Vermeiden des Krieges und das Recht des Staates auf legitime Verteidigung, kommen wir nun auf bestimmte ethische Grundsätze in der katholischen Tradition zu sprechen, die Leitlinien für die Politik und für Entscheidungen des einzelnen geben.

3. Kriterien des gerechten Krieges

Die ethische Lehre vom »gerechten Krieg« oder »begrenzten Krieg« geht von folgender Annahme aus, die für alle Christen verbindlich ist: Wir sollen unserm Nächsten keinen Schaden zufügen; wie wir mit unserem Feind umgehen, ist der Prüfstein, ob wir unsern Nächsten lieben; und die Möglichkeit, auch nur ein einziges Menschenleben zu vernichten, ist eine Aussicht, über die wir mit Furcht und Zittern nachdenken sollten. Wie ist es möglich, von diesen Annahmen zu der Vorstellung vom gerechtfertigten Einsatz tödlicher Gewalt zu kommen?

Die klarste Antwort auf diese Frage, historisch und theologisch gesehen, findet sich bei Augustinus. Augustinus stand unter dem Eindruck der Tatsache und der Folgen der Sünde in der Geschichte – der »Noch nicht«-Dimension des Reiches Gottes. Nach seiner Ansicht war Krieg sowohl eine Folge der Sünde als auch ein tragisches Heilmittel gegen die Sünde im Leben der politischen Gemeinschaften. Krieg entstand aus unbeherrschten Begierden, aber er konnte, zumindest in einigen Fällen, auch dazu dienen, das Böse im Zaum zu halten und den Unschuldigen zu schützen. Der klassische Fall, der seine Ansicht verdeutlichte, war der Einsatz von tödlicher Gewalt, um einen Angriff auf unschuldige Opfer zu verhindern. Angesichts der Tatsache eines Angriffes auf den Unschuldigen muß der Vorbehalt, daß wir nicht einmal unserem Feind Schaden zufügen sollen, dem Gebot der Liebe weichen, das als dringende Notwendigkeit verstanden wurde, einem Feind, der dem Unschuldigen Leid zufügen würde, Einhalt zu gebieten.

Die Rede vom gerechten Krieg hat im Laufe der Geschichte der katholischen Theologie verschiedene Formen angenommen, aber dieses Verständnis bei Augustinus blieb die zentrale Voraussetzung.[31] Im 20. Jahrhundert griff das päpstliche Lehramt die Argumentation von Augustinus und Thomas von Aquin[32] auf, um für Staaten in einer dezentralisierten internationalen Ordnung ein Recht auf Selbstverteidigung zu proklamieren und Kriterien für die Ausübung dieses Rechtes aufzustellen. Die Grundposition wurde vom Zweiten Vatikanum so formuliert: »Solange die Gefahr von Krieg besteht und solange es noch keine zuständige internationale Autorität gibt, die mit entsprechenden Mitteln ausgestattet ist, kann man, wenn alle Möglichkeiten einer friedlichen Regelung erschöpft sind, einer Regierung das Recht auf sittlich erlaubte Verteidigung nicht absprechen.«[33] Wir haben bereits darauf hingewiesen, daß es sich hier um ein zentrales Prinzip für das Verständnis der katholischen Lehre vom Staat und seinen Pflichten handelt.

Die Lehre vom gerechten Krieg entstand freilich aus dem Bemühen, Krieg zu verhindern; nur für den Fall, daß ein Krieg mit aller Vernunft nicht vermieden werden kann, sieht die Lehre vor, seine Schrecken in Grenzen zu halten und zu verringern. Dies geschieht durch Aufstellung einer Reihe strenger Bedingungen, die erfüllt werden müssen, wenn die Entscheidung, den Krieg zu beginnen, moralisch erlaubt sein soll. Insbesondere heute erfordert solch eine Entscheidung außerordentlich gute Gründe, um sich über den grundlegenden Vorbehalt *zugunsten des Friedens* und *gegen Krieg* hinwegzusetzen. Das ist ein bedeutsamer Grund, warum die geltende Lehre vom gerechten Krieg Vorkehrungen zugunsten einer abweichenden Gewissensentscheidung trifft. Es wird vorausgesetzt, daß alle vernünftigen Menschen lieber Frieden wollen, niemals die *Absicht* haben, einen Krieg zu beginnen, und selbst den gerechtesten Verteidigungskrieg nur als traurige Notwendigkeit akzeptieren. Nur die allergewichtigsten Gründe würden es erlauben, sich über diesen Einwand hinwegzusetzen. Mit den Worten Papst Pius' XII.:

»Der christliche Friedenswille… hütet sich wohl, mit Waffengewalt Rechte geltend zu machen, die, so sehr sie ihm zustehen mögen, die Gefahr eines Kriegsbrandes mit allen seinen entsetzlichen seelischen und materiellen Folgen nicht aufwiegen.«[34]

Für die Feststellung, *wann* Bedingungen vorhanden sind, die eine Zuflucht zur Gewalt trotz des starken Vorbehaltes ihr gegenüber erlauben, gelten die Kriterien des *ius ad bellum.* Für die Feststellung, *wie* ein gerechtfertigter Einsatz von Gewalt durchgeführt werden muß, gelten die Kriterien des *ius in bello.* Wir wollen kurz die Bedeutung beider untersuchen.[35]

Ius ad bellum: Warum und wann ein Krieg erlaubt ist

a) Gerechter Grund

Krieg ist nur erlaubt zur Abwehr einer »wirklichen und sicheren Gefahr«, d.h. um unschuldiges Leben zu schützen, um die für ein menschenwürdiges Dasein notwendigen Bedingungen zu bewahren und um menschliche Grundrechte zu sichern. Sowohl Pius XII. wie Papst Johannes XXIII. haben betont, daß, selbst wenn ein Krieg zur Wiedergutmachung geschehenen Unrechts jemals zu rechtfertigen gewesen sein sollte, die Risiken des modernen Krieges heute einen solchen Anspruch ausschließen.

b) Zuständige Autorität

In der katholischen Tradition wurde das Recht auf Gewaltanwendung immer in Verbindung mit dem allgemeinen Wohl gesehen; Krieg muß von denen erklärt werden, die Verantwortung für die öffentliche Ordnung tragen, nicht von privaten Gruppen oder Individuen.

Die Forderung, daß die Entscheidung, einen Krieg zu beginnen, von einer zuständigen Autorität getroffen werden muß, ist besonders wichtig in einer demokratischen Gesellschaft. Sie bedarf hier genauerer Behandlung, weil sie ein breites Spektrum zusammenhängender Probleme betrifft. Einige der schmerzlichsten Spaltungen der Gesellschaft in der Geschichte unseres eigenen Landes wurden z.B. von der Frage hervorgerufen, ob ein Präsident der Vereinigten Staaten verfassungsgemäß und legal gehandelt habe, als er unser Land in einen *de facto*-Krieg verwickelte, selbst wenn – ja, besonders wenn – der Krieg nie formal erklärt wurde. Ebenso verwirrende Gewissenskonflikte können für einzelne Menschen entstehen, von denen man erwartet oder rechtmäßig fordert, in den Krieg zu ziehen, auch wenn unsere ordnungsgemäß gewählten Repräsentanten im Kongreß tatsächlich für Krieg gestimmt haben.

Das Kriterium der zuständigen Autorität ist ferner wichtig in einer Zeit, in der Revolutionskriege eine alltägliche Sache geworden sind. Historisch gesehen, war die Tradition vom gerechten Krieg für eine »gerechte Revolution« offen; sie erkannte an, daß ein tyrannisches Regime seinen Anspruch auf Legitimität verlieren kann. Der Analyse der moralischen Fragen des revolutionären Krieges ist bisher nicht genügend Aufmerksamkeit gewidmet worden. Zum Beispiel rechtfertigt der bloße Besitz von genügend Waffen nicht, daß »Aufständische« einen Krieg gegen eine bestehende Regierung anfangen; ebensowenig darf ein Volk von seiner Regierung mit dem Hinweis auf den Grundsatz der »nationalen Sicherheit« systematisch unterdrückt werden.

Zwar kann Revolutionen unter bestimmten Umständen die Legitimität nicht abgesprochen werden, aber die Lehre vom gerechten Krieg muß ebenso strikt auf revolutionäre bzw. konterrevolutionäre Konflikte angewendet werden wie auf andere. Die Frage, wer zuständige Autorität ist und wie diese Autorität ausgeübt wird, ist dabei ganz wesentlich.

Wenn wir in diesem Brief die Frage der Kriegsdienstverweigerung und der selektiven Kriegsdienstverweigerung behandeln, wird das Problem der zuständigen Autorität wieder auftauchen.

c) *Komparative Gerechtigkeit*

Fragen zu den *Mitteln* der heutigen Kriegführung haben besonders angesichts des Zerstörungspotentials der Waffen häufig dazu geführt, sich über Fragen nach der komparativen Gerechtigkeit der Position der jeweiligen Gegner oder Feinde hinwegzusetzen. Kurz gesagt: Welche Seite hat in einer Auseinandersetzung hinreichend »recht«, und: sind die Werte, um die es geht, entscheidend genug, um den Vorbehalt gegen den Krieg aufzuheben? Die Grundfrage lautet: Rechtfertigen die Rechte und Werte, die auf dem Spiel stehen, das Töten? Denn ganz gleich, welche Mittel eingesetzt werden, Krieg bedeutet per definitionem Gewalt, Zerstörung, Leiden und Tod.

Die Kategorie der komparativen Gerechtigkeit soll dem Vorbehalt gegen den Krieg Nachdruck verleihen, von dem die Lehre vom gerechten Krieg ihren Ausgang nimmt. In einer Welt souveräner Staaten, die weder eine gemeinsame moralische noch eine zentrale politische Autorität anerkennen, betont der Grundsatz der komparativen Gerechtigkeit, daß kein Staat davon ausgehen darf, daß er die »absolute Gerechtigkeit« auf seiner Seite hat. In einem Konflikt sollte jede Seite die Grenzen des eigenen »gerechten Grundes« anerkennen und die sich daraus ergebende Forderung, *nur* begrenzte Mittel zur Verfolgung ihrer Ziele einzusetzen. Weit davon entfernt, eine Kreuzzugsmentalität zu legitimieren, soll komparative Gerechtigkeit absolute Ansprüche relativieren und die Anwendung von Gewalt selbst in einer »gerechten« Auseinandersetzung eindämmen.[36]

Angesichts von Propagandatechniken und der Leichtigkeit, mit der Völker und einzelne Menschen glauben oder sich selbst vormachen, Gott oder das Recht sei eindeutig auf ihrer Seite, könnte es äußerst schwierig sein, das Kriterium der komparativen Gerechtigkeit anzuwenden. Natürlich gilt das nicht für jeden Krieg. Die eklatante Aggression von außen und Subversion von innen lassen sich oft genug von allen einigermaßen gerecht denkenden Menschen ohne weiteres erkennen.

d) Rechte Absicht

Zur gerechten Sache gehört die rechte Absicht – man kann Krieg legitimerweise nur dann ins Auge fassen, wenn man Gründe im Sinne der oben definierten gerechten Sache verfolgt. Während der Auseinandersetzung bedeutet die rechte Absicht, daß man auf Frieden und Versöhnung aus ist; dazu gehört, daß man unnötige Zerstörungen vermeidet und keine unzumutbaren Bedingungen stellt (z.B. bedingungslose Kapitulation).

e) Letztes Mittel

Wenn die Zuflucht zum Kriege gerechtfertigt sein soll, müssen zuvor alle friedlichen Alternativen ausgeschöpft sein. Aus dieser Forderung ergeben sich schwierigste Probleme. In der Regel übt keine derzeit existierende internationale Organisation international anerkannte Autorität aus, um entweder erfolgreich vermitteln zu können oder eine bewaffnete Auseinandersetzung durch Intervention von Friedenstruppen der Vereinten Nationen oder anderer Institutionen zu verhindern. Außerdem neigen Staaten oder Völker dazu, bei einem Konflikt zwischen oder in anderen Staaten, von dem sie annehmen, daß er für sie von Vorteil ist, eine friedliche Beilegung eher zu verhindern statt sie zu fördern.

Wir bedauern, daß manche offensichtlich nicht bereit sind, in den Vereinten Nationen eine bereits existierende Möglichkeit für eine Weltordnung zu sehen und deren Entwicklung zu fördern. Papst Paul VI. hat die Vereinten Nationen als letzte Hoffnung für den Frieden bezeichnet. Diese Hoffnung darf auf keinen Fall zunichte werden. Papst Johannes Paul II. hilft uns an dieser Stelle wieder weiter: »Vor allem möchte ich euch, den Verantwortlichen und

Mitgliedern der internationalen Organisationen, und euch, die ihr in internationalen Gremien arbeitet, erneut mein Vertrauen bekunden! Im Lauf des letzten Jahrzehnts sind eure Organisationen allzu oft zum Gegenstand von Manipulationsversuchen durch Nationen geworden, die solche Einrichtungen auszunutzen trachten. Dennoch bieten die zahlreichen gegenwärtigen gewalttätigen Zusammenstöße, Spaltungen und Blockierungen, auf die die bilateralen Beziehungen stoßen, den großen internationalen Organisationen den Anlaß, in ihrer eigenen Tätigkeit eine qualitative Veränderung vorzunehmen, eventuell sogar in einigen Punkten ihre Strukturen zu erneuern, um so den neuen Realitäten Rechnung zu tragen und eine wirkliche Kraft zu werden.«[37]

f) Wahrscheinlichkeit des Erfolges

Die Anwendung dieses Kriteriums erweist sich als schwierig. Sein Zweck ist, zu verhindern, daß irrationaler Einsatz von Gewalt klar erkennbar zu einem Ergebnis führt, das in keinem Verhältnis zum Aufwand steht, oder hoffnungsloser Widerstand völlig vergeblich ist. Die Festlegung dieser Bedingungen schließt die Anerkennung ein, daß die Verteidigung von Grundwerten auch bei geringen Erfolgschancen zuweilen ein »angemessenes« Zeugnis sein kann.

g) Verhältnismäßigkeit

Im Zusammenhang mit den *ius-ad-bellum*-Kriterien bedeutet Verhältnismäßigkeit, daß der Schaden, der entstehen wird, und die Kosten eines Krieges in einem angemessenen Verhältnis zu dem Gut stehen müssen, das man zu erreichen hofft, wenn man zu den Waffen greift. Bei der Beurteilung der Verhältnismäßigkeit sollte man auch nicht nur die irdische Ordnung im Auge haben, sondern auch die geistliche Dimension, wenn es um »Schaden«, »Kosten« und »das zu erwartende Gut« geht. Bei den Interdependenzen in der heutigen Welt kann selbst ein lokaler Konflikt die Menschen überall in Mitleidenschaft ziehen; dies ist besonders der Fall, wenn Atommächte beteiligt sind. Daher kann ein Staat heute keinen gerechten Krieg beginnen, ohne die Auswirkungen seines Handelns auf andere und auf die internationale Gemeinschaft zu bedenken.

Dieses Prinzip der Verhältnismäßigkeit gilt während des ganzen Krieges ebenso wie für die Entscheidung, einen Krieg zu beginnen. Während des Vietnamkrieges ist unsere Bischofskonferenz schließlich zu dem Schluß gelangt, daß der Konflikt ein solches Ausmaß an Verwüstung beim Gegner und an Schaden in unserer eigenen Gesellschaft erreicht hat, daß es nicht mehr gerechtfertigt werden konnte, ihn fortzusetzen.[38]

Ius in bello

Auch wenn die strengen Bedingungen zur Rechtfertigung eines Krieges erfüllt sind, so bleibt die Kriegführung (d.h. Strategie, Taktik und jede einzelne Handlung) der ständigen Prüfung unterworfen im Lichte zweier Prinzipien, die heute gerade wegen der Zerstörungskapazität der modernen technischen Kriegführung von besonderer Bedeutung sind. Es sind die Prinzipien der Verhältnismäßigkeit und der Unterscheidung (zwischen Kämpfenden und Nicht-Kämpfenden). Wir wollen sie hier im Zusammenhang sowohl mit dem *ius ad bellum* als auch mit dem *ius in bello* besprechen. Wie begrenzt auch immer anfänglich der Zweck und das Zerstörungspotential der eingesetzten Waffen sein mag: es wird heute zunehmend schwieriger, eine Entscheidung für den Einsatz von Streitkräften zu treffen, ohne zumindest die

Möglichkeit ins Auge zu fassen, daß der Krieg weiter eskaliert oder zum totalen Krieg wird und daß Waffen von grauenhafter Zerstörungskapazität eingesetzt werden. Dies gilt vor allem, wenn die Gegner »Supermächte« sind, wie das Konzil klar erkannte:

»Ja, wenn man alle Mittel, die sich schon in den Waffenlagern der Großmächte befinden, voll einsetzen würde, würde sich daraus eine fast totale und gegenseitige Vernichtung des einen Gegners durch den anderen ergeben, abgesehen von den zahllosen Verwüstungen in der Welt, die dem Gebrauch solcher Waffen als verhängnisvolle Nachwirkungen folgen.«[39]

Man sollte natürlich nicht meinen, daß Massenvernichtung und umfassende Zerstörung nur eine Folge von ausgedehntem Einsatz nuklearer Waffen ist. Wir erinnern mit Abscheu an die Flächenbombardements und Brandbomben des Zweiten Weltkriegs, an den Tod von Hunderttausenden durch »konventionelle« Waffen in verschiedenen Teilen der Welt, an den gräßlichen Einsatz von Gas und anderen chemischen Waffen, an die Zerstörung von Wohnungen und Ernten und an die Fülle des Leidens, die der Krieg in den Jahrhunderten vor der »Atombombe« und in den Jahrzehnten danach gebracht hat. Trotzdem muß jeder ehrliche Mensch erkennen, daß, vor allem angesichts der Weiterverbreitung der modernen wissenschaftlichen Waffen, wir heute vor Möglichkeiten stehen, an die man nur mit Entsetzen denken kann. Wir müssen uns heute wie noch nie zuvor fragen, nicht nur was geschehen *wird,* sondern was geschehen *könnte,* vor allem, wenn Großmächte einen Krieg anfangen. Papst Johannes Paul II. hat wiederholt aufgefordert, daß die Staatsmänner der Welt sich dieser Realität stellen:

»In Anbetracht des fast wesenhaften Unterschieds, der zwischen den klassischen Formen des Krieges und einem nuklearen oder bakteriologischen Krieg besteht, wie auch des Skandals des Rüstungswettlaufs, angesichts der ungeheuren Nöte der Dritten Welt unterstreicht jedoch dieses im Prinzip sehr reale Recht [der Verteidigung] nur um so mehr für die gesamte Menschheit die Dringlichkeit, sich wirksame Verhandlungsmöglichkeiten zu schaffen. So kann der atomare Schrecken, der unsere Zeit bedrängt, die Menschen dazu bewegen, ihr gemeinsames Erbe noch um diese sehr einfache Entdeckung zu bereichern, die ihnen leicht zugänglich ist, nämlich die Erkenntnis, daß der Krieg das barbarischste und unwirksamste Mittel ist, um Konflikte zu lösen.«[40]

Die Päpstliche Akademie der Wissenschaften bestätigte die Äußerung des Heiligen Vaters in der »Stellungnahme zu den Folgen eines Nuklearkrieges« vom November 1981. Damals verabschiedeten Vertreter der nationalen Akademien der Wissenschaften aus der ganzen Welt bei einem Treffen, das von der Päpstlichen Akademie einberufen worden war, eine »Erklärung zur Verhinderung eines Atomkrieges«, in der die Feststellung von Papst Johannes Paul II., daß der moderne Krieg sich seinem Wesen nach von früheren Kriegen unterscheidet, im einzelnen erläutert wurde. Die Wissenschaftler sagten:

»Ihre ganze Geschichte hindurch war die Menschheit mit dem Krieg konfrontiert. Seit 1945 aber hat sich die Art der Kriegführung so grundlegend geändert, daß die Zukunft des Menschengeschlechtes und noch ungeborener Generationen gefährdet ist... Zum erstenmal ist es möglich, Schaden in so katastrophalem Ausmaß anzurichten, daß ein großer Teil der Zivilisation vernichtet und sogar ihr Überleben gefährdet werden kann. Der umfassende Einsatz solcher Waffen könnte bedeutende und nicht wiedergutzumachenden ökologische und genetische Veränderungen auslösen, deren Grenzen nicht absehbar sind.«[41]

Schon vorher hatte sich das Konzil aufgrund solcher Überlegungen »die Verurteilung des totalen Krieges, wie sie schon von den letzten Päpsten ausgesprochen wurde«[42], zu eigen gemacht. Diese Verurteilung ergibt sich zwangsläufig aus den Prinzipien der Verhältnismäßigkeit und der Unterscheidung (zwischen Kämpfenden und Nicht-Kämpfenden). Die Reaktion auf einen Angriff darf nicht über die Art des Angriffs hinausgehen. Es wäre für jeden Staat eine unangemessene und ungeheuerliche Reaktion auf einen Angriff, unsere ganze Zivilisation durch einen »totalen Krieg« zu vernichten, wie man ihn heute führen *könnte.*

Zudem dürfen Unschuldige niemals direkt getötet werden, ganz gleich, aus welchem Grund. Einen wirklich »totalen Krieg« zu führen, bedeutet per definitionem, eine ungeheure Zahl Unschuldiger zu töten. Eine gerechte Antwort auf einen Angriff muß unterscheiden; sie muß sich gegen den ungerechten Angreifer wenden, nicht gegen unschuldige Menschen, die in einen Krieg verwickelt sind, mit dem sie nichts zu tun haben. Das Konzil gab die denkwürdige Erklärung ab: »Jede Kriegshandlung, die auf die Vernichtung ganzer Städte oder weiter Gebiete und ihrer Bevölkerung unterschiedslos abstellt, ist ein Verbrechen gegen Gott und gegen den Menschen, das fest und entschieden zu verwerfen ist.«[43]

Was die Wahl zwischen bestimmten militärischen Optionen betrifft, so lautet die Frage nach der Verhältnismäßigkeit: Wenn wir nicht nur die militärischen Vorteile in Rechnung stellen, die man mit dem Einsatz dieser Mittel erreichen wird, sondern auch all den Schaden, mit dem man bei nüchterner Betrachtung rechnen muß, ist dann der Einsatz noch gerechtfertigt? Wir wissen natürlich, daß kein Zweck irgendwelche Mittel rechtfertigen kann, die in sich böse sind, wie z.B. die Hinrichtung von Geiseln oder eine Zielplanung, die sich gegen Nichtkombattanten richtet. Doch auch wenn das angewandte Mittel nicht in sich böse ist, muß man den möglichen Schaden berücksichtigen, der daraus entsteht, und fragen, ob die Hinnahme eines solchen Schadens zu rechtfertigen ist. Wenn man also die Schäden beurteilen will und sich fragt, ob sie zu rechtfertigen sind, ist es äußerst wichtig, an die Armen und Hilflosen zu denken; denn sie sind gewöhnlich diejenigen, die am wenigsten zu gewinnen und am meisten zu verlieren haben, wenn ihr Leben von der Gewalt des Krieges betroffen wird.

Auf den Rüstungswettlauf angewandt: Wenn der *wirkliche* Zweck, der angestrebt wird, legitime Verteidigung gegen einen ungerechten Angriff ist und die Mittel zu diesem Zweck nicht in sich böse sind, müssen wir immer noch die Frage der Verhältnismäßigkeit übler Begleitumstände prüfen. Machen die übermäßigen Kosten, das allgemeine Klima der Unsicherheit, die Möglichkeit einer zufälligen Detonation höchst zerstörerischer Waffen, die Gefahr des Irrtums oder der Fehleinschätzung, die Vergeltung und Krieg provozieren könnten – machen diese Übel oder andere, die eine direkte oder indirekte Folge des Rüstungswettlaufs sind, nicht diesen selbst zu einer unangemessenen Antwort auf eine mögliche Aggression? Papst Johannes Paul II. besteht eindeutig darauf, daß die Wahrnehmung der Rechte und Pflichten eines Volkes, seine Existenz und Freiheit zu schützen, vom Gebrauch angemessener Mittel abhängt.[44]

Schließlich betrifft eine weitere Reihe von Fragen die Interpretation des Prinzips der Unterscheidung. Dies Prinzip verbietet die Absicht, Nicht-Kombattanten und nichtmilitärische Ziele direkt anzugreifen. Daraus ergeben sich einige Fragen über den Begriff »absichtlich«, die Kategorie der »Nicht-Kombattanten« und die Bedeutung von »militärisch«.

Diese Fragen werden heute mit Recht immer häufiger diskutiert. Wir ermutigen zu solchen Diskussionen, denn es mangelt anscheinend immer noch an präzisen und definitiven Antworten. Zu einer Mobilisierung der Streitkräfte in einem modernen Krieg gehören nicht nur das Militär, sondern in einem entscheidenden Maß auch politische, ökonomische und gesellschaftliche Bereiche. Es ist nicht immer leicht zu bestimmen, wer einen direkten Beitrag zur Kriegführung leistet und in welchem Umfang. Klar ist jedoch, daß man auch durch großzügigste Auslegung eine ganze Reihe von Menschen vernünftigerweise nicht als Kombattanten betrachten kann, so Schulkinder, Krankenhauspatienten, Alte, Kranke, den durchschnittlichen Industriearbeiter, der Waren produziert, die nicht unmittelbar militärischen Zwecken dienen, Bauern und viele andere. Sie dürfen niemals direkt angegriffen werden.

Direkte Angriffe auf militärische Ziele werfen ähnliche Fragen auf. Welche Ziele sind »militärisch« und welche nicht? In welchem Maß z.B. fordert die Nutzung (durch Revolutionstruppen oder reguläre Streitkräfte) eines Dorfes oder der Aufenthalt in einem von Zivilisten bewohnten Gebiet einen Angriff heraus? Was ist mit einer Munitionsfabrik mitten in einer Stadt? Wer ist direkt verantwortlich für den Tod von Nicht-Kombattanten, falls der Angriff durchgeführt wird? Um auf die oben gestellte Frage zurückzukommen: wieviele tote Nicht-Kombattanten sind »tragbar« als Folge indirekter Angriffe – Angriffe gegen Streitkräfte und militärische Ziele, bei denen zugleich auch Nicht-Kombattanten getötet werden?

Diese beiden Prinzipien in ihrer ganzen Komplexität müssen auf das gesamte Spektrum von Waffen – konventionelle, nukleare, biologische und chemische – angewandt werden, über das Staaten heute verfügen.

4. Der Wert der Gewaltlosigkeit

Unter dem Eindruck des Beispiels von Jesu Leben und Lehre haben sich einige Christen seit den frühesten Tagen der Kirche zu einem gewaltfreien Leben verpflichtet.[45] Manche verstanden das Evangelium Jesu Christi so, daß es jedes Töten verbiete. Einige betonten Gebet und andere geistliche Übungen als Antwort auf Feindschaft und Kriegshandlungen.

In der Mitte des 2. Jahrhunderts verkündigte der heilige Justin seinen heidnischen Lesern, daß die Verheißung des Jesaja über das Umschmieden von Schwertern zu Pflugscharen und von Speeren zu Winzermessern sich mit dem Kommen Christi erfüllt habe:

»Und wir, die wir Freude am Krieg hatten, daran, einander umzubringen und an jeder anderen Art von Ungerechtigkeit, haben in allen Teilen der Welt unsere Waffen in Werkzeuge des Friedens umgewandelt – unsere Schwerter in Pflugscharen, unsere Speere in landwirtschaftliche Werkzeuge – und wir pflegen Frömmigkeit, Gerechtigkeit, brüderliche Liebe, Glauben und Hoffnung, die wir vom Vater durch den gekreuzigten Erlöser empfangen.«[46]

Im 3. Jahrhundert schlägt Cyprian von Karthago ähnliche Töne an, als er darauf hinwies, daß die Christen seiner Zeit nicht gegen ihre Feinde kämpfen. Er selbst hielt ihr Verhalten für richtig:

»Sie kämpfen nicht einmal gegen die, die angreifen, denn es ist den Unschuldigen nicht gestattet, zu töten, auch nicht den Angreifer, sondern sie opfern ihre Seelen und ihr Blut auf, damit sie sich schneller von den Boshaften und Grausamen trennen können, da soviel Bosheit und Grausamkeit in der Welt herrscht.«[47]

Ein Teil des frühchristlichen Widerstandes gegen den Militärdienst war eine Reaktion auf den im römischen Heer vorherrschenden Götzendienst. Ein anderes starkes Motiv war, daß zum Heeresdienst die Vorbereitung zum Kämpfen und Töten gehörte. Wir sehen das am Beispiel des heiligen Martin von Tours im 4. Jahrhundert, der seinen Soldatenberuf mit der Begründung aufgab: »Bis jetzt habe ich euch als Soldat gedient. Erlaubt mir nun, ein Soldat Gottes zu werden... Ich bin ein Soldat Christi. Es ist mir nicht mehr erlaubt zu kämpfen.«[48]

Seit dem 4. Jahrhundert hat das Thema der christlichen Gewaltlosigkeit und des christlichen Pazifismus immer neu Widerhall gefunden, manchmal stärker, manchmal schwächer. Eine der großen gewaltlosen Gestalten der Vergangenheit war der hl. Franz von Assisi. Er bemühte sich nicht nur persönlich um Versöhnung und Frieden, Franz bestimmte auch, daß Laien, die Mitglied seines Dritten Ordens wurden, »keine tödliche Waffe gegen irgend jemanden ergreifen oder bei sich tragen durften.«

Die christliche Gewaltlosigkeit ist nicht passiv gegenüber Ungerechtigkeit und der Verteidigung der Rechte anderer; vielmehr zeigt sie beispielhaft, was es heißt, der Ungerechtigkeit mit gewaltfreien Methoden zu widerstehen.

Im 20. Jahrhundert hat – neben dem nicht-christlichen Zeugnis eines Mahatma Ghandi und seiner weltweiten Wirkung – das gewaltfreie Zeugnis von Menschen wie Dorothy Day und Martin Luther King eine tiefgehende Wirkung auf das Leben der Kirche in den Vereinigten Staaten gehabt. Das Zeugnis zahlreicher Christen, die ihnen in den vergangenen Jahrhunderten vorausgegangen sind, wurde in bemerkenswerter Weise auf dem Zweiten Vatikanischen Konzil bekräftigt.

Zwei der Abschnitte, die in die Schlußfassung der Pastoralkonstitution aufgenommen wurden, ermutigen in besonderer Weise Katholiken aller sozialen Schichten, ihre Haltung gegenüber Krieg und Militärdienst unter Berücksichtigung des christlichen Pazifismus zu prüfen. In § 79 fordern die Konzilsväter die Regierungen auf, Gesetze zum Schutz derjenigen zu erlassen, die aus Gewissensgründen jeden Krieg ablehnen. »Ferner scheint es angebracht, daß Gesetze für die in humaner Weise Vorsorge treffen, die aus Gewissensgründen den Wehrdienst verweigern, vorausgesetzt, daß sie zu einer anderen Form des Dienstes an der menschlichen Gesellschaft bereit sind.«[49] Das war das erste Mal, daß die Forderung nach gesetzlichem Schutz der Kriegsdienstverweigerer in einem Dokument von solcher Bedeutung auftauchte. Zusätzlich zu ihrer eigenen tiefen Bedeutung erhielt diese Aussage sogar noch größeres Gewicht durch das Lob, das die Konzilsväter im Abschnitt davor denen gespendet hatten, »die bei der Wahrung ihrer Rechte darauf verzichten, Gewalt anzuwenden«.[50] In »Human Life in Our Day« (Menschliches Leben in unseren Tagen) von 1968 forderten wir Gesetze zur Anerkennung auch der selektiven Kriegsdienstverweigerer.[51]

Als katholische Bischöfe haben wir die Pflicht, vor unsern eigenen Gemeinden und der ganzen Gesellschaft zu betonen, wie wichtig diese Unterstützung der pazifistischen Option einzelner in der Lehre des Zweiten Vatikanischen Konzils ist, sowie die Bekräftigung, die die Päpste in der Zeit nach dem Konzil dem gewaltlosen Zeugnis gegeben haben.

Für die Entwicklung einer Theologie des Friedens und des Wachsens des christlichen Pazifismus unter Katholiken haben folgende Worte der Pastoralkonstitution besondere Bedeutung: »All dies zwingt uns, die Frage des Krieges mit einer ganz neuen inneren Einstellung zu prüfen.«[52] Die Konzilsväter bezogen sich auf die »Fortentwicklung wissenschaftlicher Waffen, (durch die) der Schrecken und die Verwerflichkeit des Krieges ins Unermeßliche (wachsen)«.[53] Während die Lehre vom gerechten Krieg das katholische

Denken während der letzten 1500 Jahre eindeutig beherrscht hat, läßt uns die »neue Lage«, in der wir uns befinden, in der Lehre vom gerechten Krieg und in der Gewaltlosigkeit zwar unterschiedliche, aber aufeinander bezogene Methoden zur Beurteilung des Krieges sehen. Sie unterscheiden sich in bestimmten Folgerungen, gehen aber von dem gemeinsamen Vorbehalt gegen die Gewalt als Mittel der Konfliktlösung aus.

Beide haben ihre Wurzeln in der christlichen theologischen Tradition; beide tragen zu der umfassenden moralischen Einsicht bei, die wir auf der Suche nach Frieden unter den Menschen brauchen. Wir glauben, daß diese beiden Perspektiven einander stützen und ergänzen, jede bewahrt die andere vor Entstellung. Schließlich konvergieren im Zeitalter technologischer Kriegführung oft eine vom Standpunkt der Gewaltlosigkeit ausgehende Sichtweise und die Lehre vom gerechten Krieg und stimmen in der Ablehnung von Methoden der Kriegführung überein, die sich faktisch nicht vom totalen Krieg unterscheiden lassen.

II. Krieg und Frieden in der Welt von heute: Probleme und Prinzipien

Sowohl die Lehre vom gerechten Krieg als auch die Gewaltlosigkeit stehen durch den Atomkrieg vor einer einzigartigen Herausforderung. Das muß der Ausgangspunkt jeder weiteren moralischen Überlegung sein: Die Atomwaffen im besonderen und die nukleare Kriegführung, so wie sie heute geplant wird, stellen neue Fragen an die Ethik. Keiner der im vornuklearen Zeitalter entwickelten moralischen Standpunkte kann sich einer grundsätzlichen Auseinandersetzung mit der derzeitigen atomaren Strategie entziehen. Viele haben festgestellt, daß hervorragende Wissenschaftler die gleichen Aussagen machen wie das Zweite Vatikanische Konzil, nämlich daß wir heute gezwungen sind, »die Frage des Krieges mit einer ganz neuen inneren Einstellung zu prüfen«. Unsere Aufgabe ist nicht, einfach zu wiederholen, was wir früher gesagt haben; sie besteht vor allem darin, von neuem darüber nachzudenken, ob und wie unsere religiös-moralische Tradition in der Lage ist, die Bedrohung, die für die Menschheitsfamilie durch die atomaren Waffenarsenale in der Welt entstanden ist, zu bewerten, unter Kontrolle zu bekommen, einzudämmen und schließlich, so hoffen wir, beseitigen zu helfen. Papst Johannes Paul II. traf den Kern des Problems, als er während seiner Pilgerfahrt in Hiroshima sagte: »In der Vergangenheit war es möglich, ein Dorf, eine Stadt, eine Region und sogar ein ganzes Land zu zerstören. Jetzt ist die ganze Erde bedroht.«[54]

Dieses Wort des Heiligen Vaters macht deutlich, warum das moralische Problem auch eine religiöse Frage von allergrößter Bedeutung ist. Die atomaren Arsenale allein der Vereinigten Staaten und der Sowjetunion sind in der Lage, etwas zu bewirken, was man sich in keinem anderen Zeitalter vorstellen konnte: Wir können den ganzen Planeten bedrohen.[55] Für gläubige Menschen bedeutet dies, daß wir das Buch Genesis mit einem neuen Bewußtsein lesen; das moralische Problem, um das es beim Atomkrieg geht, versinnbildlicht die Sünde in extremer Form. Jede sündige Tat ist eine Konfrontation des Geschöpfes mit seinem Schöpfer. Das heutige Zerstörungspotential der Atommächte bedroht den Menschen und die Zivilisation, die wir langsam aufgebaut haben, und sogar die Schöpfungsordnung selbst.

Darum leben wir heute mitten in einem Drama kosmischen Ausmaßes. Wir besitzen eine Macht, von der niemals Gebrauch gemacht werden darf, die aber zum Einsatz kommen könnte, wenn wir nicht umkehren. Wir leben mit den Atomwaffen in dem Wissen, daß wir uns keinen einzigen

schweren Fehler leisten dürfen. Diese Tatsache führt uns unsere prekäre Lage in aller Deutlichkeit vor Augen, politisch, moralisch und geistlich.
Ein besonderes »Zeichen der Zeit« ist heute das erheblich gewachsene Bewußtsein der Gefahren des atomaren Rüstungswettlaufs. Dieses Bewußtsein hat hier und in anderen Ländern eine öffentliche Diskussion über die Nuklearpolitik in Gang gesetzt, die es in einem solchen Umfang und einer solchen Tiefe bisher nicht gegeben hat. Was jahrelang fast unbefragt hingenommen wurde, ist jetzt Gegenstand härtester Kritik. Was vorher als sicheres und stabiles Abschreckungssystem bezeichnet wurde, wird heute mit politischer und moralischer Skepsis betrachtet. Viele Einflüsse wirken bei dieser Neubewertung zusammen, und wir glauben, eines der entscheidenden Elemente ist die biblische Friedensvision, die uns in diesem Hirtenbrief leitet. Seit fast vier Jahrzehnten ist das Atomzeitalter der Schauplatz unserer Existenz; heute wird es unter neuen Gesichtspunkten bewertet. Der Sauerteig des Evangeliums und das Licht des Heiligen Geistes bilden für viele die entscheidende Dimension dieser neuen Perspektive.

A. Die neue Lage

Im Mittelpunkt der Neubewertung des atomaren Rüstungswettlaufs steht die Einsicht in zwei Aspekte: das Zerstörungspotential der Atomwaffen und die Entscheidungszwänge, vor die das Atomzeitalter Politik und Moral stellt.
Der schicksalhafte Weg ins Atomzeitalter als militärische Realität begann mit der Bombardierung von Nagasaki und Hiroshima, Ereignisse, die Papst Paul VI. als »ein Gemetzel unsagbaren Ausmaßes« bezeichnete; und trotz aller Bemü-

hungen um Kontrolle und Abrüstungspläne (z. B. der Baruchplan von 1946) sind die atomaren Waffenarsenale übermäßig gewachsen, besonders bei den beiden Supermächten. Die qualitative Überlegenheit dieser beiden Staaten sollte jedoch nicht die Tatsache verdecken, daß vier andere Länder nukleare Potentiale besitzen, und eine Reihe weiterer Staaten nur einen Schritt davon entfernt sind, »Nuklearstaaten« zu werden.

Gegen die Eskalation der Nuklearrüstung hat es gelegentlich und vereinzelt, niemals aber wirkungsvoll Widerstand gegeben. Der Wettlauf ging weiter trotz der begründeten Zweifel von Experten und anderen Bürgern und angesichts des energisch vorgetragenen Widerspruchs auf öffentlichen Versammlungen. Heute äußert sich gegen den Rüstungswettlauf nicht mehr vereinzelter oder gelegentlicher, sondern weit verbreiteter und anhaltender Widerspruch. Die Gefahr und die zerstörerische Gewalt der Nuklearwaffen werden erkannt; man leistet ihnen mit neuer Dringlichkeit und Intensität Widerstand. Heute wird in der öffentlichen Debatte die Position unterstützt, die der Heilige Stuhl in einer Stellungnahme 1976 vertreten hat: Der Rüstungswettlauf ist zu verurteilen als eine Gefahr, als ein Akt der Aggression gegen die Armen und als ein Wahnsinn, der nicht die Sicherheit bringt, die man sich davon verspricht.[57]

Das päpstliche Lehramt hat immer wieder über den Wahnsinn und die Gefahr des Rüstungswettlaufs gesprochen; aber die neue Sichtweise seitens der Öffentlichkeit ist in hohem Maß der Arbeit von Naturwissenschaftlern und Ärzten zu verdanken, die ihren Bürgern die konkreten menschlichen Folgen eines Nuklearkrieges beschrieben haben.[58]

Als eindrucksvollen Beweis seiner persönlichen und pastoralen Sorge um die Verhinderung eines Nuklearkrieges hat Papst Johannes Paul II. bei der Päpstlichen Akademie der Wissenschaften eine Studie in Auftrag gegeben, die die

Ergebnisse anderer wissenschaftlicher Gremien untermauerte. Der Heilige Vater hat die Studie durch persönliche Vertreter den politisch Verantwortlichen der Vereinigten Staaten, der Sowjetunion, des Vereinigten Königreiches, Frankreichs und dem Präsidenten der Generalversammlung der Vereinten Nationen überreichen lassen. Eine ihrer Schlußfolgerungen hat besondere Bedeutung für die öffentliche Diskussion in den Vereinigten Staaten:
»Die jüngsten Behauptungen, ein Krieg mit Atomwaffen sei zu gewinnen oder man könne ihn sogar überleben, lassen sich nur durch ein mangelndes Verständnis der medizinischen Wirklichkeit erklären. Jeder Nuklearkrieg würde unausweichlich zu einem Inferno und Tod, Krankheit und Leiden führen, ohne daß wirksame medizinische Hilfe möglich wäre. Dieser Tatbestand führt zu demselben Schluß, zu dem Ärzte angesichts mörderischer Epidemien der Geschichte gekommen sind: Da man ein solches Geschehen nicht kontrollieren kann, muß man es verhindern.«[59]
Diese medizinische Einsicht hat eine moralische Entsprechung. Traditionell hat die Morallehre der Kirche versucht, Krieg zuerst zu verhindern, und für den Fall, daß es dann doch zum Krieg kam, seine Folgen zu begrenzen. Heute sind die Möglichkeiten, einen Atomkrieg politisch und moralisch zu begrenzen, so minimal, daß die moralische Aufgabe wie die medizinische lautet: Kriegsverhütung! Als Volk müssen wir uns weigern, den Gedanken eines Atomkrieges für legitim zu erklären. Eine solche Weigerung erfordert nicht nur neue Ideen und neue Einsichten, sondern auch eine Bekehrung des Herzens, wie es die Bibel nennt.
Das »Nein« zum Atomkrieg ist eine notwendige und komplizierte Aufgabe. Wir stehen als Lehrer der Moral in einer Tradition, die immer bereit war, moralische Prinzipien mit konkreten Problemen zu verbinden. Besonders in diesem Brief konnten wir uns nicht damit zufrieden geben, einfach

allgemeine moralische Grundsätze neu zu formulieren oder bekannte Forderungen für die Ethik des Krieges zu wiederholen. Wir mußten mit Hilfe eines breiten Spektrums von Beratern unterschiedlicher Überzeugungen den Charakter der vorhandenen und geplanten Waffensysteme, die militärischen und politischen Grundsätze für ihren Einsatz und die Folgen ihres Gebrauchs untersuchen. Wir haben Personen konsultiert, die ihr Leben dem Protest gegen die bestehende Nuklearstrategie der Vereinigten Staaten widmen, und wir haben andere gefragt, die heute für diese Strategie verantwortlich sind oder es früher waren. Es war eine ernüchternde und verwirrende Erfahrung. Angesichts der Argumente der Zeugen und angesichts unseres eigenen Studiums, unseres Nachdenkens und unserer Beratungen müssen wir den Nuklearkrieg ablehnen. Aber wir fühlen uns verpflichtet, unser Urteil auf die einzelnen Aspekte der nuklearen Problematik zu beziehen.

Obwohl wir überzeugt sind, daß die gefährliche und so zerbrechliche nukleare Beziehung zwischen den Supermächten nicht sein sollte, wissen wir aber auch, wie sie entstanden ist. In einer Welt souveräner Staaten ohne Zentralgewalt, die über das Wissen verfügt, Atomwaffen herzustellen, wurden bestimmte Entscheidungen getroffen, die die Welt in die heutige gefährliche Situation gebracht haben; einige davon sind eindeutig zu beanstanden, während andere in guter Absicht gefällt wurden, jedoch zu unklaren Ergebnissen führten.

Wir sehen mit zunehmender Klarheit den politischen Wahnsinn eines Systems, das mit gemeinsamem Selbstmord droht; wir sehen den seelischen Schaden, den es bei normalen Menschen, besonders der Jugend, verursacht; wir sehen die Verzerrung wirtschaftlicher Prioritäten – Milliarden werden bereitwillig für Instrumente der Zerstörung ausgegeben, während in unseren gesetzgebenden Körperschaften täglich regelrechte Schlachten über wesentlich geringere Summen für Obdachlose, Hungernde und Hilflose hier und in aller Welt ausgefochten werden. Es ist jedoch viel weniger klar, wie wir das Nein zum Nuklearkrieg in die persönlichen und politischen Entscheidungen umsetzen, die uns in eine neue Richtung führen können, hin zu einer staatlichen Politik und zu einem internationalen System, die die Werte und die Vision des Reiches Gottes besser erkennen lassen.

Diese Spannungen in unserer Bewertung der Politik und Strategie des Atomzeitalters sind ein Spiegelbild der widerstreitenden Elemente des nuklearen Dilemmas und des Gleichgewichts des Schreckens, das daraus entstanden ist. Wir haben an früherer Stelle in diesem Brief gesagt, daß die Tatsache des Krieges ein Zeichen für die Sünde in der Welt ist. Die nukleare Bedrohung und die Gefahr, die sie für das Leben der Menschen und für die Zivilisation bedeutet, veranschaulicht auf eine qualitativ neue Weise den ewigen Kampf des politischen Gemeinwesens, den Einsatz von Gewalt, vor allem zwischen Staaten, einzudämmen.

Eben wegen der zerstörerischen Natur der Nuklearwaffen sind Strategien entwickelt worden, die früheren Generationen unverständlich gewesen wären. Heute werden militärische Vorbereitungen von gewaltigem Ausmaß und auf hochentwickeltem Niveau getroffen, aber der erklärte Zweck ist, die produzierten Waffen nicht zu benutzen. Drohungen werden ausgesprochen, deren Einlösung selbstmörderisch wäre. Der Schlüssel zur Sicherheit ist nicht länger nur militärische Geheimhaltung, denn in manchen Fällen kann man der Sicherheit am besten dienen, indem man den Gegner öffentlich davon unterrichtet, welche Waffen man hat und welche Pläne für ihren Einsatz existieren. Das Prinzip des Systems der Nationalstaaten – Souveränität bedeutete, daß man in der Lage sei, Territorium und Bevölkerung des eigenen Staates zu schützen –, eben dieses

Prinzip wird durch die nuklearen Potentiale der beiden Supermächte aufgehoben. In gewissem Sinne ist jeder auf Gnade oder Ungnade der Vorstellung des anderen ausgeliefert, welche Strategie »rational«, welche Art Schaden »inakzeptabel« und wie »überzeugend« die Drohung der einen Seite für die andere ist.

Unsere Moralbegriffe bekommen das politische Paradox der Abschreckung nicht mehr recht in den Griff. Darf ein Staat mit dem drohen, was er nie tun darf? Darf er besitzen, was er nie einsetzen darf? Wer steht jeweils hinter der Drohung der Supermächte: Vertreter der Regierung oder Militärs oder die Bürger, zu deren Verteidigung die Drohung ausgesprochen wird?

Kurz, es ist klar, wie gefährlich die Situation ist. Jedoch, wie man den Einsatz von Atomwaffen verhindern kann, wie man die Abschreckung bewerten und wie die moralische Verantwortung im Atomzeitalter beschreiben soll, läßt sich weniger klar sehen und formulieren. Angesichts der Komplexität der Nuklearfrage müssen unsere Argumente in diesem Hirtenbrief detailliert und nuanciert sein; aber unser Nein zum Atomkrieg muß am Schluß endgültig und entschieden ausfallen.

B. Hirtenamt und öffentliche Debatte

Die Verhinderung eines Nuklearkrieges erscheint aus verschiedenen Gesichtspunkten nicht nur als die sicherste, sondern auch als die einzige Möglichkeit, dessen zerstörerisches Potential zu begrenzen. Deshalb sehen wir unsere Aufgabe als Lehrer der Moral genau darin, eine öffentliche Meinung mit zu formen in der eindeutigen Absicht, allen Versuchen zu widerstehen, auf den Nuklearkrieg als Mittel staatlicher Politik zurückzugreifen. Wenn »Kriegsverhütung das einzige Heilmittel« ist, dann müssen verschiedene Aufgaben in Angriff genommen werden, um zu verhindern, was niemals geschehen darf. Als Bischöfe sehen wir eine besondere Aufgabe für uns in der Botschaft zum Weltfriedenstag von Papst Johannes Paul II. beschrieben:

»Die Menschen in leitender Position werden ja mit ihren Kräften allein den Frieden nicht errichten können. Einen sicheren Frieden kann man nur erreichen, wenn unerschütterliche Entschiedenheit aller Menschen guten Willens dahinter steht. Die Männer und Frauen in leitender Stellung müssen von einer öffentlichen Meinung getragen und motiviert sein, die sie ermutigt und ihnen gegebenenfalls auch ihre Mißbilligung ausdrückt.«[60]

Der Appell des Papstes, die öffentliche Meinung zu beeinflussen, ist keine abstrakte Aufgabe. Gerade in einer Demokratie kann die öffentliche Meinung politische und strategische Entscheidungen passiv hinnehmen, oder sie kann durch eine Reihe von Maßnahmen die Grenzen deutlich machen, die eine Regierung nicht überschreiten darf. Die »neue Lage« in der öffentlichen Debatte über die Nuklearwaffen schafft eine schöpferische Gelegenheit und eine moralische Verpflichtung, die Beziehungen zwischen öffentlicher Meinung und Politik zu untersuchen. Wir glauben, daß es um der Kriegsverhütung willen nötig ist, eine Schranke gegen die Vorstellung aufzubauen, daß ein Nuklearkrieg eine gangbare Verteidigungsstrategie sein kann. Es muß einen deutlichen öffentlichen Widerstand gegen das Gerede vom »gewinnbaren« Nuklearkrieg oder gegen unrealistische Erwartungen auf »Überleben« eines nuklearen Schlagabtausches und gegen Strategien eines »langandauernden Atomkrieges« geben. Wir wenden uns gegen solches Gerede.

Wir wollen die Öffentlichkeit zu einer Haltung ermutigen, die eindeutige Grenzen für das Handeln unserer eigenen Regierung und anderer Regierungen in Sachen Nuklearpolitik setzt. Wir glauben, daß Kirchenführer (?) eine gemeinsame Aufgabe mit politisch Verantwortlichen, Experten, privaten Organisationen und den Medien haben, die Grenzen zu setzen, über die unsere Militärpolitik weder in Worten noch in Taten hinausgehen darf. Einen moralischen Kurs in einer komplexen öffentlichen Politikdebatte festzulegen, erfordert mehrere Schritte. Wir wollen vier Fragen ansprechen und unsere Überlegungen dazu als eine Einladung zum öffentlichen Dialog über ethische Fragen anbieten:

1. der Einsatz von Nuklearwaffen;
2. die Politik der Abschreckung grundsätzlich und praktisch;
3. besondere Schritte zur Verminderung der Kriegsgefahr;
4. langfristige Maßnahmen der Politik und Diplomatie.

C. Der Einsatz von Atomwaffen

Wenn man in der Nukleardebatte moralische Richtlinien aufstellen will, muß man sich zuerst der Frage des Einsatzes von Atomwaffen zuwenden. Diese Frage hat mehrere Dimensionen.

Es ist klar, daß die Mitglieder der Kirche, nach deren Auslegung die Lehre des Evangeliums alle Gewalt verbietet, sich bedingungslos gegen jeden Einsatz von Kernwaffen wenden. In gewissem Sinne bestätigt und verstärkt die Existenz dieser Waffen einfach die ursprüngliche Erkenntnis der gewaltlosen Position, nämlich daß Christen keine todbringende Gewalt gebrauchen sollten, da die Hoffnung oft illusionär ist, Gewalt könnte selektiv und beschränkt eingesetzt werden. Die Atomwaffen scheinen dieses Argument in einer bisher nicht gekannten Weise zu belegen.

Für die Tradition, die unter bestimmten Bedingungen Gewalteinsatz als legitim anerkennt, gehen einige wichtige

Elemente der heutigen Nuklearstrategien über die Grenzen des moralisch zu Rechtfertigenden hinaus. Ein gerechtfertigter Einsatz von Gewalt muß sowohl zwischen Kombattanten und Nicht-Kombattanten unterscheiden als auch die Verhältnismäßigkeit der Mittel wahren. Gewisse Aspekte der Strategien der Vereinigten Staaten und der Sowjetunion genügen diesen beiden Anforderungen nicht, wie wir weiter unten untersuchen werden. Die Fachliteratur und die Zeugenaussagen von Regierungsvertretern, die mit der Nuklearstrategie der USA bestens vertraut sind, haben uns überzeugt, daß es höchst unwahrscheinlich ist, daß ein größerer nuklearer Schlagabtausch sich begrenzen ließe.[61]

Was die kompliziertere Frage des »begrenzten« Atomkriegs betrifft, kennen wir die ausführliche Literatur und Diskussion, die diese Frage ausgelöst hat.[62] Allgemein gesagt haben wir den Eindruck, daß kein Regierungsvertreter den folgenden Schluß der Untersuchung der päpstlichen Akademie der Wissenschaften widerlegen könnte:

»Selbst ein Atomangriff, der nur gegen militärische Ziele gerichtet wäre. würde für das ganze Land verheerend sein. Militärische Einrichtungen sind nämlich weit zerstreut und nicht auf einige wenige Punkte konzentriert. Darum würden viele Atomwaffen zur Explosion gebracht.

Außerdem würde die durch Wind und Vermischung von Luftschichten verbreitete Radioaktivität eine gewaltige Zahl von Menschen töten und weite Gebiete verseuchen. Die medizinischen Einrichtungen würden in keinem Land ausreichen, die Überlebenden zu versorgen. Eine objektive Prüfung der medizinischen Lage, die sich aus einem Atomkrieg ergeben würde, läßt nur den einzigen Schluß zu: Verhinderung ist unsere einzige Rettung.«[63]

Moralische Grundsätze und politische Entscheidung

Angesichts dieser Perspektiven behandeln wir drei Fragen ausführlich:

1. Krieg gegen die Zivilbevölkerung;
2. Ersteinsatz von Nuklearwaffen und
3. begrenzter Atomkrieg.

1. Krieg gegen die Zivilbevölkerung

Unter keinen Umständen dürfen Kernwaffen oder andere Massenvernichtungsmittel zum Zweck der Vernichtung von Bevölkerungszentren oder anderen vorwiegend zivilen Zielen benutzt werden. Die Päpste haben immer wieder den »totalen Krieg« verurteilt, der sich aus einem solchen Einsatz ergibt. Zum Beispiel hat Papst Pius XII. schon 1954 Krieg mit Atomwaffen verurteilt, »wenn er sich der Kontrolle des Menschen völlig entzieht« und »einfachhin in der Vernichtung allen Menschenlebens innerhalb des Wirkungsbereiches« endet.[64] Das Zweite Vatikanische Konzil hat die Verurteilung wiederholt:

»Jede Kriegshandlung, die auf die Vernichtung ganzer Städte oder weiter Gebiete und ihrer Bevölkerung unterschiedslos abstellt, ist ein Verbrechen gegen Gott und gegen den Menschen, das fest und entschieden zu verwerfen ist.«[65]

Auch Vergeltungsaktionen, seien sie nuklearer oder konventioneller Art, die unterschiedslos vielen völlig unschuldigen Menschen das Leben nehmen würden, Menschen, die in keiner Weise für rücksichtslose Handlungen ihrer Regierung verantwortlich sind, müssen verurteilt werden. Diese Verurteilung gilt nach unserem Verständnis sogar für den Einsatz von Vergeltungswaffen gegen feindliche Städte, nachdem unsere eigenen Städte bereits angegriffen wurden. Kein

Christ hat das Recht, Befehle oder Maßnahmen auszuführen, die bewußt auf die Tötung von Nicht-Kombattanten abzielen.[66]

Wir stellen dieses Urteil an den Anfang unserer Behandlung der Nuklearstrategie, gerade deshalb, weil die Verteidigung des Prinzips der Immunität von Nicht-Kombattanten so wichtig für eine Ethik des Krieges ist und weil das Nuklearzeitalter dieses Prinzip vor so außerordentliche Probleme stellt. An einer späteren Stelle dieses Briefes werden wir besondere Aspekte der Politik der Vereinigten Staaten diskutieren vor dem Hintergrund dieses Prinzips und neueren Äußerungen der amerikanischen Politik, in denen die Entschlossenheit betont wird, weder direkt noch indirekt Zivilbevölkerung zum Ziel eines Angriffs zu machen. Unsere Sorge um die Wahrung des ethischen Wertes der Immunität von Nicht-Kombattanten erfordert jedoch, daß wir als erstes Wort zu dieser Frage den Grundsatz klar und deutlich bekräftigen.

2. Der Ersteinsatz von Nuklearwaffen

Wir können uns keine Situation vorstellen, in der die vorbedachte Einleitung nuklearer Kriegführung, und sei sie noch so begrenzt, moralisch gerechtfertigt werden könnte. Nicht-nuklearen Angriffen anderer Staaten muß mit anderen als nuklearen Mitteln begegnet werden. Daher besteht eine ernste moralische Verpflichtung, so schnell wie möglich nicht-nukleare Verteidigungsstrategien zu entwickeln.

Über diese Frage ist eine ernste Debatte im Gange.[67] Sie wird mit politischen Kategorien geführt, aber sie hat auch eine bedeutende moralische Dimension. Man hat argumentiert, daß ganz zu Beginn eines Krieges Kernwaffen eingesetzt werden könnten, und zwar nur gegen militärische Ziele und vielleicht in begrenzter Zahl. Es ist in der Tat schon lange amerikanische und NATO-Politik, Kernwaffen, vor allem die sogenannten taktischen Kernwaffen, einzusetzen für den Fall, daß die NATO-Streitkräfte in Europa in Gefahr scheinen, einen Konflikt zu verlieren, der bis dahin auf konventionelle Waffen beschränkt war. Die NATO-Streitkräfte haben heute in Europa eine große Zahl taktischer Nuklearwaffen stationiert, die Sowjetunion hat etwa ebenso viele. Einige sind wesentlich kleiner als die Hiroshima-Bombe, andere sind größer. Wenn man eine Vielzahl dieser Waffen einsetzte, würden sie die dicht bevölkerten Länder West- und Mitteleuropas völlig verwüsten.

Ob bei einem Krieg in Europa, in asiatischen Gebieten oder dem Mittleren Osten oder bei einem direkten Schlagabtausch mit strategischen Waffen zwischen den Vereinigten Staaten und der Sowjetunion – die Schwierigkeiten, den Einsatz von Kernwaffen zu begrenzen, sind ungeheuer. Eine Reihe von Experten haben ausgesagt, daß Kommandeure unter Kampfbedingungen wahrscheinlich nicht in der Lage wären, eine strikte Kontrolle auszuüben; die Anzahl der eingesetzten Waffen würden rapide steigen, die Ziele würden über die militärischen hinaus ausgedehnt und die Opfer unter der Zivilbevölkerung würden enorm ansteigen.[68] Niemand kann sicher sein, daß diese Eskalation nicht stattfände, auch nicht, wenn man politisch versucht, einen solchen Schlagabtausch zu »begrenzen«. Die Chancen für einen begrenzten Einsatz sind gering, und die Folgen einer Eskalation in die Massenvernichtung wären entsetzlich. Frühere Regierungsmitglieder haben versichert, es sei unwahrscheinlich, daß man einen Atomkrieg wirklich begrenzt halten könnte. Ihre Aussage und die Konsequenzen, die dieses Problem in sich birgt, führen uns zu dem Schluß, daß die Gefahr einer Eskalation so groß ist, daß es moralisch nicht zu rechtfertigen ist, in irgendeiner Form einen Atomkrieg zu beginnen. Die Gefahr liegt nicht allein in der Technik unserer Waffensysteme, sondern in der Schwäche und Sündhaftigkeit der menschlichen Gemeinschaften. Wir sind der Ansicht, die moralische Verantwortung für den Beginn eines Atomkrieges ist nicht durch rationale politische Ziele zu rechtfertigen.

Dies Urteil unterstreicht, daß die Bereitschaft, einen Atomkrieg anzufangen, eine besondere und schwerwiegende moralische Verantwortung mit sich bringt; denn damit wird eine kritische Schwelle überschritten – politisch, psychologisch und moralisch –, die seit 1945 errichtet worden ist. Wir äußern in diesem Brief wiederholt größere Skepsis hinsichtlich der Aussichten einen atomaren Schlagabtausch unter Kontrolle zu halten, wie begrenzt auch immer der Ersteinsatz sein mag. Es ist diese Skepsis, die uns zu dem Urteil führt, daß der Rückgriff auf Nuklearwaffen als Antwort auf einen konventionellen Angriff moralisch nicht zu rechtfertigen ist.[69] Folglich bemühen wir uns, die Barriere gegen jeden Einsatz von Kernwaffen zu verstärken. Unsere Unterstützung für eine Politik, die auf den Ersteinsatz verzichtet, muß in diesem Zusammenhang gesehen werden.

Gleichzeitig erkennen wir an, daß die Vereinigten Staaten die Verantwortung hatten und weiterhin haben, ihren Verbündeten bei der Verteidigung gegen einen konventionellen oder nuklearen Angriff beizustehen. Besonders in Europa könnten Kernwaffen für eine gewisse Zeit erforderlich sein, um von einem *nuklearen* Angriff abzuschrecken, wenn auch ihr Besitz und ihre Stationierung strengen Einschränkungen unterworfen werden müssen.

Die Notwendigkeit, Europa gegen einen konventionellen Angriff zu verteidigen, legt die politische und moralische Verpflichtung auf, angemessene alternative Verteidigungsformen zu der gegenwärtigen Abhängigkeit von Kernwaffen zu entwickeln. Selbst bei größten gemeinsamen Anstrengungen – die angesichts der derzeitigen politischen Meinungsverschiedenheiten in dieser Frage kaum wahrscheinlich sind – braucht es seine Zeit, bis ein alternatives Verteidigungskonzept erarbeitet ist.

In der Zwischenzeit beruht die Abschreckung gegen einen konventionellen Angriff auf zwei Faktoren: den keineswegs unbeträchtlichen konventionellen Streitkräften, die der NATO zur Verfügung stehen, und der Einsicht des potentiellen Angreifers, daß der Ausbruch eines ausgedehnten konventionellen Krieges durch Zufall oder Fehleinschätzung einer der beiden Seiten zu einem nuklearen Krieg eskalieren könnte. Wir sind uns bewußt, daß die Weigerung der NATO, sich zu einem Verzicht auf den Ersteinsatz zu verpflichten, zu einem gewissen Grad mit dem Abschreckungseffekt der mit dem Eskalationsrisiko verbundenen Unberechenbarkeit zusammenhängt. Wir dringen angesichts der wahrscheinlichen Folgen der Auslösung eines Nuklearkrieges trotzdem darauf, daß sich die NATO zügig in Richtung auf einen Verzicht auf den Ersteinsatz bewegt, aber gleichzeitig ein angemessenes alternatives Verteidigungskonzept entwickelt.

3. Begrenzter Nuklearkrieg

Es wäre möglich, daß jemand unseren ersten beiden Schlußfolgerungen zustimmt und sich dennoch unsicher fühlt im Hinblick auf den Einsatz von Nuklearwaffen zur Vergeltung in einem sogenannten »begrenzten Schlagabtausch«. Worum es hier geht, ist die *reale* Möglichkeit eines »begrenzten atomaren Schlagabtauschs« im Gegensatz zur *theoretischen* Möglichkeit.

Wir sehen ein, daß die Strategiedebatte über diese Frage noch nicht abgeschlossen ist und daß alle Teilnehmer auf

Vermutungen über wahrscheinliche Reaktionen in einem atomaren Schlagabtausch angewiesen sind. Wir versuchen nicht, die Fachdebatte zu entscheiden, aber wir wissen um sie und möchten eine Reihe von Fragen aufwerfen, um die tatsächliche Bedeutung des Wortes »begrenzt« in dieser Diskussion zu prüfen:

- Wären die Politiker bei einem nuklearen Schlagabtausch ausreichend informiert, um zu wissen, was vor sich geht?
- Könnten sie trotz Streß, Zeitdruck und bruchstückhafter Information die außerordentlich präzisen Entscheidungen treffen, die notwendig wären, um den Schlagabtausch begrenzt zu halten, vorausgesetzt, es sei technisch möglich?
- Wäre die militärische Führung in der Lage, inmitten der Zerstörung und Konfusion bei einem nuklearen Schlagabtausch eine zwischen verschiedenen Zielkategorien genau unterscheidende Einsatzplanung durchzuhalten? Geht das überhaupt in einem modernen Krieg, der über große Entfernungen hinweg mit Flugzeugen und Raketen geführt wird?
- In Kenntnis der Störfälle, die sich schon in Friedenszeiten ereignen, fragen wir uns: Welche Sicherheiten haben wir, daß Computerfehler während eines nuklearen Schlagabtauschs verhindert werden können?
- Würde nicht die Zahl der Opfer, selbst in einem Krieg, den die Strategen »begrenzt« nennen, in Millionenhöhe liegen?
- Wie »begrenzt« wären die Langzeitfolgen der Strahlung, der Hungersnöte, des Auseinanderfallens sozialer Bezüge und der Erschütterung der Wirtschaft?

Solange diese Fragen nicht befriedigend beantwortet werden können, bleiben wir höchst skeptisch hinsichtlich der wirklichen Bedeutung von »begrenzt«. Ein Kriterium der Lehre vom gerechten Krieg ist, daß begründete Hoffnung bestehen muß, Gerechtigkeit und Frieden zu schaffen. Wir müssen fragen, ob eine solche begründete Hoffnung besteht, wenn einmal ein nuklearer Schlagabtausch stattgefunden hat. Die Beweislast liegt bei denen, die behaupten, daß eine sinnvolle Begrenzung möglich sei.

Ein nuklearer Gegenschlag auf einen konventionellen oder nuklearen Angriff kann Zerstörungen verursachen, die weit über eine »legitime Verteidigung« hinausgehen. Ein solcher Einsatz von Kernwaffen, wäre nicht gerechtfertigt.

Angesichts dieser beängstigenden und höchst spekulativen Debatte über eine Angelegenheit, die Millionen von Menschenleben betrifft, glauben wir, daß der wirkungsvollste Beitrag der moralischen Urteilsfähigkeit darin besteht, Kriterien aufzustellen, mit deren Hilfe wir die Fachdiskussion bewerten können. Die ethische Betrachtungsweise sollte nicht nur die quantitative Dimension einer Frage berücksichtigen, sondern auch die psychologischen, menschlichen und religiösen Aspekte. Bei dem Problem des begrenzten Krieges geht es nicht einfach um den Umfang der in Aussicht genommenen Waffen oder die geplanten Strategien. Zur Debatte gehört auch, was es politisch und psychologisch bedeutet, wenn die Grenze vom konventionellen zum atomaren Bereich in irgendeiner Form überschritten wird. Diese Schwelle zu überschreiten, heißt in eine Welt einzutreten, in der wir keine Erfahrungen mit der Kontrolle haben, wohl aber viele Zeugnisse, die gegen eine solche Möglichkeit sprechen; wir haben daher keine moralische Rechtfertigung, die Menschheit einem solchen Risiko auszusetzen.[70] Wir sind deshalb der Ansicht, daß das oberste Gebot ist, jeden Einsatz von Kernwaffen zu verhindern, und wir hoffen, daß die Verantwortlichen der Vorstellung widerstehen, ein nuklearer Konflikt könne in irgendeinem traditionellen Sinne begrenzt gehalten oder gewonnen werden.

D. Theorie und Praxis der Abschreckung

Die moralische Herausforderung durch die Atomwaffen erschöpft sich nicht in einer Analyse ihres möglichen Einsatzes. Ein Großteil der politischen und moralischen Debatte des Atomzeitalters betrifft die Strategie der Abschreckung. Abschreckung bildet den Kern der Beziehung zwischen den USA und der Sowjetunion, gegenwärtig die gefährlichste Dimension des atomaren Wettrüstens.

1. Konzept und Entwicklung der Abschreckungspolitik

Das Abschreckungsprinzip bestand in der Militärstrategie schon lange vor dem Atomzeitalter, hat aber seit 1945 eine neue Bedeutung bekommen. Abschreckung bedeutet im wesentlichen, »einen potentiellen Gegner davon abzuhalten, einen Angriff zu starten oder einen Konflikt auszulösen, oft durch Androhung einer Vergeltung mit untragbarem Schaden«.[71] Im Atomzeitalter ist die Abschreckung zum Kernstück der amerikanischen wie der sowjetischen Politik geworden. Beide Supermächte sind nunmehr seit vielen Jahren in der Lage, einen Vergeltungsschlag in Aussicht zu stellen, der »untragbaren Schaden« verursachen kann. Eine Abschreckung, die die Stabilität des Systems nicht gefährdet, hängt davon ab, ob jede Seite imstande ist, ihr eigenes Vergeltungspotential so aufzustellen, daß es bei einem Angriff nicht verwundbar (d.h. gegen einen »Erstschlag« geschützt) ist; Stabilität zu wahren, erfordert die Bereitschaft auf beiden Seiten, keine Waffen aufzustellen, die allem Anschein nach für den Erstschlag geeignet sind.

Diese allgemeine Definition von Abschreckung erklärt weder die einzelnen Elemente der Abschreckungsstrategie noch die Entwicklung der Abschreckungspolitik seit 1945. Eine ins Detail gehende Beschreibung der beiden Themen würde eine ausführliche Abhandlung erfordern auf der Grundlage von Materialien, die in der Fachliteratur zum Thema Abschreckung im Überfluß vorhanden sind.[72] Von besonderer Bedeutung ist das Verhältnis von »erklärter Strategie« (der öffentlichen Interpretation unserer strategischen Absichten und Fähigkeiten) und »tatsächlicher Nuklearplanung« (die tatsächliche Planung für die Kriegführung und Zielabdekkung für den Fall eines nuklearen Angriffs).

Die Entwicklung der Abschreckungsstrategie hat mehrere Stufen der erklärten Doktrin durchlaufen. Nimmt man die USA als Beispiel, so besteht ein wesentlicher Unterschied zwischen »massiver Vergeltung« (massive retaliation) und »flexibler Reaktion« (flexible response) und zwischen »wechselseitig gesicherter Zerstörung« (mutual assured destruction) und »Strategie des Gegengewichts« (countervailing strategy). Man kann auch unterscheiden zwischen einer Einsatzplanung gegen militärische (counterforce) bzw. gegen zivile Ziele (countervalue) und eine »minimale Abschreckung« der »erweiterten« (extended deterrence) gegenüberstellen. Diese Begriffe sind in der Fachdebatte über die Nuklearpolitik geläufig; weniger bekannt sind sie in der breiteren öffentlichen Diskussion, wo diese Begriffe manchmal ungenau gebraucht werden. Es ist wichtig zu wissen, daß die »tatsächliche Nuklearplanung« in den Vereinigten Staaten im wesentlichen gleich geblieben ist, obwohl sich die »erklärte Strategie« wiederholt wirklich verändert hat.[73]

Wenn man diese verschiedenen Ebenen der Instrumente und der Politik der Abschreckung und ihrer Entwicklung erkennt, kann man die moralische Bewertung der Abschreckung nur aufgrund einer Reihe differenzierter Beurteilungen vornehmen. Dazu gehören: eine Analyse der *tatsächlichen Ausgestaltung* der Abschreckungsmittel (z.B. was alles zur Zielplanung gehört), eine Analyse der *historischen Entwick-*

lung der erklärten Strategie (z. B. ob sich Veränderungen vollzogen haben, die wesentlich für die moralische Analyse sind), das Verhältnis zwischen Abschreckungspolitik und anderen Aspekten der *amerikanisch-sowjetischen Beziehungen* sowie die Bestimmung der von der Abschreckungspolitik aufgeworfenen *moralischen Schlüsselfragen.*

2. Moralische Beurteilung der Abschreckung

Die neuen Dimensionen, die für die nukleare Abschreckung charakteristisch sind, wurden von Politikern und Strategieexperten erst nach langem Nachdenken erkannt. Ebenso hat man die moralische Herausforderung durch die Abschreckung erst nach gründlicher Überlegung begriffen. Das moralische und politische Dilemma der Abschreckung wurde vom Zweiten Vatikanischen Konzil prägnant formuliert:

»Die wissenschaftlichen Waffen werden nun allerdings nicht nur zum Einsatz im Kriegsfall angehäuft. Weil man meint, daß die Stärke der Verteidigung von der Fähigkeit abhänge, bei einem Angriff des Gegners blitzartig zurückzuschlagen, dient diese noch jährlich wachsende Anhäufung von Waffen dazu, auf diese ungewöhnliche Art mögliche Gegner abzuschrecken. Viele halten dies heute für das wirksamste Mittel, einen gewissen Frieden zwischen den Völkern zu sichern.

Wie immer man auch zu dieser Methode der Abschreckung stehen mag – die Menschen sollten überzeugt sein, daß der Rüstungswettlauf, zu dem nicht wenige Nationen Zuflucht nehmen, kein sicherer Weg ist, den Frieden zu sichern, und daß das daraus sich ergebende sogenannte Gleichgewicht kein sicherer und wirklicher Friede ist. Statt daß dieser die Ursachen des Krieges beseitigt, drohen diese dadurch sogar eher weiter zuzunehmen. Während man riesige Summen für die Herstellung immer neuer Waffen ausgibt, kann man nicht genügend Hilfsmittel bereitstellen zur Bekämpfung all des Elends in der heutigen Welt. Anstatt die Spannungen zwischen den Völkern wirklich und gründlich zu lösen, überträgt man sie noch auf andere Erdteile. Neue Wege, von einer inneren Wandlung aus beginnend, müssen gewählt werden, um dieses Ärgernis zu beseitigen, die Welt von der drückenden Angst zu befreien und ihr den wahren Frieden zu schenken.«[74]

Ohne ein direktes moralisches Urteil über die Abschreckung auszusprechen, hat das Konzil die Elemente des Rüstungswettlaufs klar benannt: Die Spannung zwischen einem »gewissen Frieden«, den die Abschreckung sichert, und einem wirklichen Frieden, der für die Stabilität des internationalen Lebens erforderlich ist; der Widerspruch zwischen dem, was für Zerstörungskapazität ausgegeben wird, und dem, was für eine konstruktive Entwicklung notwendig ist.

In der nach-konziliaren Bewertung von Krieg und Frieden und besonders der Abschreckung haben sich verschiedene Gruppierungen in der politisch-moralischen Diskussion innerhalb der Kirche und in der Gesellschaft auf den einen oder anderen Aspekt des Problems konzentriert. Für einige ist die Tatsache, daß die Atomwaffen seit 1945 nicht mehr eingesetzt wurden, ein Beweis dafür, daß die Abschreckung funktioniert und damit der Forderung der Politik und der Moral Genüge getan sei. Andere bestreiten diese Einschätzung. Sie weisen auf das Risiko des Scheiterns hin, wenn man sich weiter auf die Abschreckung verläßt; sie machen darauf aufmerksam, was für eine Katastrophe auch nur ein einziges Scheitern politisch und moralisch bedeuten würde. Wieder andere weisen darauf hin, daß die Tatsache, daß es bisher keinen Atomkrieg gegeben hat, noch nicht unbedingt ein Beweis dafür sei, daß die Politik der Abschreckung ihn verhindert habe. Manche sehen sogar in der Abschreckungspolitik die treibende Kraft für den Rüstungswettlauf der Supermächte. Noch andere Beobachter, darunter viele katholische Moraltheologen, betonen, daß unter ethischen Gesichtspunkten die Abschreckung nicht die Absicht einschließen darf, vorsätzlich Zivilbevölkerung oder Nicht-Kombattanten anzugreifen.

Die Aussagen der amerikanischen Bischofskonferenz der letzten Jahre haben die allgemeine ethische Debatte über die Abschreckung aufgenommen und dazu beigetragen. Im Hirtenbrief »To Live in Christ Jesus« (Leben in Christus Jesus) von 1976 haben wir uns auf die moralischen Grenzen der »erklärten Strategie« konzentriert und gleichzeitig stärkere Maßnahmen zur Rüstungskontrolle gefordert.[75] Als Kardinal Krol 1979 für die katholischen Bischöfe die Ratifizierung von SALT II befürwortete, lenkte er die Aufmerksamkeit auf die anderen Aspekte des Abschreckungsproblems: Der tatsächliche Einsatz von Kernwaffen mag verhindert worden sein (ein moralisches Gut), aber das Risiko des Scheiterns der Abschreckung und der physische und moralische Schaden als Ergebnis eines möglichen Atomkrieges blieben.

»Dies erklärt«, stellte Kardinal Krol fest, »warum die katholische Kirche mit der nuklearen Abschreckung unzufrieden ist und dringend eine Umkehrung des atomaren Rüstungswettlaufs fordert. Es ist äußerst wichtig, daß die Verhandlungen zu wesentlichen und andauernden Verminderungen der Kernwaffen-Vorräte hinführen, bis schließlich die nukleare Abschreckung und die Drohung der wechselseitig gesicherten Zerstörung gänzlich beseitigt sind.«[76]

Diese beiden Texte haben zusammen mit der Erklärung des Konzils die Haltung der katholischen Kirche zur Nuklearfrage in jüngster Zeit erheblich beeinflußt.

Im Juni 1982 vermittelte Papst Johannes Paul II. der moralischen Analyse neue Anstöße und Einsichten mit seiner

Botschaft an die 2. Sondergeneralversammlung der Vereinten Nationen für Abrüstung. Der Papst stellte zuerst das Problem der Abschreckung in den Kontext der Weltpolitik. Keine Macht, so sagte er, wird zugeben, daß sie einen Krieg anfangen will, aber jeder mißtraut dem anderen und betrachtet es als notwendig, eine starke Verteidigung gegen einen Angriff aufzubauen. Dann setzte er sich mit dem Konzept der Abschreckung auseinander:

»Viele meinen sogar, daß eine solche militärische Vorbereitung einen Weg darstelle –, um den Frieden zu bewahren oder zumindest soweit als möglich und auf wirksamste Weise die Entstehung von Konflikten, vor allem von großen Konflikten, zu verhindern, die schließlich zum letzten Holocaust der Menschheit und zur Vernichtung der Zivilisation führen würde, die der Mensch im Laufe von Jahrhunderten mühsam aufgebaut hat.

Das ist, wie man sieht, noch immer die ›Friedensphilosophie‹, die in dem altrömischen Grundsatz verkündet wird: *Si vis pacem, para bellum, Willst du den Frieden, rüste zum Krieg!* In moderne Begriffe übersetzt, hat diese ›Philosophie‹ den Namen ›Abschreckung‹ angenommen und verbirgt sich hinter der Suche nach einem ›Gleichgewicht der Kräfte‹, das manchmal nicht ohne Grund als ›Gleichgewicht des Schreckens‹ bezeichnet wurde.«[77]

Nach dieser Darlegung des Grundprinzips der Abschreckung bringt der Heilige Vater seine Überlegungen zur Abrüstung vor, besonders, aber nicht nur, zur nuklearen Abrüstung. Papst Johannes Paul II. nimmt wie folgt zur Moralität der Abschreckung Stellung:

»Unter den gegenwärtigen Bedingungen kann eine auf dem Gleichgewicht beruhende Abschreckung – natürlich nicht als ein Ziel an sich, sondern als ein Abschnitt auf dem Weg einer fortschreitenden Abrüstung – noch für moralisch annehmbar gehalten werden. Um jedoch den Frieden sicherzustellen, ist es unerläßlich, daß man sich nicht mit einem Minimum zufrieden gibt, das immer von einer wirklichen Explosionsgefahr belastet ist.«[78]

In der Bewertung von Papst Johannes Paul II. erkennen wir zwei Seiten des gegenwärtigen Abschreckungsdilemmas. Da ist einmal die Gefahr eines Atomkriegs mit seinen menschlichen und moralischen Kosten. Der Besitz von Kernwaffen, das anhaltende quantitative Wachstum des Rüstungswettlaufs und die Gefahr der Weiterverbreitung von Kernwaffen – all das weist auf die ernste Gefahr hin, die darin besteht, daß man einen »gewissen Frieden« auf Abschreckung gründet. Der andere Gesichtspunkt ist die Unabhängigkeit und Freiheit der Staaten und ganzer Völker einschließlich der Notwendigkeit, kleinere Staaten vor einer Bedrohung ihrer Unabhängigkeit und Integrität zu schützen. Abschreckung ist ein Zeichen für das radikale Mißtrauen, das die internationale Politik kennzeichnet. Papst Johannes XXIII. hat dies in »Pacem in Terris« als ein Hauptproblem benannt, und die Päpste Paul VI. und Johannes Paul II. haben das bestätigt. Daher kann ein Gleichgewicht der Kräfte, das beide Seiten hindert, ein Übergewicht zu erlangen, als ein Mittel betrachtet werden, beiden Gesichtspunkten gerecht zu werden.

Heute sind wir moralisch verpflichtet zu verhindern, daß jemals ein Atomkrieg stattfindet, *und* jene Grundwerte der Gerechtigkeit, Freiheit und Unabhängigkeit zu schützen und zu bewahren, die für die persönliche Würde und die nationale Integrität notwendig sind. Im Hinblick auf diese Probleme kommt Papst Johannes Paul II. zu dem Urteil, daß Abschreckung noch als moralisch annehmbar gelten kann, »gewiß nicht als Ziel an sich, aber als Abschnitt auf dem Weg zu einer fortschreitenden Abrüstung«.

Bei mehr als einer Gelegenheit hat der Heilige Vater gezeigt, daß er sich der Zerbrechlichkeit und Komplexität des Abschreckungsverhältnisses zwischen den Nationen bewußt ist. Vor der UNESCO sagte er im Juni 1980: »Bis vor kurzem hat man noch behauptet, die Nuklearwaffen seien ein Mittel der Abschreckung, das den Ausbruch eines größeren Krieges verhindert, und das stimmt vermutlich. Man kann sich aber fragen, ob das immer so bleiben wird.«[79]

In einer neueren und spezifischeren Äußerung sagte Papst Johannes Paul II. vor einem internationalen Treffen von Wissenschaftlern am 23. August 1982: »Sie können leichter nachprüfen, daß die Logik der nuklearen Abschreckung nicht als letztes Ziel oder als angemessenes und zuverlässiges Mittel zur Sicherung des internationalen Friedens angesehen werden kann.«[80]

Wenn man die allgemeinen Aussagen von Papst Johannes Paul II. auf die spezifischen Maßnahmen der amerikanischen Abschreckungspolitik anwenden will, muß man sowohl die Tatsachen beurteilen als auch moralische Maßstäbe anlegen. Bei der Vorbereitung dieses Briefes haben wir versucht, aufgrund einer Reihe von Quellen die tatsächliche Ausgestaltung der Abschreckungsstrategie der Vereinigten Staaten so genau wie möglich zu bestimmen. Zwei Fragen haben uns dabei besonders beschäftigt: 1. die Zielplanung und die Strategien für den Einsatz der Abschreckungsmittel, insbesondere welche Verluste sie unter der Zivilbevölkerung bewirken würden, und 2. die Beziehung zwischen Abschreckungsstrategie und nuklearer Kriegführungsfähigkeit auf der einen Seite und der Wahrscheinlichkeit, daß ein Krieg tatsächlich verhindert wird, auf der anderen.

Moralische Grundsätze und politische Entscheidung

Die Zielplanung wirft wichtige moralische Fragen auf, weil sie im wesentlichen bestimmt, was geschehen würde, wenn Atomwaffen je zum Einsatz kommen sollten. Obwohl wir anerkennen, daß Abschreckungsmittel nötig sind, sind doch nicht alle Formen der Abschreckung moralisch akzeptabel. Es gibt moralische Grenzen für die Abschreckungspolitik wie auch für den tatsächlichen Einsatz. Insbesondere ist die Absicht, Unschuldige zu töten, im Rahmen einer den Nuklearkrieg abschreckenden Strategie moralisch nicht akzeptabel. Die Frage, ob die Politik der Vereinigten Staaten die Absicht einschließt, Bevölkerungszentren zu treffen (direkt auf Zivilbevölkerung zu zielen), hat uns bei der Tatsachenprüfung beschäftigt.

Diese komplexe Frage hat immer vielfältige Antworten offiziellen wie inoffiziellen Charakters hervorgerufen. Die bischöfliche Kommission hat eine Reihe von Stellungnahmen von Angehörigen der US-Regierung erhalten, die die praktische Politik erläutern.[81] Daraus geht im wesentlichen hervor, daß es nicht Teil der amerikanischen Zielplanung ist, auf die sowjetische Zivilbevölkerung als solche zu zielen oder bewußt Kernwaffen einzusetzen mit der Absicht, Bevölkerungszentren zu zerstören.

Diese Äußerungen entsprechen zumindest im Prinzip einem moralischen Kriterium für die Bewertung der Abschreckungspolitik: Nicht-Kombattanten sind von direkten Angriffen durch konventionelle oder nukleare Waffen ausgenommen.

Die Äußerungen bieten jedoch keine Antwort oder Lösung an für ein anderes, sehr beunruhigendes moralisches Problem, nämlich daß ein Angriff auf militärische oder militärisch wichtige industrielle Ziele zu »indirekten« (d.h. nicht beabsichtigten), aber schweren Verlusten unter der Zivilbevölkerung führen könnte. Wir haben z.B. erfahren, daß die nuklearstrategische Zielplanung der Vereinigten Staaten (SIOP = Single Integrated Operational Plan) 60 »militärische« Ziele allein in der Stadt Moskau ausgemacht hat, und daß 40000 »militärische« Ziele für Kernwaffen in der ganzen Sowjetunion identifiziert worden sind.[82] Es ist wichtig zu sehen, daß die Politik der Sowjetunion der gleichen moralischen Beurteilung unterliegen muß; Angriffe auf mehrere »industrielle« oder politisch relevante Ziele in den Vereinigten Staaten könnten schwere Verluste unter der Zivilbevölkerung hervorrufen. Die Anzahl der Zivilisten, die durch solche Angriffe unvermeidlich getötet würden, ist grauenerregend.[83] Dies Problem ist nicht zu vermeiden, weil moderne militärische Einrichtungen und Produktionsstätten so stark mit zivilen Wohn- und Arbeitsgebieten vermischt sind. Das Problem wird noch verschärft, wenn eine Seite bewußt militärische Ziele mitten unter der Zivilbevölkerung plaziert.

Bei unseren Beratungen haben Angehörige der Regierung offen zugegeben, daß sie zwar hofften, einen nuklearen Schlagabtausch begrenzt halten zu können, aber doch, wenn nötig, zu einem massiven Vergeltungsschlag bereit seien. Sie stimmten auch zu, daß die Verluste unter der Zivilbevölkerung schnell wahrhaft katastrophale Ausmaße annehmen würden, wenn erst einmal eine beträchtliche Zahl von Waffen zum Einsatz kämen. Selbst bei Angriffen, die auf »militärische« Ziele beschränkt blieben, würde sich die Zahl der Toten bei einem größeren Schlagabtausch kaum von dem unterscheiden, was passierte, wenn Bevölkerungszentren vorsätzlich und direkt getroffen werden. Diese Möglichkeiten stellen uns vor eine andere moralische Frage und müssen mit einem anderen moralischen Kriterium beurteilt werden: dem Prinzip der Verhältnismäßigkeit.

Nun mag man bei der Beurteilung der Verhältnismäßigkeit

immer geteilter Meinung sein; aber es gibt Handlungen, die eindeutig als unverhältnismäßig eingestuft werden können. Sich ausschließlich an das Prinzip der Immunität von Nicht-Kombattanten als Kriterium für die Politik zu halten, ist ein unzureichender moralischer Standpunkt, denn er ignoriert einige üble und nicht annehmbare Folgen. Wenn man versichert, daß man die Absicht habe, Zivilisten nicht direkt zu treffen oder daß man alle Anstrengungen unternehme, um diese Absicht auch zu verwirklichen, so können wir uns doch nicht damit allein als »moralische Rechtfertigung« für den Einsatz von Kernwaffen zufrieden geben.

Die Lage von industriellen oder militärisch bedeutenden wirtschaftlichen Zielen innerhalb dicht besiedelter Gebiete oder in solchen Gebieten, die von radioaktivem Niederschlag betroffen wären, könnte durchaus zu solch massiven Verlusten unter der Zivilbevölkerung führen, daß nach unserem Urteil ein solcher Schlag als moralisch unverhältnismäßig anzusehen wäre, auch wenn er nicht vorsätzlich auf die unterschiedslose Zerstörung abzielt.

Das Problem ist nicht einfach, Waffen von so hoher Treffgenauigkeit zu produzieren, daß die Verluste unter der Zivilbevölkerung möglichst gering gehalten werden könnten; das eigentliche Problem ist die Erhöhung des Eskalationsrisikos bis auf eine Ebene, wo viele, auch »selektiv einsetzbare« Waffen in ihrer Gesamtheit eine sehr große Anzahl von Zivilisten töten würden. Diese Verluste entstünden unmittelbar und durch Langzeitwirkung der sozialen und ökonomischen Verwüstung.

Eine zweite Frage, die uns bewegt, ist das Verhältnis von Abschreckungsdoktrin und Kriegführungsstrategien. Wir kennen das Argument, die Kriegführungsfähigkeiten erhöhten die Glaubwürdigkeit der Abschreckung, insbesondere im Rahmen der erweiterten Abschreckung (extended deterrence). Aber die Entwicklung solcher Fähigkeiten wirft

andere strategische und moralische Fragen auf. Die Beziehung zwischen Kriegführungsfähigkeiten und Zielplanung ist ein Beispiel für die schwierigen Entscheidungen auf diesem politischen Gebiet. Die Zivilbevölkerung anzugreifen, würde das Prinzip der Unterscheidung (zwischen Kombattanten und Nicht-Kombattanten) verletzen – eines der zentralen moralischen Prinzipien der christlichen Ethik des Krieges. Aber eine Einsatzplanung gegen militärische Ziele (counterforce targeting), zwar vom Standpunkt des Schutzes der Zivilbevölkerung vorzuziehen, geht oft mit einer deklaratorischen Politik einher, die den Eindruck vermittelt, daß ein Atomkrieg eindeutigen rationalen und moralischen Grenzen unterworfen werden kann. Wir haben bereits unsere erheblichen Zweifel an solchen Vorstellungen geäußert. Außerdem könnte eine nur gegen militärische Ziele gerichtete Strategie (counterforce) als Bedrohung einer wirksamen Zweitschlagskapazität anderer Staaten erscheinen und auf diese Weise, in einer Krise das Abschreckungssystem destabilisieren und einen Krieg wahrscheinlicher machen.
Wir begrüßen zwar alle Bemühungen zum Schutz der Zivilbevölkerung, aber wir wollen keine Schritte legitimieren oder fördern, die die Abschreckung über das eigentliche Ziel hinaus ausdehnen, den Einsatz von Kernwaffen oder anderen Aktionen zu verhindern, die direkt zu einem atomaren Schlagabtausch führen könnten.
Im Lichte der von Papst Johannes Paul II. vollzogenen Bewertung, die wir mit Hilfe unseres eigenen wohlerwogenen Urteils angewendet haben, führen uns diese Überlegungen zu konkreten Einzelheiten der nuklearen Abschreckungspolitik zu einer an strenge Bedingungen gebundenen moralischen Billigung der nuklearen Abschreckung. Sie ist unserer Ansicht nach nicht als langfristige Grundlage für den Frieden angemessen.
Dieses an strenge Bedingungen gebundene Urteil liefert

Kriterien für die moralische Bewertung der Einzelheiten einer Abschreckungsstrategie. Diese Kriterien zeigen deutlich, daß wir nicht jedem Waffensystem, jeder Strategie oder politischen Initiative zustimmen können, die im Namen einer Stärkung der Abschreckung vorgebracht werden. Im Gegenteil, diese Kriterien verlangen, daß die Öffentlichkeit ständig prüft, was unsere Regierung in bezug auf die Abschreckung unternehmen will.

Auf der Grundlage dieser Kriterien möchten wir nunmehr einige spezifische Bewertungen vornehmen!

1. Wenn nukleare Abschreckung nur den *Einsatz* von Kernwaffen durch andere verhindern soll, dann sind alle Vorhaben, darüber hinauszugehen und wiederholte atomare Schläge und Gegenschläge über einen längeren Zeitraum hin zu planen oder die Oberhand (prevailing) in einem Nuklearkrieg zu gewinnen, nicht akzeptabel. Sie ermutigen zu der Vorstellung, daß man mit tragbaren menschlichen und moralischen Konsequenzen einen Nuklearkrieg führen könne. Statt dessen müssen wir immer wieder »Nein« zur Vorstellung eines Atomkrieges sagen.

2. Wenn nukleare Abschreckung unser Ziel ist, dann ist »ausreichende Abschreckung« (sufficiency) eine angemessene Strategie; Streben nach Überlegenheit muß abgelehnt werden.

3. Nukleare Abschreckung sollte als ein Schritt auf dem Weg einer fortschreitenden Abrüstung dienen. Jede vorgeschlagene Ergänzung unseres strategischen Potentials oder jeder Wechsel der strategischen Doktrin müssen genauestens daraufhin untersucht werden, ob sie Schritte zu einer »fortschreitenden Abrüstung« wahrscheinlicher machen oder nicht.

Überdies geben diese Kriterien Mittel an die Hand, einige Einschätzungen und Empfehlungen zur derzeitigen Richtung der Abschreckungspolitik der Vereinigten Staaten auszusprechen. Fortschritte auf eine Welt hin, die nicht mehr von der nuklearen Abschreckung abhängt, müssen mit Umsicht durchgeführt werden. Aber sie dürfen nicht hinausgezögert werden. Wir haben die dringende moralische und politische Verantwortung, den »gewissen Frieden«, den wir jetzt haben, zu nutzen, um durch atomare Rüstungskontrolle, Rüstungsminderung und Abrüstung zu einem echten Frieden zu gelangen. In diesem Prozeß kommt es vor allem darauf an, die Entwicklung und Stationierung von destabilisierenden Waffensystemen auf beiden Seiten zu verhindern; ein zweites Erfordernis ist sicherzustellen, daß neue, hochtechnisierte Kommando- und Kontrollsysteme nicht automatisch nach den ersten Anzeichen eines gegnerischen Angriffes den Nuklearkrieg auslösen (launch on warning); drittens ist es nötig, die Weiterverbreitung von Kernwaffen im internationalen System zu verhindern.

Aufgrund dieser allgemeinen Urteile wenden wir uns gegen einige bestimmte Vorschläge für unsere derzeitige Abschreckung:

1. Wir sind gegen neue Waffen, die gegenüber einem Angriff wahrscheinlich verwundbar sind, aber auch eine Fähigkeit zur »schnellen Zerstörung gehärteter Ziele« besitzen, die das Zweitschlagspotential der anderen Seite verwundbar zu machen drohen. Solche Waffen können den Anschein erwecken, sie seien vor allem für einen Erstschlag geeignet.[84] Aus diesem Grund sind wir gegen solche Waffen und auch gegen die Stationierung dieser Waffen durch die Sowjetunion, die Befürchtungen vor einem Erstschlag gegen die Streitkräfte der Vereinigten Staaten hervorrufen.

2. Wir sind gegen die Bereitschaft, strategische Planungen zu begünstigen, die eine nukleare Kriegführungsfähigkeit anstreben, die über die begrenzte Funktion der Abschreckung, wie in diesem Brief beschrieben, hinausgeht.

3. Wir lehnen Vorschläge ab, die eine Senkung der atoma-

ren Schwelle zur Folge haben und den Unterschied zwischen Atomwaffen und konventionellen Waffen verwischen.

Wir unterstützen das Konzept der »Hinlänglichkeit« (sufficiency) als eine ausreichende Abschreckung und *empfehlen* angesichts des gegenwärtigen Umfangs und der Zusammensetzung der strategischen Arsenale der Vereinigten Staaten und der Sowjetunion:

1. Unterstützung unverzüglicher, beidseitiger, überprüfbarer Vereinbarungen, um die Erprobung, Produktion und Stationierung neuer nuklearer Waffensysteme anzuhalten[85];
2. Unterstützung beidseitig ausgehandelter einschneidender Reduzierungen der Arsenale beider Supermächte, besonders bei jenen Waffensystemen, die destabilisierende Eigenschaften haben; Vorschläge der Vereinigten Staaten wie die für START (Strategic Arms Reduction Talks) und INF (Intermediate-Range Nuclear Forces) in Genf beanspruchen, auf einschneidende Reduzierungen ausgerichtet zu sein[86]; wir hoffen, daß diese Vorschläge auf eine Art und Weise verfolgt werden, die diese Ziele verwirklicht.
3. Unterstützung eines baldigen und erfolgreichen Abschlusses der Verhandlungen über ein umfassendes Teststoppabkommen;
4. Beseitigung nuklearer Kurzstreckenwaffen auf allen Seiten, deren Abschreckungswert in keinem Verhältnis zu der mit ihnen verbundenen Vervielfältigung der Gefahren steht;
5. Entfernung der Kernwaffen durch alle Beteiligten aus Gebieten, wo sie wahrscheinlich in einem frühen Stadium eines Krieges überrannt und daher zu schnellen und unkontrollierbaren Entscheidungen über ihren Einsatz zwingen würden;
6. Stärkung der Befehls- und Kontrollgewalt über die Kernwaffen, um einen unbeabsichtigten und nicht autorisierten Einsatz zu verhindern.

Diese Urteile sollen beispielhaft zeigen, daß das Fehlen einer eindeutigen Verurteilung der Abschreckung nur bedeutet, daß wir versuchen, die der Abschreckung zugeschriebene Rolle anzuerkennen, nicht aber ihre Ausweitung über den oben genannten Zweck hinaus befürworten. Einige haben uns gedrängt, alle Aspekte der nuklearen Abschreckung zu verurteilen. Dies geschah aus mehreren Gründen; es wurden insbesondere die hohen und schrecklichen Risiken betont, daß entweder der vorsätzliche Gebrauch oder die zufällige Detonation atomarer Waffen schnell zu einer Situation eskalieren könnten, die in überhaupt keinem Verhältnis mehr zu irgendeinem moralisch akzeptablen Zweck stünde. Die Entscheidung dieser Fragen verlangt Urteile über hypothetische Ereignisse auf der Grundlage hochspezialisierten Fachwissens. Obwohl es Gründe gibt, die einige dazu bewegen, nukleare Abschreckung zu verurteilen, sind wir aus Gründen, die wir in diesem Brief dargelegt haben, nicht zu diesem Schluß gelangt.

Trotzdem darf es kein Mißverständnis über unsere tiefe Skepsis hinsichtlich der moralischen Annehmbarkeit jedes Einsatzes von Kernwaffen geben. Es ist klar, daß der Einsatz jeder Art von Waffen, die den Grundsatz der Unterscheidung (zwischen Kombattanten und Nicht-Kombattanten) verletzen, eindeutige Verurteilung verdient. Man hat uns gesagt, daß einige Waffen für einen reinen »counterforce«-Einsatz gegen militärische Kräfte und Ziele bestimmt sind. Das moralische Problem ist jedoch nicht mit der Konstruktion der Waffen oder der geplanten Absicht für ihren Einsatz gelöst; es müssen auch die Konsequenzen bedacht werden. Es wäre eine pervertierte politische Maßnahme oder moralische Kasuistik, wenn man den Einsatz einer Waffe zu rechtfertigen versuchte, die »indirekt« oder »unbeabsichtigt« eine Million Unschuldiger tötet, weil diese zufällig in der Nähe eines »militärisch wichtigen Zieles« leben.

Auch die »indirekten Wirkungen« der Auslösung eines

Atomkriegs reichen aus, ihn in jeder Form zu einem nicht zu rechtfertigenden moralischen Risiko zu machen. Es genügt z.B. nicht zu behaupten, daß »unsere« Seite Pläne für einen »begrenzten« oder »selektiven« Einsatz hat. Ein moderner Krieg läßt sich nicht einfach durch gute Absichten oder technische Vorkehrungen unter Kontrolle halten. Bei dem psychologischen Klima in der Welt löst die Erwähnung des Begriffs »nuklear« Unbehagen aus. Viele behaupten, daß der Einsatz einer einzigen taktischen Atomwaffe eine Panik mit gänzlich unvorhersehbaren Folgen hervorrufen könnte. Eben diese Mischung von politischer, psychologischer und technischer Ungewißheit hat uns in diesem Brief dazu bewogen, durch moralische Verbote und Vorschriften die weit verbreitete politische Barriere gegenüber einem Griff zur Atomwaffe zu verstärken. Wenn wir eine Verbesserung der Kommando- und Kontrolleinrichtungen oder wesentliche Reduzierungen strategischer und taktischer Nuklearstreitkräfte befürworten und für eine Politik des Verzichts auf den Ersteinsatz eintreten (wie in diesem Brief dargelegt), so ist dies als eine Ergänzung zu unserer Forderung zu sehen, eine moralische Schranke gegen den Atomkrieg zu errichten.

Jeder Anspruch einer Regierung, eine moralisch akzeptable Abschreckungspolitik zu betreiben, muß mit äußerster Sorgfalt geprüft werden. Wir sind gern bereit, vom moralischen Standpunkt aus an der weiteren öffentlichen Diskussion in unserm Land teilzunehmen.

Die Notwendigkeit, die Abschreckungspolitik unseres Landes neu zu durchdenken, die für eine Verminderung der Möglichkeit eines Atomkrieges notwendigen Veränderungen vorzunehmen und ein stabileres System nationaler und internationaler Sicherheit anzustreben, erfordert beträchtliche intellektuelle, politische und moralische Anstrengungen. Sie verlangt unserer Meinung nach auch die Bereitschaft, uns

der Fürsorge, der Macht und dem Wort Gottes zu öffnen, das uns laut ruft, unser gemeinsames Menschsein und die Bindungen wechselseitiger Verantwortung zu erkennen, die trotz aller politischen Unterschiede und Atomwaffenarsenale in der internationalen Gemeinschaft bestehen.
Wir Bischöfe erkennen ausdrücklich an, daß in unseren eigenen Reihen und unter den Katholiken in den USA viele Stimmen laut werden, die bezweifeln, daß die Strategie der Abschreckung eine geeignete Antwort auf den Rüstungswettlauf unserer Tage ist. Sie weisen auf die historische Tatsache hin, daß die Abschreckung in der Tat nicht zu wesentlichen Abrüstungsprozessen geführt habe.
Außerdem geben diese Stimmen zu Recht der Sorge Ausdruck, selbst eine an Bedingungen geknüpfte Billigung der nuklearen Abschreckung in einem Brief wie diesem könnte von einigen dazu mißbraucht werden, um die Politik der Aufrüstung zu untermauern. Sie fordern uns auf, statt dessen die Glaubensgemeinschaft vor eine prophetische Herausforderung zu stellen – eine Herausforderung, die die nukleare Abschreckung hinter sich läßt und entschlossenere Schritte fordert in Richtung auf eine beiderseitige wirkliche Abrüstung und Friedensstiftung. Wir erkennen die intellektuellen Beweggründe ihrer Argumente an und die religiöse Sensibilität, die ihnen ihre große Kraft verleiht.
Die Gefahren des Atomzeitalters und die ungeheuren Schwierigkeiten, vor denen wir auf unserm Weg zu einem geeigneten System globaler Sicherheit, Stabilität und Gerechtigkeit stehen, erfordern Schritte, die über unsere bisherigen Vorstellungen von Sicherheit und Verteidigung hinausgehen. Im folgenden Abschnitt wollen wir eine Reihe von Vorschlägen unterbreiten, die auf eine angemessenere Politik zur Wahrung des Friedens in einer Welt mit Nuklearwaffen abzielen.

III. Vorschläge und Maßnahmen zur Friedensförderung

In einer Welt, die noch nicht das vollkommene Reich Gottes ist, einer Welt, in der persönliches Handeln und gesellschaftliche Zwänge immer wieder den Einfluß der Sünde und der Unordnung unter uns deutlich machen, muß man der Verhinderung und Begrenzung der Gewalt des Krieges ständige Aufmerksamkeit widmen. Aber die katholische Lehre von Krieg und Frieden erschöpft sich nicht in dieser Aufgabe, die im vorausgegangenen Abschnitt dieses Briefes ja ausführlich behandelt wurde. Die andere Seite dieser Aufgabe – in der Heiligen Schrift und der Theologie der Kirche behandelt und vom päpstlichen Lehramt in diesem Jahrhundert entscheidend weiterentwickelt – ist es, Frieden zu schaffen als den Weg, Krieg zu verhindern. Dies Thema, das wir in der Tradition finden, wurde von Papst Johannes Paul II. in seiner Predigt in der Kathedrale von Coventry erneut deutlich zu Geltung gebracht:

»Friede ist nicht nur Abwesenheit von Krieg. Er schließt gegenseitige Achtung und Vertrauen zwischen den Völkern und Nationen ein. Er schließt Zusammenarbeit und bindende Verträge ein. Wie eine Kathedrale, so muß der Friede aufgebaut werden, geduldig und in unerschütterlichem Glauben.«[87]

Diese positive Konzeption der Friedenstiftung macht einen tiefen Eindruck auf viele Menschen in unserer Zeit. Zu Beginn unseres Briefes haben wir betont, wie notwendig eine voll ausgearbeitete Friedenstheologie ist. Grundlage für eine solche Theologie sind die Verlautbarungen des päpstlichen Lehramtes in diesem Jahrhundert. In diesem Abschnitt unseres Hirtenbriefes wollen wir zeigen, wie die in der katholischen Lehre enthaltene positive Vision von Frieden den Weg weist für persönliche und politische Entscheidungen.

A. Gezielte Schritte zur Verminderung der Kriegsgefahr

Die besonderen Gefahren des modernen Krieges sind klar erkennbar; unsere Lehraussagen über das, was für den Frieden notwendig ist, müssen ebenso klar sein. Wirksame Rüstungskontrolle, die zu wechselseitiger Abrüstung führt, Ratifizierung ausgehandelter Verträge[88], Entwicklung gewaltfreier Alternativen sind nur einige Empfehlungen, die wir den Katholiken und allen Menschen guten Willens unterbreiten. Sie sollten Teil einer Außenpolitik sein, die die Ansprüche der Bürger aller Staaten auf die gleichen unveräußerlichen Rechte, die wir hoch schätzen, anerkennt und achtet. Sie sollte sich bemühen, internationale Sicherheit zu gewährleisten, die auf dem Bewußtsein gründet, daß der Schöpfer diese Welt und all ihre Schätze für die Erhaltung und den Nutzen der ganzen Menschheitsfamilie zur Verfügung gestellt hat. Die Wahrheit, daß der Erdball von einer einzigen Familie bewohnt wird, in der alle die gleichen Grundbedürfnisse und ein Recht auf die Güter der Erde haben, ist ein Grundprinzip der katholischen Lehre, das in unseren Augen heute von wachsender Bedeutung ist. In einer interdependenten Welt müssen sich alle zu ihrer gemeinsamen Herkunft und Bestimmung bekennen; diese Perspektive sollte unser politisches Konzept und die Verhandlungsbemühungen auf der Suche nach dem Frieden heute anleiten.

1. Verstärkter Einsatz für Rüstungskontrolle, Rüstungsminderung und Abrüstung

Trotz ernsthafter Bemühungen, angefangen beim Baruch-Plan bis hin zu SALT I und SALT II, sind die Ergebnisse viel zu begrenzt und partiell, um ein Gegengewicht zu den Risiken des Nuklearkrieges zu schaffen. Dennoch müssen die Bemühungen um Vereinbarungen zur Rüstungskontrolle und -verminderung weitergehen. In seiner Botschaft an die Vereinten Nationen von 1982 ließ Papst Johannes Paul II. keinen Zweifel an der Wichtigkeit dieser Bemühungen: »Wiederum bekräftige ich heute vor Ihnen mein Vertrauen in die Kraft fairer Verhandlungen, um zu gerechten und vernünftigen Lösungen zu kommen.«[89]

In diesem Sinne dringen wir auf Verhandlungen, um die Erprobung, Produktion und Stationierung neuer nuklearer Waffensysteme anzuhalten. Es sollten nicht nur Schritte unternommen werden, um die Entwicklung und Stationierung von Waffen zu beenden, auch die Zahl der vorhandenen Waffen muß auf eine Weise verringert werden, die die Kriegsgefahr vermindert.

Rüstungskontrolle und Abrüstung müssen sich in einem Prozeß von kontrollierbaren Vereinbarungen besonders zwischen den beiden Supermächten vollziehen. Wir treten nicht für eine Politik einseitiger Abrüstung ein, aber wir glauben, daß die dringende Notwendigkeit einer Kontrolle des Rüstungswettlaufs von beiden Seiten die Bereitschaft fordert, erste Schritte zu unternehmen. Die Vereinigten Staaten haben bereits eine Reihe wichtiger unabhängiger Initiativen ergriffen, um einige der schlimmsten Gefahren zu vermindern und die Sowjetunion zu einer konstruktiven Antwort zu ermutigen; wir ermuntern zu weiteren Initiativen. Unter unabhängigen Initiativen verstehen wir sorgfältig gewählte, begrenzte Maßnahmen, die die Vereinigten Staaten für eine bestimmte Zeitspanne durchführen könnten, um einen vergleichbaren Schritt seitens der Sowjetunion anzuregen. Wenn dann keine entsprechende Antwort erfolgt, wären die Vereinigten Staaten nicht mehr an die unternommene Initiative gebunden. Unser Land hat schon früher kalkulierte Risiken zugunsten von Freiheit und menschlichen Werten auf sich genommen; dazu gehören unabhängige Maßnahmen, mit denen einige der ernstesten Gefahren eines Atomkriegs verringert werden sollten[90]. Auch heute muß man bestimmte Risiken auf sich nehmen, um die Welt aus den Fesseln der atomaren Abschreckung und von dem Risiko eines Atomkrieges zu befreien. Beide Seiten haben z. B. ein Interesse daran, die Stationierung destabilisierender Waffensysteme zu vermeiden.

Es hat in der Vergangenheit einige erfolgreiche unabhängige Initiativen gegeben, die den Rüstungswettlauf günstig beeinflußt haben ohne formelle öffentliche Abmachung. 1963 kündete Präsident Kennedy an, daß die Vereinigten Staaten einseitig auf weitere Atomtests verzichten würden; einen Monat später schlug der sowjetische Ministerpräsident Nikita Chruschtschow einen begrenzten Teststopp vor, der schließlich die Grundlage des amerikanisch-sowjetischen Teststoppvertrages wurde. Im Anschluß daran zogen beide Supermächte 10000 Mann an Truppen aus Mitteleuropa ab, und beide kündigten eine Verringerung der Produktion spaltbaren Materials für die Herstellung von Waffen an.

a) Verhandlungen nur über Rüstungskontrollvereinbarungen ohne ständige begleitende Bemühungen, die politischen Spannungen abzubauen, die zum Ausbau der Rüstung führen, genügen nicht. Daher sollten die Vereinigten Staaten kontinuierlich eine Politik intensivster politischer Kommunikation mit Regierungen potentieller Gegner betreiben, um immer wieder gründliche Diskussionen und Verhandlungen über Reibungspunkte sicherzustellen. Diese Politik sollte in

Form eines Netzes von regelmäßigen, sorgfältig vorbereiteten Konferenzen auf verschiedenen Regierungsebenen durchgeführt werden, einschließlich von Gipfeltreffen in regelmäßigen Abständen. Solche Gesprächsmöglichkeiten sind zu wichtig, als daß sie von einer der beiden Großmächte als ein Nachgeben betrachtet oder von dem täglichen Auf und Nieder der internationalen Entwicklungen abhängig gemacht werden dürfen.

b) Der Atomsperrvertrag von 1968 (NPT) ging davon aus, daß die Weiterverbreitung von Kernwaffen an bisher kernwaffenfreie Staaten (horizontale Verbreitung) auf die Dauer kaum verhindert werden könnte, wenn es an ernsthaften Bemühungen seitens der Atommächte fehlt, ihre eigenen Kernwaffenarsenale zu kontrollieren und zu reduzieren (vertikale Verbreitung). In Artikel VI des Atomsperrvertrags verpflichteten sich die Supermächte zu ernsthaften Bemühungen, ihr eigenes Nuklearpotential unter Kontrolle zu bringen und zu reduzieren; leider wurden diese Zusagen nicht eingehalten. Außerdem scheinen die im Vertrag vorgesehenen multinationalen Kontrollen von den Staaten allmählich gelockert worden zu sein, die spaltbares Material zur Energieproduktion exportieren. Wenn diesen Tendenzen nicht Einhalt geboten wird, kann der Vertrag schließlich seine symbolische und praktische Wirkung verlieren. Aus diesem Grund sollten die Vereinigten Staaten zusammen mit anderen Nuklearexport treibenden Staaten ihre Maßnahmen und Programme ernstlich überprüfen und ihre Entschlossenheit deutlich machen, Geist und Buchstaben des Vertrags zu erfüllen.

2. Unablässige Bemühungen zur Verminderung des Risikos eines jeden Krieges

Zwar ist es recht und billig, daß die Verminderung und endliche Beseitigung der Wahrscheinlichkeit eines Atomkriegs Vorrang genießt, aber damit ist noch nicht automatisch die Gefahr anderer Formen des Krieges beseitigt. Vereinbarungen über die Reduktion von Kernwaffen der Supermächte könnten unter Umständen sogar die Wahrscheinlichkeit eines konventionellen Krieges erhöhen.

a) Aus diesem Grund empfehlen wir dringend Verhandlungen zur Reduzierung und Begrenzung konventioneller Streitkräfte und über vertrauensbildende Maßnahmen zwischen möglichen Gegnern, vor allem in Regionen möglicher militärischer Konfrontationen. Wir dringen darauf, daß Verbote der Produktion und Anwendung chemischer und biologischer Waffen bekräftigt und eingehalten werden. Rüstungskontrollverhandlungen müssen berücksichtigen, daß ein konventioneller Konflikt den atomaren Krieg auslösen könnte, den die Welt vermeiden muß.

b) Wie bei der Weiterverbreitung von Atomwaffen stehen wir leider vor der Tatsache, daß die Beschränkungen des internationalen Handels mit konventionellen Waffen gelokkert worden sind. Der Verkauf von immer komplizierteren Militärflugzeugen, Raketen, Panzern, Panzerabwehrwaffen, gegen Menschen einsetzbaren Bomben (anti-personnel bombs) und anderen Waffensystemen durch die Hauptlieferländer (besonders die Sowjetunion, die USA, Frankreich und Großbritannien) hat einen nie dagewesenen Stand erreicht.

Papst Johannes Paul II. schenkte diesem Problem in seiner Botschaft an die Vereinten Nationen besondere Beachtung: »Die Herstellung und der Verkauf konventioneller Waffen überall in der Welt sind eine wirklich alarmierende Erscheinung, die sich, so scheint es, in vollem Aufschwung befindet... Der Handel mit ihnen scheint sich überdies in steigendem Maße zu entwickeln und sich vorwiegend auf die Entwicklungsländer zu richten.«[91]

Es ist eine traurige Tatsache, daß der Waffenhandel der Vereinigten Staaten in den letzten zehn Jahren entscheidend zu der Entwicklung beigetragen hat, die der Heilige Vater beklagt. Wir fordern eine Korrektur dieses Kurses. Die Vereinigten Staaten sollten ihre früheren Bemühungen um eine multilaterale Kontrolle des Waffenexports wieder aufnehmen und in diesem Fall auch bereit sein, sorgfältig abgewogene unabhängige Initiativen zur Eindämmung des Waffenhandels zu ergreifen. Solche Schritte wären vor allem in den Fällen angemessen, wo die Empfängerregierungen grober und systematischer Menschenrechtsverletzungen bezichtigt werden.[92]

c) Alle Staaten müssen eine Beschränkung jener Interessen anerkennen, die militärische Gewalt rechtfertigen. Echte Selbstverteidigung kann den Schutz schwächerer Staaten einschließen, aber dazu gehört nicht, die Besitztümer anderer zu erobern oder andere Staaten oder Völker zu beherrschen. Wir sollten uns an die Warnung von Papst Johannes Paul II. erinnern: »Während man die Bedrohung durch einen möglichen Feind anführt, denkt man etwa daran, sich seinerseits ein Drohmittel in Reserve zu halten, um sich mit Hilfe des eigenen Vorrats an Vernichtungskraft behaupten zu können.«[93] Im Mittelpunkt einer Ethik der Gewalt steht der Grundsatz, daß sie ein letztes Mittel sein muß, zu dem man nur greifen darf, wenn *alle* anderen Mittel zur Abhilfe erschöpft sind. Gleichermaßen wichtig im Zeitalter der modernen Kriegführung ist es, anzuerkennen, daß es gerechtfertigte Gründe für den Einsatz von Gewalt nur in Fällen der Selbstverteidigung oder der Verteidigung anderer, die angegriffen wurden, gibt.

3. Das Verhältnis von nuklearer und konventioneller Verteidigung

Unsere nachdrückliche Stellungnahme gegen den Gebrauch von Kernwaffen und insbesondere gegen die Auslösung eines Atomkrieges in jeder Form erfordert eine weitere Klärung, wie wir zu den Erfordernissen für die konventionelle Verteidigung stehen.

Es hat sich ergeben, daß die Drohung mit Kernwaffen oft die Bemühungen um eine konventionelle Abschreckungs- bzw. Verteidigungsfähigkeit gegenüber nicht-nuklearen Angriffen ersetzt, insbesondere zwischen NATO und Warschauer Pakt. Viele Experten sind der Meinung, daß mehr Truppen und mehr konventionelle (nicht-nukleare) Waffen benötigt werden, um unsere Verbündeten zu schützen, falls die nukleare Abschreckungsdrohung entfällt. Wenn man gewisse Formen der nuklearen Abschreckung ablehnt, müßte man unter Umständen bereit sein, mehr Mittel für die Entwicklung konventioneller Streitkräfte auszugeben. Es könnte sein, daß auch Staatsmänner und Völker anderer Nationen höhere Kosten für die eigene Verteidigung auf sich nehmen müßten, vor allem in Westeuropa, wenn auf die Drohung mit dem Ersteinsatz von Kernwaffen verzichtet würde. Wir können nicht beurteilen, wieweit diese Argumentation in bestimmten Fällen zutrifft. Es ist durchaus möglich, daß eine gewisse Stärkung der konventionellen Verteidigung ein angemessener Preis wäre, wenn dadurch die Möglichkeit für einen Atomkrieg verringert würde. Wir geben dies nur ungern zu, denn wir denken an die ungeheure Verschwendung der knappen Ressourcen, die jährlich für Verteidigungszwecke ausgegeben werden in einer Welt, die randvoll von anderen dringenden und nicht befriedigten menschlichen Bedürfnissen ist.

Es ist nicht unsere Aufgabe, die Fachdebatte über politische

Maßnahmen und Haushaltsmittel zu entscheiden. Aus der Perspektive einer sich entwickelnden Theologie des Friedens fühlen wir uns jedoch verpflichtet, eine moralische Dimension in die Debatte einzubringen. Wir erhoffen beides: daß man sich weniger auf nukleare Abschreckung verläßt und gleichzeitig die Zahl konventioneller Waffen erheblich reduziert. Die Geschichte der neueren Kriege (selbst sogenannter »kleinerer« oder »begrenzter« Kriege) zeigt, daß auch ein konventioneller Krieg in seinem Verlauf nicht zwischen Militär und Zivilisten unterscheidet und außer Proportion zu jedem gerechtfertigten Zweck geraten kann. Wir möchten in keiner Weise zu der Vorstellung beitragen, »die Welt reif für den konventionellen Krieg zu machen«, der seine eigenen Schrecken hat.

Daher glauben wir, daß kein Programm, das die Abhängigkeit von Atomwaffen mindern will, Aussicht auf Erfolg hat, wenn es nicht Maßnahmen der Spannungsminderung und Bemühungen um die ausgewogene Reduzierung konventioneller Streitkräfte einschließt. Wir glauben, daß es bedeutende Möglichkeiten gibt, die – wenn man sie nur energisch verfolgt – eine konventionelle Aufrüstung als Kompensation für eine Reduzierung der Nuklearwaffen vermeiden würden. Man kann Beispiele in den laufenden Verhandlungen über gegenseitige ausgewogene Truppenreduzierung finden, deren Aussichten keineswegs trübe sind und die durch Abmachungen über strategische Waffen noch verbessert würden, und in den vertrauensbildenden Maßnahmen, die in der Schlußakte von Helsinki und den Nachfolgekonferenzen vorgesehen sind.

Gleichwohl müssen wir noch einmal mit unserer ganzen Existenz betonen, daß nicht nur der Atomkrieg verhindert werden muß, sondern Krieg überhaupt. Daher erklären wir mit Papst Johannes Paul II.:

»Das Ausmaß und die Schrecken des modernen Krieges – sei

er nuklear oder nicht – machen ihn völlig unannehmbar als Mittel zur Beilegung von Meinungsverschiedenheiten zwischen den Nationen. Der Krieg sollte einer tragischen Vergangenheit, der Geschichte, angehören; er sollte in Zukunft keinen Platz auf der Tagesordnung der Menschheit haben.«[94]

Vernunft und Erfahrung sagen uns, daß eine unaufhörlich steigende Rüstung auch bei konventionellen Waffen, verbunden mit einer ungezügelten Vermehrung der Streitkräfte, fast mit Gewißheit zum Krieg führen wird, statt wahren Frieden zu sichern.

4. Zivilschutz

Man muß den bestehenden Programmen für den Zivilschutz gegen Atomangriffe einschließlich der Schutzräume gegen Explosionsdruck und radioaktive Strahlung sowie Evakuierungsplänen Beachtung schenken. Es ist im öffentlichen Bewußtsein nicht klar, ob hinter diesen Programmen die Absicht steht, einen ernsthaften Schutz gegen zumindest einige Formen des Atomangriffs zu bieten, oder ob sie nur erstellt werden, um die Glaubwürdigkeit der strategischen Abschreckungsstreitkräfte zu stärken, indem man die Fähigkeit demonstriert, daß man einen Angriff überleben kann. Diese Verwirrung führt in der Öffentlichkeit zu Skepsis und sogar Verhöhnung des Programms und läßt Zweifel an der Glaubwürdigkeit der Regierung aufkommen. Wir brauchen eine unabhängige Kommission von Wissenschaftlern, Technikern und Waffenspezialisten, die prüft, ob diese oder irgendwelche anderen Pläne eine realistische Aussicht bieten, daß die Bevölkerung unseres Landes bzw. seine höchsten Werte, um deren Erhaltung willen ein Atomkrieg vermutlich geführt werden würde, überleben werden.

5. Bemühungen zur Entwicklung gewaltfreier Methoden zur Konfliktlösung

Wir bestätigen, daß ein Staat das Recht hat, sich, seine Bürger und seine Werte zu verteidigen. Sicherheit ist das Recht aller, aber dieses Recht muß, wie alles andere, dem göttlichen Gesetz und den von ihm gesteckten Grenzen unterworfen werden. Wir müssen Mittel zur Verteidigung der Völker finden, die nicht an der Drohung der Vernichtung hängen. Unmoralische Mittel können niemals durch das erstrebte Ziel gerechtfertigt werden; kein Ziel, und sei es an sich noch so gut und wertvoll, kann sündige Handlungen und Maßnahmen rechtfertigen. Obwohl unser Hauptanliegen in diesem Papier der Krieg und die nukleare Bedrohung ist, gelten diese Grundsätze auch für alle anderen Formen der Gewalt, einschließlich Aufstände und deren Niederwerfung (counter-insurgency), »Destabilisierung« und ähnliches.

a) Das Zweite Vatikanische Konzil äußerte sich anerkennend über jene, »die bei der Wahrung ihrer Rechte darauf verzichten, Gewalt anzuwenden, sich vielmehr auf Verteidigungsmittel beschränken, so wie sie auch den Schwächeren zur Verfügung stehen, vorausgesetzt, daß dies ohne Verletzung der Rechte und Pflichten anderer oder der Gemeinschaft möglich ist«.[95] Um einen solchen Verzicht wirksam werden zu lassen und dennoch zu verteidigen, was verteidigt werden muß, ist die Kunst der Diplomatie, der Verhandlung und des Kompromisses weiter zu entwickeln und voll einzusetzen. Gewaltfreie Wege des Widerstandes gegen das Übel müssen viel intensiver studiert und in Betracht gezogen werden, als das bisher der Fall war. Es hat bemerkenswerte Fälle gegeben, in denen Menschen mit Erfolg der Unterdrückung widerstanden haben, ohne zu den Waffen zu greifen.[96] Gewaltlosigkeit ist nicht der Weg der Schwachen,

Feigen und Ungeduldigen. Solche Bewegungen haben selten Schlagzeilen gemacht, obwohl sie ihre Spuren in der Geschichte hinterlassen haben. Die heldenhaften Dänen, die den Nationalsozialisten keine Juden auslieferten, und die Norweger, die in ihren Schulen keine Nazi-Propaganda lehrten, sind leuchtende und anregende Beispiele in der Geschichte der Gewaltlosigkeit.

Gewaltfreier Widerstand kann wie der Krieg viele Formen annehmen, je nach den Erfordernissen der Situation. Es gibt z.B. die von der Regierung als Teil ihrer Verteidigungsplanung organisierte »soziale Verteidigung«.

Bürger würden in den Techniken des zivilen Ungehorsams und der Nicht-Zusammenarbeit geübt, um dadurch eine Besatzungsmacht oder ein nicht-demokratisches Regime zu hindern, seinen Willen durchzusetzen. Wirksamer gewaltfreier Widerstand erfordert den vereinten Willen eines Volkes und kann soviel Geduld und Opfer von denen, die ihn praktizieren, fordern, wie es jetzt bei Krieg und Kriegsvorbereitung der Fall ist. Er mag nicht immer Erfolg haben. Dennoch bitten wir dringend, daß er an den fast sicheren Folgen eines größeren Krieges gemessen wird, bevor man ihn als unrealistisch und nicht praktikabel ablehnt.

b) Gewaltfreier Widerstand bietet eine gemeinsame Basis an für diejenigen, die sich für den christlichen Pazifismus entschieden haben bis zu dem Punkt, daß sie lieber sterben als töten, und für jene, die für die in der Lehre vom gerechten Krieg erlaubte Möglichkeit der tödlichen Gewaltanwendung eintreten. Gewaltfreier Widerstand zeigt, daß beide dem gleichen Ziel verpflichtet sein können: der Verteidigung ihres Landes.

c) »Soziale Verteidigung« würde über Konfliktlösung und Kompromiß hinausgehen zu einer grundlegenden Synthese von Überzeugungen und Werten. In der praktischen Anwendung ist das Ziel, nicht nur zu verhindern, daß einem anderen Lebewesen Schaden zugefügt wird, sondern positiver, des anderen Nutzen zu suchen. Es würde nicht genügen, die Aggression eines Gegners oder Unterdrückers zu stoppen. Das Ziel ist, den anderen zu sich herüberzuziehen, aus dem Gegner einen Freund zu machen.

Es ist angebracht, darauf hinzuweisen, daß diese Prinzipien ganz und gar mit der christlichen Lehre vereinbar sind und in gewissem Maße aus ihr abgeleitet sind; sie müssen Teil einer jeden christlichen Theologie des Friedens sein. Verfasser geistlicher Schriften haben die Theorie der Gewaltlosigkeit bis zu ihren Wurzeln in der Heiligen Schrift und der Tradition verfolgt und ihre Praxis und ihren Erfolg in Studien über die Kirchenväter und die Zeit der Märtyrer aufgezeigt. Lehre und Beispiel Christi bieten ein Vorbild für ein Leben, das die Wahrheit mit der Weigerung vereinigt, Böses mit Bösem zu vergelten.

Gewaltfreie »soziale Verteidigung« bietet keine Sicherheit, daß es keine Verluste an Menschenleben gibt. Trotzdem, nachdem wir einmal erkannt haben, daß die fast sicheren Folgen der bestehenden Politik und Kriegsstrategien eine sehr ernste Bedrohung der künftigen Existenz der ganzen Menschheit mit sich bringen, fordert die praktische Vernunft wie auch der religiöse Glaube, daß man die »soziale Verteidigung« als alternative Handlungsweise ernsthaft in Betracht zieht.

d) Noch einmal erklären wir, daß die einzige Art, die Weltbevölkerung wirksam zu verteidigen, darin besteht, den Atomkrieg und die konventionellen Kriege, die in einen Atomkrieg eskalieren könnten, zu verwerfen. Mit Papst Johannes Paul II. fordern wir pädagogische und Forschungsinstitute auf, neue Wege in der Erforschung des Friedens zu beschreiten: »Die wissenschaftlichen Studien über den Krieg und sein Wesen, über seine Ursachen, Mittel, Ziele und Einsätze enthalten zahlreiche Hinweise auf

die Bedingungen des Friedens.«[97] Zu diesem Zweck fordern wir, Geldmittel in einem bestimmten Prozentsatz (sogar ein Promille) der laufenden Haushaltsausgaben für militärische Zwecke für eine solche Friedensforschung abzuzweigen.
1981 hat die Vorschlagskommission für die »National Academy of Peace and Conflict Resolution« die Errichtung einer Friedensakademie der Vereinigten Staaten empfohlen, eine Empfehlung, die fast so alt ist wie die Verfassung dieses Landes. Die Kommission befand, »daß Friede ein legitimer Forschungsgegenstand ist, zu dem strenge interdisziplinäre Forschung ebenso gehört wie Erziehung und Vermittlung friedensstiftender Fähigkeiten.«[98] Wir unterstützen die Empfehlung der Kommission und fordern alle Bürger auf, die Einübung von Konfliktbewältigung, gewaltfreiem Widerstand und Programme für Friedensdienst und Friedenserziehung zu unterstützen. Eine solche Akademie wäre nicht nur ein Zentrum für Friedensforschung und -aktivitäten, sondern auch der sichtbare Beweis, daß es unserer Nation ernst ist mit ihrer oft verkündeten Verpflichtung für internationalen Frieden und die Abschaffung des Krieges. Wir fordern die Universitäten unseres Landes, vor allem die katholischen auf, Programme zu entwickeln, die strenge interdisziplinäre Forschung, Erziehung und Vermittlung friedensstiftender Fähigkeiten fördern.
Auch wir müssen bereit sein, unser Teil beizutragen, damit diese Ziele erreicht werden. Wir ermuntern die Kirchen und Erziehungseinrichtungen von der Grundschule bis zu den Colleges und Hochschulen, aus eigener Initiative ähnliche Programme durchzuführen. Es müssen alle Anstrengungen unternommen werden, um den Rüstungswettlauf zu erkennen und einzuschätzen, wirklich übernationale Perspektiven für die Abrüstung zu ermutigen und neue Formen internationaler Zusammenarbeit und internationalen Austausches zu erkunden.

Man kann sich keine größere Herausforderung und dringendere Aufgabe vorstellen als die Entwicklung und den Ausbau einer Theologie des Friedens, die einer Zivilisation am Rande der Selbstzerstörung angemessen ist. Wir hoffen und beten, daß dieses Dokument sich als Ausgangspunkt und Anregung für dieses Bemühen erweist.

6. Die Rolle des Gewissens

Ein beherrschender Zug der Bewertung des modernen Krieges durch das Zweite Vatikanische Konzil war, daß es Nachdruck auf die Notwendigkeit einer richtigen Gewissensbildung legte. Moralische Grundsätze können nur dann die Macht wirkungsvoll in Schranken halten, wenn sie in politischem Handeln zum Ausdruck kommen und der einzelne sie praktisch anwendet. Die Beziehung zwischen der Autorität des Staates und dem Gewissen des Individuums in Sachen Krieg und Frieden gewinnt angesichts der zerstörerischen Natur des modernen Krieges eine neue Dringlichkeit.

a) In diesem Zusammenhang wiederholen wir unsere Stellungnahme aus dem Jahr 1980. Die katholische Lehre stellt nicht prinzipiell das Recht einer Regierung in Frage, von ihren Bürgern Militärdienst zu fordern, vorausgesetzt die Regierung beweist, daß er notwendig ist. Ein Bürger darf nicht leichtfertig die gewissenhafte Entscheidung seines Landes mißachten, das seine Bürger zu »legitimer Verteidigung« aufruft. Außerdem ist die Rolle der Christen in den Streitkräften ein Dienst am Gemeinwohl und eine Ausübung patriotischer Tugenden, solange sie diese Rolle im Rahmen der moralischen Normen erfüllen.[99]

b) Es gilt jedoch auch, daß kein Staat blinden Gehorsam fordern darf. Unsere Erklärung von 1980 forderte die Regierung auf, überzeugende Gründe für die Aufstellung von Rekrutierungslisten zu nennen, und widersprach der Wiedereinführung der allgemeinen Wehrpflicht, außer im Falle eines nationalen Verteidigungsnotstandes. Sie wiederholte außerdem unsere Unterstützung für die allgemeine Kriegsdienstverweigerung aus Gewissensgründen und für die selektive Verweigerung der Teilnahme an einem bestimmten Krieg, entweder wegen der damit verfolgten Ziele oder der eingesetzten Mittel. Wir nannten die selektive Verweigerung aus Gewissensgründen eine moralisch zulässige Folgerung, die schlüssig aus der klassischen Lehre der Prinzipien des gerechten Krieges abgeleitet werden kann. Wir bestehen nach wie vor darauf, daß die Rechte beider Gruppen von Verweigerern aus Gewissensgründen respektiert und gesetzlich geschützt werden. Wir billigen auch, daß man von diesen Gruppen einen alternativen Dienst für die Gemeinschaft verlangt, der keine Beziehung zu militärischen Erfordernissen. hat.

B. Gestaltung einer friedlichen Welt

Einen Atomkrieg zu verhindern, ist moralisches Gebot; aber die Verhütung des Krieges, sei er atomar oder konventionell, ist kein hinreichendes Konzept für die internationalen Beziehungen heute. Auch die katholische Lehre beschränkt sich nicht nur darauf. Sowohl die politischen Notwendigkeiten als auch die moralische Herausforderung unserer Zeit erfordern eine positive Konzeption von Frieden auf der Grundlage der Vision von einer ersten Ordnung der Welt. Papst Paul VI. faßte die katholische Lehre in seiner Enzyklika »Populorum Progressio« zusammen:
»Der Friede besteht nicht einfach im Schweigen der Waffen, nicht einfach im immer schwankenden Gleichgewicht der

Kräfte. Er muß Tag für Tag aufgebaut werden mit dem Ziel einer von Gott gewollten Ordnung, die eine vollkommenere Gerechtigkeit unter den Menschen herbeiführt.«[100]

1. Weltordnung in der katholischen Lehre

Diese positive Konzeption von Frieden sieht ihn als eine Frucht der Ordnung; Ordnung wiederum wird von den Werten Gerechtigkeit, Wahrheit, Freiheit und Liebe bestimmt. Die Grundlage dieser Lehre finden wir in der Heiligen Schrift beim heiligen Augustinus und beim heiligen Thomas; in den päpstlichen Lehräußerungen dieses Jahrhunderts ist sie zeitgemäß ausgedrückt und entwickelt worden. Die Päpste des Atomzeitalters, von Pius XII. bis zu Johannes Paul II., haben bekräftigt, Streben nach internationaler Ordnung sei der Weg, um die Menschheit von der Geißel des Krieges zu befreien.[101]

In der katholischen Lehre ist die Grundvoraussetzung für eine Weltordnung eine theologische Erkenntnis: Die Einheit der Menschheitsfamilie – begründet in der gemeinsamen Schöpfung, bestimmt für das Gottesreich und vereint durch moralische Bande von Rechten und Pflichten. Diese Grundwahrheit von der Einheit der Menschheitsfamilie durchdringt die ganze Lehre über Krieg und Frieden: Für den Pazifisten ist sie einer der Gründe, warum Leben nicht genommen werden darf; für den Vertreter der Lehre vom gerechten Krieg bleibt auch in einem gerechtfertigten Konflikt der Zwang zu verantwortlichem Handeln trotz der Auseinandersetzung bestehen.

Die katholische Lehre erkennt an, daß in der modernen Geschichte, zumindest seit dem Westfälischen Frieden 1648, die internationale Gemeinschaft in Nationalstaaten organisiert ist. Die katholische Moraltheologie, wie sie z.B. im 2. und 3. Kapitel von »Pacem in Terris« zum Ausdruck kommt, gesteht den souveränen Staaten einen realen, aber relativen Wert zu. Der Wert ist real, weil die Staaten Funktionen zur Aufrechterhaltung von Ordnung und Autorität für das politische Gemeinwesen erfüllen; der Wert ist relativ, weil die Grenzen der souveränen Staaten nicht die tieferen Bande der Verantwortlichkeit in der Gemeinschaft aller Menschen außer Kraft setzen. So wie innerhalb einer Nation die katholische Lehre das moralische Gefüge der Gesellschaft in Begriffen von wechselseitigen Rechten und Pflichten beschreibt – zwischen den Individuen und dann zwischen dem Individuum und dem Staat –, so beschreibt »Pacem in Terris« in der internationalen Gesellschaft die Rechte und Pflichten zwischen den Staaten.[102]

In den letzten 20 Jahren äußerte sich die katholische Lehre zunehmend deutlicher über den Inhalt dieser internationalen Rechte und Pflichten. 1963 skizzierte »Pacem in Terris« die politische und rechtliche Ordnung zwischen den Staaten. 1967 legte »Populorum Progressio« eine Ordnung der ökonomischen Rechte und Pflichten vor. 1979 brachte Papst Johannes Paul II. in seiner Rede vor den Vereinten Nationen die menschenrechtliche Grundlage der internationalen Beziehungen deutlich zum Ausdruck.

Diese Dokumente und andere, die darauf aufbauen, beschrieben eine moralische Ordnung der internationalen Beziehungen, d.h. wie die internationalen Beziehungen organisiert werden *sollten.* Zugleich aber hat diese Lehre die tatsächlich vorherrschenden Beziehungsmuster der Staaten untereinander zur Kenntnis genommen. Ohne die gegenwärtigen geopolitischen Realitäten zu ignorieren, bleibt es eine der Hauptaufgaben der katholischen Lehre über eine Weltordnung, einen Weg zu einem stärker integrierten internationalen System aufzuzeigen.

Bei der Analyse dieses Weges zu einer Weltordnung ist die Kategorie, die von der katholischen Morallehre (in jüngerer

Zeit auch von den Sozialwissenschaften) zunehmend benutzt wird, die Interdependenz der heutigen Welt. Das theologische Prinzip der Einheit hat immer ein menschliches Aufeinanderangewiesensein bejaht; heute aber wird diese Bindung durch die wachsende politische und ökonomische Interdependenz der Welt ergänzt, wie sich an einer ganzen Reihe internationaler Problembereiche zeigt.[103]

Was der Weltordnung heute u.a. fehlt, ist eine ordentlich eingesetzte politische Autorität, die imstande ist, unsere materielle Interdependenz in Richtung auf eine moralische umzugestalten. Johannes XXIII. sagte dazu:

»Da aber heute das allgemeine Wohl der Völker Fragen aufwirft, die alle Nationen der Welt betreffen, und da diese Fragen nur durch eine politische Gewalt geklärt werden können, deren Macht und Organisation und deren Mittel einen dementsprechenden Umfang haben müssen, deren Wirksamkeit sich somit über den ganzen Erdkreis erstrecken muß, so folgt um der sittlichen Ordnung willen zwingend, daß eine universale politische Gewalt eingesetzt werden muß.«[104]

So wie der Nationalstaat ein Schritt in der Entwicklung der Regierungsform war in einer Zeit, als aufgrund des expandierenden Handels und neuer Waffentechniken das Feudalsystem nicht mehr geeignet war, Konflikte zu bewältigen und Sicherheit zu gewährleisten, so treten wir jetzt in ein Zeitalter neuer globaler Interdependenzen ein, die globale Steuerungsmechanismen nötig machen, um die entstehenden Konflikte zu bewältigen und unsere gemeinsame Sicherheit zu garantieren. Große globale Probleme wie weltweite Inflation, Handels- und Zahlungsbilanzdefizite, Rivalität bei der Verteilung der knappen Ressourcen, Hunger, weitverbreitete Arbeitslosigkeit, globale Gefährdung der Umwelt, die wachsende Macht multinationaler Konzerne und der drohende Zusammenbruch des internationalen Finanzsystems sowie die Gefahr eines Weltkriegs als Folge dieser wachsenden Spannungen – dies alles kann nicht von einem einzel- bzw. nationalstaatlichen Ansatz aus behoben werden. Es bedarf schon der gemeinsamen Anstrengungen der ganzen Weltgemeinschaft. Wie wir noch zeigen werden, sollten die Vereinten Nationen bei diesen Anstrengungen besonders berücksichtigt werden.

Wenn man im Atomzeitalter zwischenstaatliche Konflikte regeln und schließlich militärische durch Verhandlungslösungen ersetzen möchte, ist es mit Händen zu greifen, wie äußerst wichtig und notwendig ein moralisches wie ein politisches Konzept des internationalen Gemeinwohls ist. Das Fehlen geeigneter Strukturen, um diese Fragen anzugehen, legt der Politik der einzelnen Staaten eine noch größere Verantwortung auf. Die Staaten sind aufgefordert, in einer Kombination von politischer Vision und moralischer Weisheit das nationale Interesse im Licht der größeren globalen Interessen zu beurteilen.

Wir leben in einem globalen Zeitalter mit Problemen und Konflikten von globalen Ausmaßen. Wir müssen entweder lernen, diese Probleme gemeinsam zu lösen, oder wir werden einander vernichten. Wechselseitige Sicherheit und gemeinsames Überleben erfordern eine neue Sicht der Welt: sie ist ein einziger interdependenter Planet. Wir haben nicht nur Rechte und Pflichten innerhalb unserer verschiedenen nationalen Gemeinschaften, sondern auch in der größeren Weltgemeinschaft.

2. Die Supermächte in einer Welt ohne Ordnung

Keine Beziehung zeigt dramatischer, wie zerbrechlich die Ordnung der internationalen Angelegenheiten heute ist, als die Beziehung zwischen den Vereinigten Staaten und der

Sowjetunion. Diese beiden souveränen Staaten haben bislang einen offenen Krieg, nuklear oder konventionell, vermieden. Aber sie sind durch unterschiedliche Wertauffassungen, Ideologien und konkurrierende Interessen getrennt. Ihre Rivalität ist weltweit und umfaßt alles, von den Atomwaffenarsenalen bis hin zu gedruckter Propaganda. Beide werden auf internationalen Zusammenkünften regelmäßig wegen ihres atomaren Rüstungswettlaufs kritisiert.[105]

In unserem Hirtenbrief zum Marxismus von 1980 haben wir versucht, die entscheidenden Unterschiede zwischen christlicher Lehre und Marxismus darzustellen. Gleichzeitig haben wir die Notwendigkeit betont, daß Staaten mit verschiedenen politischen Systemen in einer interdependenten Welt miteinander leben müssen.

»Die Kirche erkennt die Tiefe und das Ausmaß der ideologischen Differenzen, die die Menschheit heute spalten; aber die dringende Notwendigkeit zu gemeinsamen Anstrengungen im Interesse der Menschen überwindet diese Schwierigkeiten. Daher bemüht sich die katholische Lehre, eine Verschärfung der ideologischen Gegensätze zu vermeiden und sich auf die Probleme zu konzentrieren, die gemeinsame Anstrengungen über das ideologisch Trennende hinaus erfordern: den Frieden zu bewahren und den Armen aufzuhelfen.«[106]

Wir sind überzeugt, daß diese Stelle die Lehre von »Pacem in Terris« wiedergibt sowie den fortgesetzten Appell zum Dialog von Papst Paul VI. und die Rede von Papst Johannes Paul II. vor der UNO 1979. Wir betonen diesen Gedanken immer wieder, wenn wir auch wissen, wie schwierig es ist, ihn zu verwirklichen.

Die Schwierigkeiten sind besonders groß auf dem Gebiet des Rüstungswettlaufs. Die meisten Amerikaner verstehen gemeinhin unter Kriegsgefahr in erster Linie die Bedrohung durch den militärischen Expansionismus der Sowjetunion und die daraus folgende Notwendigkeit zur Abschreckung und Verteidigung gegen die militärische Bedrohung durch die Sowjets. Viele gehen davon aus, daß diese Drohung auf Dauer bestehen bleibt, und daß man nichts anderes dagegen tun kann, als eine überlegene oder zumindest gleichwertige Militärmacht aufzubauen und zu erhalten.[107]

Man kann nicht leugnen, daß es eine sowjetische Bedrohung und ein sowjetisches Vormachtstreben – zumindest in Gebieten von größerem strategischen Interesse – gibt. Die Geschichte des »Kalten Krieges« hat verschiedene Interpretationen geliefert, welche Seite welchen Konflikt verursacht habe. Aber was immer die historischen Einzelheiten sein mögen, es ist offenkundig, daß die Erinnerung an das sowjetische Vorgehen in Osteuropa und die jüngsten Ereignisse in Afghanistan und Polen ihre Spuren in der politischen Debatte Amerikas hinterlassen haben. Viele Völker werden mit Gewalt unter kommunistischer Herrschaft gehalten, trotz ihres offenkundigen Wunsches, frei zu sein. Die Sowjetunion besitzt sehr große Macht. Man kann darüber streiten, ob ihr Streben nach militärischer Macht vorwiegend defensiv oder aggressiv motiviert ist; die Wirkung ist auf jeden Fall, daß alle, die im Schatten dieser Macht leben müssen, in größter Unsicherheit bleiben.

Die Amerikaner brauchen sich keine Illusionen über das repressive Sowjetsystem zu machen und über dessen mangelnde Achtung der Menschenrechte oder über sowjetische Geheimdienstoperationen und Aktivitäten zur Unterstützung von Revolutionen. Gewiß, unser eigenes System ist nicht ohne Fehler. Unsere Regierung hat manchmal repressive Regime im Namen der Sicherung der Freiheit unterstützt, hat selbst üble geheimdienstliche Tätigkeiten durchgeführt und bleibt hinter dem zurück, was sie zur Sicherung gleicher Rechte für alle im eigenen Land tun müßte. Doch es gibt einen Unterschied. Die NATO ist ein Bündnis demo-

kratischer Staaten, die sich zu diesem Zusammenschluß frei entschieden haben; der Warschauer Pakt ist das nicht.
Es wäre schlichtweg unredlich, so zu tun, als würden wir als Nation allen unsern eigenen Idealen gerecht. So zu tun, als seien diktatorische Regimes in Vergangenheit und Gegenwart für alles Böse auf der Welt verantwortlich, wäre ebenso unehrlich wie absurd. Aber nachdem wir dies gesagt haben und unsere eigenen Fehler eingestehen, müssen wir uns der Realität stellen. Die Tatsachen erlauben einfach nicht den ärgerlichen Vergleich, der zuweilen auch in unserer eigenen Gesellschaft gemacht wird, zwischen unserer Art zu leben, bei der die meisten menschlichen Grundrechte, wenn auch nicht immer angemessen beachtet, so doch zumindest anerkannt werden, und jenen totalitären und tyrannischen Regimes, die diese Rechte entweder verweigern oder systematisch unterdrücken. Jedoch macht dies die Förderung der Menschenrechte in unserer eigenen Außen- und Innenpolitik nur um so dringlicher. Hier ist die Feuerprobe dafür, wie ernst wir unsere demokratischen Werte nehmen. So gesehen, sind alle Versuche, aus Gründen der Staatsraison die Unterstützung von Regierungen zu rechtfertigen, die immer wieder die Menschenrechte verletzen, moralisch um so verwerflicher in ihrer Heuchelei.
Ein Ruhmesblatt der Vereinigten Staaten ist das Ausmaß an politischen Freiheiten, die unser politisches System uns gewährt. Als Bischöfe, als Katholiken und als Bürger nehmen wir diese Freiheiten wahr, indem wir diesen Brief schreiben, der auch unsere eigene Regierung kritisiert. Wir haben echte Religionsfreiheit, Redefreiheit und Zugang zu einer freien Presse. Wir könnten die gleichen Freiheiten im heutigen Osteuropa oder in der Sowjetunion nicht ausüben. Ein freies Volk muß immer einen Preis zahlen und Risiken auf sich nehmen – in verantwortlichen Grenzen der Verhältnismäßigkeit –, um seine Freiheit zu bewahren.

Es ist eine Sache anzuerkennen, daß die Weltbevölkerung keinen Krieg will.
Eine ganz andere Sache ist es, die gleichen guten Motive Regierungen oder politischen Systemen zu unterstellen, die in ihrem Verhalten immer wieder das genaue Gegenteil beweisen. Es gibt politische Philosophien, deren Begriffe von Moralität so radikal anders als die unseren sind, daß auch Verhandlungen von unterschiedlichen Voraussetzungen ausgehen, auch wenn beide Seiten die gleiche Terminologie benutzen. Das ist kein Grund, nicht zu verhandeln. Aber es ist ein sehr guter Grund, nicht blind oder naiv zu verhandeln.
In dieser Hinsicht gibt Papst Johannes Paul II. einige nüchterne Ermahnungen für den Dialog und den Frieden:
»Erst recht ist hier die bewußte taktische Lüge zu nennen, welche die Sprache mißbraucht, raffinierteste Techniken der Propaganda einsetzt, den Dialog zu Fall bringt und die Aggressionen anheizt.
Solange schließlich heute manche Beteiligten von Ideologien leben, die allen Bekundungen zum Trotz in Widerspruch stehen zur Würde der menschlichen Person, ... von Ideologien, die im Kampf die Triebkraft der Geschichte sehen, in der Gewalt die Quelle des Rechts, in Feindbildern das ABC der Politik, solange verläuft der Dialog stockend und steril oder ist, wenn er überhaupt noch stattfindet, in Wirklichkeit nur äußerlich und sinnentleert. Er wird dann äußerst schwierig, um nicht zu sagen, unmöglich. Eine weitgehende Kommunikationssperre zwischen den Ländern und Blöcken ist die Folge; sogar die internationalen Gremien sind gelähmt; das Scheitern des Dialogs droht zum Rüstungswettlauf zu führen.
Aber selbst beim Eindruck einer solchen Blockierung im Maße, wie sich die Beteiligten mit solchen Ideologien identifizieren, erscheint der Versuch eines vernünftigen Dialogs

zur Entkrampfung der Situation und zur Arbeit an möglichen Friedensschritten in einzelnen Punkten immer noch notwendig. Dabei sollte man mit dem gesunden Empfinden rechnen, mit der Einsicht in die Gefahr für alle und mit den Idealen, welche großenteils die Völker selbst bewegen.«[108]
Der kühle Realismus dieser Worte, verbunden mit der Überzeugung, daß der politische Dialog und die Verhandlungen trotz Widerständen weitergehen müssen, sind eine feste Leitlinie für die amerikanisch-sowjetischen Beziehungen. Trotz aller Unterschiede zwischen den beiden Philosophien und politischen Systemen ist die fundamentale Wahrheit, daß die Supermächte objektive gemeinsame Interessen haben. Beweise für diese konkrete, wenn auch begrenzte Interessenübereinstimmungen finden sich in einigen höchst wichtigen Abmachungen über Kernwaffen, die auf den Gebieten der Atomwaffentests und nuklearer Explosionen im Weltraum wie auch in den SALT I–Abkommen bereits ausgehandelt wurden.

Die Tatsache, daß die Sowjetunion heute ein gewaltiges Arsenal an strategischen Waffen besitzt, die uns so bedrohlich erscheinen, wie die unsern ihnen erscheinen mögen, schließt nicht aus, daß erfolgreiche Verhandlungen möglich sind. Die Überzeugung vieler europäischer Beobachter, daß ein *modus vivendi* (oft als »Entspannung« bezeichnet) auf politischem, wirtschaftlichem und wissenschaftlichem Gebiet praktisch möglich ist, sollte in unserm Land nicht leichtfertig beiseite geschoben werden.

Eine vernünftige und erfolgreiche Diplomatie jedoch erfordert, daß wir nicht in die Falle einer Art Antisowjetismus tappen, der die zentrale Gefahr einer Supermacht-Rivalität, an der die Vereinigten Staaten und die Sowjetunion beide beteiligt sind, nicht begreift und nicht erkennt, daß beide Staaten das gemeinsame Interesse haben, niemals Kernwaffen einzusetzen. Einige dieser Gefahren und gemeinsamen

Interessen gäbe es in jeder Welt, in der zwei Großmächte, auch wenn sie relativ gutartig wären, um Macht, Einfluß und Sicherheit ringen. Was von der Diplomatie für die Behandlung der Beziehungen zwischen den Vereinigten Staaten und der Sowjetunion erwartet werden muß, ist nicht romantischer Idealismus über die sowjetischen Absichten und Möglichkeiten, sondern ein solider Realismus, der einsieht, daß bei einem nuklearen Schlagabtausch jeder verliert.

Wir Bischöfe müssen uns mit Problemen befassen, die über die Erfordernise der Diplomatie hinausgehen. Es ist nicht unwichtig, daß in den Bereich der politischen Debatte immer wieder die Wahrheiten eingebracht werden, die unser Engagement für die Angelegenheiten der Staaten und Völker begründen. Im diplomatischen Verkehr sieht man allgemein im anderen den potentiellen oder tatsächlichen Gegner. In einigen Fällen muß das sowjetische Verhalten gerügt werden; aber das sowjetische Volk und seine Führer sind Menschen, die nach dem Ebenbild Gottes geschaffen sind. Zu glauben, wir seien auch in Zukunft zu dem verurteilt, was in der Vergangenheit die Beziehungen zwischen den Vereinigten Staaten und der Sowjetunion ausmachte, heißt sowohl unsere menschlichen Fähigkeiten zu schöpferischer Diplomatie als auch Gottes Handeln in unserer Mitte zu unterschätzen, das den Weg für Veränderungen eröffnen kann, die uns kaum vorstellbar erscheinen. Wir wollen nicht Illusionen fördern, daß der vor uns liegende Weg in den Beziehungen zwischen den Supermächten ohne Spannungen sein wird, oder daß der Friede sich ohne Schwierigkeiten erreichen läßt. Aber wir warnen vor jener »Verhärtung des Herzens«, die uns oder andere gegenüber den Veränderungen verschließen kann, die notwendig sind, damit die Zukunft anders wird als die Vergangenheit.

3. Interdependenz: Von der Wirklichkeit zum politischen Handeln

Während der nukleare Rüstungswettlauf die Aufmerksamkeit auf die Beziehung zwischen den Vereinigten Staaten und der Sowjetunion konzentriert, ist es weder politisch klug noch moralisch gerechtfertigt, den größeren internationalen Zusammenhang zu ignorieren, in dem diese Beziehung steht. Die Aufmerksamkeit der Öffentlichkeit, die sich auf die Großmächte richtet, übersieht oft die Not vieler Länder und von Millionen von Menschen, die ums nackte Überleben kämpfen. Die Interdependenz der Welt bedeutet, daß eine Reihe von Menschheitsfragen miteinander zusammenhängen. So wichtig die Bewahrung des Friedens im Atomzeitalter auch ist – die anderen großen aktuellen Probleme sind damit noch nicht gelöst. Zu diesen Problemen gehört vorrangig die fortdauernde Kluft im Lebensstandard zwischen den Industrienationen (Ost und West) und der Dritten Welt. Um Papst Johannes Paul II. zu zitieren:

»Der Umfang des Problems führt uns zur Prüfung der Strukturen und Mechanismen im Bereich der Finanzen und des Geldwertes, der Produktion und des Handels, die mit Hilfe von verschiedenen politischen Druckmitteln die Weltökonomie beherrschen: Sie zeigen sich unfähig, die aus der Vergangenheit überkommenen Ungerechtigkeiten aufzufangen oder den Herausforderungen und ethischen Ansprüchen der Gegenwart standzuhalten.«[109]

Die Rivalität zwischen Ost und West, so zentral sie für die Weltordnung und so wichtig sie für die außenpolitische Diskussion ist, berührt nicht diese ethische Frage, die dem Nuklearproblem in seiner menschlichen Bedeutung gleichkommt. Das Problem der Entwicklungsländer würde einen eigenen Hirtenbrief erfordern; allerdings hat die katholische Lehre eine Analyse des Problems entwickelt, auf die hier hingewiesen wird. Diese Analyse erkennt innergesellschaftliche Gründe der Armut an, richtet ihr Augenmerk aber auch auf die Art und Weise, in der die größeren internationalen Wirtschaftsstrukturen die armen Nationen beeinträchtigen. Dazu gehören insbesondere Handels-, Währungs- und Investitionspolitik sowie die Entwicklungshilfe.

Keine der beiden Supermächte tut sich in diesen Bereichen mit Initiativen gegen die »absolute Armut« hervor, in der Millionen Menschen heute leben.[110]

Aus unserer Sicht und Erfahrung als Bischöfe glauben wir, daß in den Köpfen und Herzen der amerikanischen Bürger ein viel größeres Verständnis für diese Fragen vorhanden ist, als in der Politik der Vereinigten Staaten zum Ausdruck kommt. Als Seelsorger, die oft an unsere Gemeinden mit der Bitte um Geldspenden für internationale Programme herantreten, stellen wir fest, daß guter Wille und große Spendenfreudigkeit vorherrschen. Der Geist der Großzügigkeit, der den Marshallplan bestimmte, ist in der amerikanischen Öffentlichkeit noch lebendig.

Wir müssen herausfinden, wie man dieses persönliche Gefühl von Freigebigkeit und Mitleid auf eine Unterstützung politischer Maßnahmen übertragen kann, die der päpstlichen Lehre über Fragen der internationalen Wirtschaft entspräche. Genau diese Notwendigkeit, unsere Begriffe von internationaler Hilfe und Barmherzigkeit auszuweiten zu einem Verständnis für die Erfordernisse sozialer Gerechtigkeit im Bereich von Handels-, Entwicklungshilfe- und Finanzfragen, wurde im Aufruf von Papst Johannes Paul II. an die amerikanischen Katholiken im Yankee-Stadion angesprochen:

»Im Rahmen eurer staatlichen Einrichtungen und in Zusammenarbeit mit all euren Landsleuten werdet ihr auch die Gründe erforschen wollen, die die verschiedenen Formen der Armut in der Welt und eurem eigenen Land verursachen und begünstigen, damit ihr die geeigneten Heilmittel anwenden könnt. Ihr dürft euch nicht von simplifizierenden Erklärungen einschüchtern oder entmutigen lassen, die mehr ideologisch als wissenschaftlich sind – Erklärungen, die versuchen, ein komplexes Übel auf eine einzige Ursache zurückzuführen. Aber ihr werdet auch nicht vor Reformen zurückschrecken, Reformen der inneren Einstellung und der Strukturen, die sich als notwendig erweisen könnten, um immer aufs neue die Bedingungen zu schaffen, die die Benachteiligten brauchen, wenn sie eine neue Chance im harten Lebenskampf erhalten sollen. Die Armen in den Vereinigten Staaten und in der Welt sind eure Brüder und Schwestern in Christo.«[111]

Die Worte des Papstes beleuchten schlaglichtartig eine intellektuelle, moralische und politische Herausforderung für die Vereinigten Staaten. Die intellektuelle Herausforderung besteht in der Notwendigkeit, die Bedeutung des nationalen Interesses in einer interdependenten Welt neu zu durchdenken. Die moralische Herausforderung besteht in der Notwendigkeit, auf dem Geist der Freigebigkeit aufzubauen, der in der amerikanischen Öffentlichkeit vorhanden ist, und ihn auf eine systematischere Anwort auf die großen Probleme zu richten, die die Armen der Welt betreffen. Die politische Herausforderung besteht in der Notwendigkeit politischer Maßnahmen der Vereinigten Staaten, die die tiefgreifenden Strukturreformen vorantreiben, zu denen die neueren päpstlichen Lehräußerungen auffordern.

Das päpstliche Lehramt hat im Namen der internationalen Ordnung durch Wort und Tat versucht, multilaterale Formen der Kooperation zugunsten der Entwicklungsländer zu fördern. Die Vereinigten Staaten haben sehr große Möglichkeiten, in internationalen Institutionen eine führende Rolle zu spielen. Wir fordern, daß die Vereinigten Staaten in

diesen Institutionen sehr viel intensiver und kreativer auf die Bedürfnisse der Entwicklungsländer eingehen.
Welch wichtige Rolle die Vereinigten Staaten spielen könnten, erkennt man an den Problemen, mit denen diese Institutionen täglich konfrontiert sind. Vorschläge, die das Verhältnis zwischen Industrie- und Entwicklungsländern auf vielen Problemfeldern ansprechen, die alle »tiefgreifender Reformen« bedürfen, werden in den Vereinten Nationen und anderen internationalen Organisationen regelmäßig behandelt. Ohne Mitwirkung der Vereinigten Staaten werden keine bedeutenden Reformen und wesentlichen Veränderungen stattfinden, die sich der Bedürfnisse der Armen annehmen. Diesen Bedürfnissen gerecht zu werden, ist ein wesentliches Element für eine friedliche Welt.
Das päpstliche Lehramt hat in den letzten vier Jahrzehnten nicht nur grundsätzlich die internationalen Institutionen unterstützt, es ist ganz besonders für die Vereinten Nationen eingetreten. Papst Paul VI. sagte vor der Vollversammlung der Vereinten Nationen:
»Das Gebäude, das Sie errichtet haben, darf nie wieder in Trümmer gehen. Es muß vervollkommnet und den Erfordernissen der Weltgeschichte angepaßt werden. Sie repräsentieren eine Stufe der Entwicklung der Menschheit. Von nun an ist es unmöglich, zurückzuweichen, man muß voranschreiten.«[112]
Es ist durchaus notwendig, die Vereinten Nationen sorgfältig zu prüfen, ihre Grenzen zu erkennen und, wenn nötig, Vorschläge zur Verbesserung zu machen. Aber angesichts der wiederholten Ermutigungen durch das päpstliche Lehramt drängen wir auf eine stärker unterstützende Führungsrolle der Vereinigten Staaten in den Vereinten Nationen. Die wachsende Interdependenz der Staaten und Völker der Welt in Verbindung mit multinationalen Konzernen, die sich unabhängig von Regierungen bewegen, erfordert neue

Strukturen der Kooperation. Die Vereinigten Staaten gehören zu den Gründern der Vereinten Nationen und tragen wesentlich zu ihrer Finanzierung bei; sie können und sollten heute eine positivere und schöpferischere Rolle in deren Leben spielen.

Gerade in den Vereinten Nationen werden die Folgen des Rüstungswettlaufs für die Aussichten auf wirtschaftliche Entwicklung herausgestellt. Die zahlreichen Studien der Vereinten Nationen über das Verhältnis von Entwicklung und Abrüstung bestätigen das Urteil des II. Vatikanischen Konzils, das in diesem Brief bereits zitiert wurde: »Der Rüstungswettlauf ist eine der schrecklichsten Wunden der Menschheit, er schädigt unerträglich die Armen.«[113]

Wir wissen, daß das genaue Verhältnis zwischen Abrüstung und Entwicklung weder leicht nachzuweisen ist noch leicht umorientiert werden kann. Aber die Tatsache des massiven Mißbrauchs von Ressourcen angesichts der zum Himmel schreienden Not der Menschen schafft ein moralisches Problem. In einer interdependenten Welt hängt die Sicherheit einer jeden Nation mit der Sicherheit aller zusammen. Wenn wir bedenken, wie und was wir heute für die Verteidigung ausgeben, dann können wir nicht einfach Waffen mit Sicherheit gleichsetzen.[114] Die Sicherheit und Stabilität einer interdependenten Welt wird nicht nur von Raketen und Bombern bedroht.

Wenn der Rüstungswettlauf in all seinen Ausprägungen nicht umgekehrt wird, werden Ressourcen fehlen für die Deckung dringender menschlicher Bedürfnisse in großen Teilen der Welt und auch in unserem eigenen Land. Wir wissen aber auch, daß es nur ein erster Schritt ist, solche Ressourcen bereitzustellen; es kommt auch darauf an, damit anschließend sorgfältig umzugehen. Zum Nachdenken über die wirtschaftlichen Folgen der Abrüstung gehören auch die Möglichkeiten einer Umstellung von Rüstungsbetrieben auf andere Zwecke (Rüstungskonversion). Viele sagen, daß diese Möglichkeiten groß sind, wenn der politische Wille vorhanden ist. Wir sagen, daß der politische Wille, Ressourcen stärker an menschlichen Bedürfnissen zu orientieren und industrielle, wissenschaftliche und technologische Kapazitäten umzuleiten, so daß sie diesen Bedürfnissen gerecht werden, ein Teil der Herausforderung des Atomzeitalters ist. Diejenigen, deren Lebensunterhalt von Industrien abhängt, die umgestellt werden können, sollten zu Recht Unterstützung beim Übergang zu neuen Beschäftigungsformen erwarten können. Die ökonomische Dimension des Rüstungswettlaufs geht weiter, als wir hier ausführen können, aber die von uns gestellten Fragen gehören zu den Hauptproblemen unseres Landes.[115]

Eine interdependente Welt zwingt uns zu der Einsicht, daß politische Schlüsselfragen heute mit einer wechselseitigen Abhängigkeit von Interessen verbunden sind. Wenn das Währungs- und Handelssystem nicht von einer Rücksichtnahme auf die wechselseitigen Bedürfnisse getragen ist, kann es zusammenbrechen. Wenn der Schutz der Menschenrechte und die Befriedigung menschlicher Grundbedürfnisse in der diplomatischen Arena keinen Fürsprecher haben, dann wird die Stabilität, die wir in verstärkter Bewaffnung suchen, schließlich von den in weiten Teilen unseres Globus verweigerten Rechten und unbefriedigten Bedürfnissen bedroht. Wenn die zukünftige Planung über den Zugang zu den Ressourcen und über deren Erhaltung zu einem reinen Machtkampf ausartet, dann garantieren wir nur künftige Konflikte.

Die moralische Herausforderung der Interdependenz lautet, die Beziehungen und Regeln für das praktische Handeln zu entwickeln, die unser gemeinsames Bedürfnis nach Sicherheit und Wohlfahrt befriedigen. Diese Herausforderung ist ein Prüfstein für unsere Vorstellungen von menschlicher

Gemeinschaft, für unsere politische Analyse und unseren politischen Willen. Einen Atomkrieg zu verhindern, ist von absolut zentraler Bedeutung; aber selbst wenn das gelingt, bleibt noch sehr viel zu tun.

IV. Die pastorale Herausforderung und Antwort

A. Die Kirche: Eine Gemeinschaft des Gewissens, des Gebetes und der Buße

Papst Johannes Paul II. hat in seiner ersten Enzyklika mit Dankbarkeit an die Lehräußerungen von Pius XII. über die Kirche erinnert. Er sagte weiter:

»Die Zugehörigkeit zu ihr kommt aus einem besonderen Ruf in Verbindung mit dem Heilswirken der Gnade. Wenn wir also diese Gemeinschaft des Volkes Gottes, die so umfassend und äußerst differenziert ist, vor Augen haben wollen, müssen wir vor allem auf Christus blicken, der in gewisser Weise zu jedem Glied dieser Gemeinschaft sagt: ›Folge mir‹. Dies ist die Gemeinschaft der Jünger; jeder einzelne von ihnen folgt auf je eigene Weise Christus, mitunter sehr bewußt und kohärent, mitunter wenig aufmerksam und sehr inkonsequent. Darin zeigt sich auch das zutiefst ›personale‹ Profil und die besondere Dimension dieser Gesellschaft.«[116]

Im folgenden möchten wir darstellen, was es heißt, eine Gemeinschaft der Jünger Jesu zu sein in einer Zeit, in der unsere Nation bis an die Zähne mit Atomwaffen gerüstet ist und dauernd neue Waffen und Strategien für deren Einsatz entwickelt.

Heute erkennen wir vielleicht klarer als frühere Generationen, daß überzeugte Christen in fast jedem Land der Welt – einschließlich dem Namen nach christlichen und katholischen Nationen – in der Minderheit sind. In unserm eigenen Land wird uns immer deutlicher, daß die Antwort auf Jesu Ruf uns persönlich fordert. Als Glaubenden fällt es uns nicht schwer, uns mit der frühen Kirche zu identifizieren, die als Gemeinschaft von Zeugen einen schweren Auftrag hatte. Ein Jünger Jesu zu sein bedeutet, daß wir ständig über das hinausgehen müssen, was wir jetzt sind. Dem Ruf Jesu gehorchen heißt, sich von allen Bindungen und Verstrickungen zu lösen, die uns hindern könnten, unsere wahre Berufung zu vernehmen und ihr zu folgen. Sich auf den Weg der Nachfolge machen heißt, bereit sein, das Kreuz auf sich zu nehmen (vgl. Joh 16,20). Christsein bedeutet nach dem Neuen Testament nicht einfach, mit seinem Verstand zu glauben, sondern ein Täter des Wortes und ein Weggefährte und Zeuge Jesu zu sein. Und das wiederum heißt, daß wir in der Geschichte niemals den vollen Erfolg erwarten können, sondern vielmehr sogar den Weg der Verfolgung und die Möglichkeit des Martyriums als normal betrachten müssen.

Wir sind bereit zuzugeben, daß wir in einer Welt leben, die sich zunehmend von christlichen Werten entfremdet. Um Christ zu bleiben, muß man entschlossen gegen viele allgemein akzeptierte Grundsätze der Welt stehen. Um wahre Jünger zu werden, müssen wir uns auf einen anspruchsvollen Weg in die reife Christengemeinde begeben. Wir müssen uns ständig rüsten, um den ganzen Glauben der Kirche in einer zunehmend säkularisierten Gesellschaft zu bekennen. Wir müssen ein Solidaritätsgefühl entwickeln, das durch Beziehungen zwischen beispielgebenden und reifen Christen gefestigt wird, die Christus und seine Weise zu leben repräsentieren.

Alle diese Aussagen darüber, was es bedeutet, heute ein Jünger und Nachfolger Jesu zu sein, sind insbesondere für die Suche nach wahrem Frieden in unserer Zeit von Bedeutung.

B. Elemente einer pastoralen Antwort

Wir empfehlen nachdrücklich einige praktische Programme für die Gläubigen, wie sie der Herausforderung ihres Glaubens in dieser Zeit schwerer Sorge begegnen können.

1. Bildungsprogramme und Gewissensbildung

Krieg, besonders der drohende Atomkrieg, ist sicherlich eines der zentralen Probleme unseres Zeitalters. Wie wir dies Problem anfassen, wird die Form und sogar die Möglichkeit des Lebens auf der Erde bestimmen. Gott machte die Menschen zu Verwaltern der Erde; diese Verantwortung können wir nicht abschütteln. Daher fordern wir jede Diözese und Pfarrei dringend auf, ausgewogene und sachkundige Fortbildungsprogramme durchzuführen, um Christen aller Altersstufen zu helfen, die Probleme von Krieg und Frieden besser zu verstehen. Die Entwicklung und Durchführung dieser Programme sollte in den nächsten Jahren eine hohe Priorität erhalten. Sie müssen die volle Konsequenz unseres christlichen Glaubens lehren. Um das zu erreichen, soll dieser ganze Hirtenbrief mit all seinen schwierigen Themen als Weisung und Rahmen für diese Programme benutzt werden, da sie die Menschen anleiten, moralische Entscheidungen über die Probleme von Krieg und Frieden zu treffen; dabei muß man immer daran denken, daß die Anwendung von Prinzipien in diesem Pastoralbrief nicht die gleiche moralische Autorität beanspruchen kann wie unsere Darlegung der universalen ethischen Prinzipien und der offiziellen Lehre der Kirche.
Wenn wir Bildungsprogramme entwickeln, müssen wir im Auge behalten, daß Fragen von Krieg und Frieden eine zutiefst moralische Dimension haben, die verantwortungs-

bewußte Christen nicht leugnen können. Es geht dabei um Leben und Tod. Gewiß, diese Fragen haben auch eine politische Dimension, denn sie sind in die Politik eingebettet. Aber diese Tatsache, daß sie auch politisch sind, enthebt die Kirche nicht der Verpflichtung, ihren Gliedern die Hilfe zu geben, die diese brauchen, um ihr Gewissen zu schärfen. Gemeinsam müssen wir lernen, richtige und verantwortbare moralische Entscheidungen zu treffen. Wir weisen daher die Kritik zurück, die Kirche »mische sich in politische Angelegenheiten ein«, wenn sie sich um diese Probleme kümmert. Wir sind aufgerufen, von der Diskussion zum Zeugnis und zum Handeln überzugehen.

Gleichzeitig räumen wir ein, daß die Lehrautorität der Kirche nicht die gleiche Verbindlichkeit hat, wenn es sich um spezielle Maßnahmen zur Lösung technischer Probleme handelt, als wenn sie über Grundsätze und Ziele spricht. Die Menschen mögen sich z.B. in der Verabscheuung von Ungerechtigkeit einig sein, aber darüber, welche praktischen Schritte Gerechtigkeit schaffen können, gibt es ernste Meinungsverschiedenheiten. Religiöse Gruppen haben in solchen Fällen das gleiche Recht auf ihre Meinung wie andere; allerdings sollten sie nicht den Anspruch erheben, daß ihre Meinung die einzig mögliche für Menschen guten Willens sei.

Die kirchlichen Bildungsprogramme müssen deutlich jene Grundsätze und Lehren vertreten, die kaum strittig sind. Die Lehraussagen, die den Ruf des Evangeliums zum Frieden und die kirchliche Tradition erläutern wollen, sollten auf konkrete Situationen angewandt werden. Sie müssen aufzeigen, welche Optionen legitimerweise möglich sind und welche Konsequenzen sie haben können. Zwar sollte ein solches Vorgehen selbstverständlich sein, es muß aber dennoch betont werden. Es gibt in der öffentlichen Debatte über den Atomkrieg in der ganzen Breite des Meinungsspektrums Leute, die einiges von der klaren Lehre der Kirche in den päpstlichen und konziliaren Dokumenten anscheinend nicht verstehen oder akzeptieren. Einige z.B. würden dem Einsatz von Atomwaffen fast keine Grenzen setzen, wenn sie zur »Selbstverteidigung« benötigt würden. Einige, die in der Debatte die andere Seite vertreten, bestehen auf Schlußfolgerungen, die legitime Optionen sein mögen, aber nicht aufgrund der gegenwärtigen Lehre der Kirche für alle verpflichtend gemacht werden können.

2. Wahrer Friede fordert »Ehrfurcht vor dem Leben«

Alle Werte, für die wir in diesem Brief eintreten, beruhen letztlich auf der Abrüstung des Herzens und der Bekehrung des menschlichen Geistes zu Gott, der allein wahren Frieden geben kann. Um in unserer Welt Frieden haben zu können, müssen wir zuerst Frieden in uns selbst haben. Papst Johannes Paul II. erinnerte uns in seiner Botschaft zum Weltfriedenstag 1982, daß wir den Weltfrieden solange nicht erreichen werden, bis Frieden für jeden persönlich Wirklichkeit geworden ist. »Der Friede entsteht aus dem Zusammenwirken von Menschen mit freiem Willen, die durch ihren Verstand auf das Gemeinwohl hingelenkt werden, das in Wahrheit, Gerechtigkeit und Liebe erreicht werden soll.«[117] Innerer Friede ist nur möglich, wenn unser Geist sich bekehrt. Wir können nicht Frieden haben und zugleich in unseren Herzen hassen.

Keine Gesellschaft kann in Frieden mit sich und der Welt leben, ohne sich des Wertes und der Würde jedes Menschen und der Heiligkeit alles menschlichen Lebens (Jak 4,1–2) voll bewußt zu sein. Wenn wir Gewalt in irgendeiner Form als normal akzeptieren, wird unser Empfinden abgestumpft. Wenn wir Gewalt akzeptieren, wird auch der Krieg selbst-

verständlich. Gewalt hat viele Gesichter: Unterdrückung der Armen, Verweigerung menschlicher Grundrechte, wirtschaftliche Ausbeutung, sexuelle Ausbeutung und Pornographie, Vernachlässigung oder Mißhandlung Alter und Hilfloser und zahllose andere Akte der Unmenschlichkeit. Besonders die Abtreibung stumpft das Gefühl für die Heiligkeit des Menschenlebens ab. Wenn in einer Gesellschaft unschuldige Ungeborene mutwillig getötet werden –, wie können wir da erwarten, daß die Menschen sich abgestoßen fühlen, wenn es darum geht, unschuldige Zivilisten im Krieg zu töten oder mit dem Tod zu bedrohen?
Wir sind uns sehr wohl darüber klar, daß es ein Unterschied ist, menschliches Leben im Krieg zu vernichten oder durch Abtreibung. Wie wir in diesem ganzen Dokument besprochen haben, kann selbst gerechtfertigte Verteidigung gegen einen Angriff dazu führen, daß indirekt oder unbeabsichtigt Verluste an unschuldigen Menschen eintreten. Das ist tragisch, kann aber in angemessenem Verhältnis zu den verteidigten Werten stehen. Nichts jedoch kann den direkten Angriff auf das Leben unschuldiger Menschen im Krieg oder außerhalb des Krieges rechtfertigen. Abtreibung ist ein solcher Angriff.
Wir wissen, daß Millionen von Männern und Frauen guten Willens aus allen Religionen und Überzeugungen mit uns einig sind bei dem Versuch, die Schrecken des Krieges zu verringern und insbesondere sicherzustellen, daß niemals Kernwaffen eingesetzt werden, von keinem Staat, an keinem Ort und aus keinem Grund. Millionen stimmen unserem Nein zum Atomkrieg zu in der Gewißheit, daß ein Atomkrieg unausweichlich zur direkten oder indirekten Tötung von Millionen unschuldiger Menschen führen würde. Aber viele stehen nicht mehr an unserer Seite, wenn wir uns bemühen, die Schrecken der Abtreibung zu vermindern und Nein zum Krieg gegen unschuldiges menschliches Leben im

Mutterleib sagen, das nicht indirekt, sondern direkt getötet wird.
Wir müssen fragen, wie lange eine Nation, die bereit ist, das »Recht« zur Tötung wehrlosen menschlichen Lebens durch Abtreibung verfassungsmäßig zu garantieren, sich wahrscheinlich zurückhalten wird bei der Anwendung strategischer Kriegführungsmaßnahmen, die bewußt darauf aus sind, Millionen wehrloser Menschen zu töten, wenn es »vorteilhaft« erscheint. Seit 1973 sind in den Vereinigten Staaten schätzungsweise 15 Millionen Abtreibungen erfolgt, Symptom einer Krankheit des menschlichen Geistes. Und wir stehen jetzt vor der Tatsache, daß das Pro und Contra von Fragen wie Kindestötung, Euthanasie und Vollstrekkung der Todesstrafe durch Ärzte ernsthaft diskutiert wird. Diejenigen, die solch eine nationale Katastrophe begehen würden, können nur bewußt die Augen gegenüber dieser Realität geschlossen haben.
Papst Paul VI. war entschieden und klar: Wenn du Frieden willst, verteidige das Leben.[118] Wir bitten alle, die sich für ein Ende der Geißel des Krieges einsetzen, mit der Verteidigung des Lebens an seiner wehrlosesten Stelle zu beginnen, mit dem Leben der Ungeborenen.

3. Gebet

Durch die Bekehrung unserer Herzen und Sinne können wir zu einer engeren Gemeinschaft mit unserem Herrn kommen. Dazu hilft uns das persönliche und gemeinsame Gebet, denn im Gebet begegnen wir Jesus, der unser Friede ist, und von dem wir den Weg zum Frieden lernen. Im Gebet werden wir im Glauben erneuert und bestärkt in der Hoffnung auf Gottes Verheißung.
Der Herr hat uns zugesagt, daß er in unserer Mitte ist, wenn

wir gemeinsam beten. Gestärkt durch diese Gewißheit, flehen wir zu dem auferstandenen Christus, daß er die Welt mit seinem Frieden erfülle. Wir rufen zu Maria, der ersten Jüngerin und der Königin des Friedens, für uns und die Menschen unserer Zeit einzutreten, daß wir den Weg des Friedens gehen mögen. In diesem Zusammenhang empfehlen wir die Verehrung Unserer Lieben Frau des Friedens.

Als Glaubende wissen wir, daß Friede ein Geschenk Gottes ist. Dieser Glaube treibt uns, unablässig persönlich und gemeinsam zu beten, besonders durch das Lesen der Bibel und das Rosenkranzgebet, vor allem in der Familie. Durch diese und andere geistliche Mittel suchen wir die Weisheit, nach Frieden zu streben, und den Mut, der uns Kraft gibt, als Werkzeuge des Friedens Christi in der Welt zu handeln.

Das kontemplative Gebet ist für die Förderung von Eintracht und Frieden in der Welt besonders wertvoll. Denn dies Gebet entsteht, durch göttliche Gnade, dort, wo völlige Abrüstung des Herzens ist, und entfaltet sich in der Erfahrung der Liebe, die die treibende Kraft des Friedens ist. Kontemplation ist der Nährboden, auf dem die Vision einer im Geheimnis der Liebe Gottes zu allen Menschen geeinten und interdependenten Menschheitsfamilie wächst. Dies stille innerliche Gebet überbrückt für Augenblicke das »Schon« und »Noch nicht«, diese Welt und Gottes Friedensreich.

Insbesondere die Messe ist ein einzigartiges Mittel, wenn wir um Gottes Beistand für die Schaffung solcher Bedingungen bitten, die für die Förderung des wahren Friedens in uns und in der Welt unerläßlich sind. In der Eucharistie begegnen wir dem auferstandenen Herrn, der uns seinen Frieden gegeben hat. Er gibt uns Anteil an der Gnade der Erlösung, die uns hilft, dies kostbare Geschenk zu bewahren und zu pflegen. Nirgends ist die dringende Bitte der Kirche um Frieden in der Liturgie besser erkennbar als in der Kommunionfeier. Nachdem die Gemeinde diesen Teil der Messe mit dem Gebet des Herrn angefangen und um Versöhnung hier und im kommenden Gottesreich gebetet hat, fleht sie zu Gott: »Gib uns Frieden in unseren Tagen« und nicht irgendwann in einer fernen Zukunft. Noch bevor wir aufgefordert werden: »Gebt einander das Zeichen des Friedens«, setzt der Priester das Gebet der Kirche um Frieden fort und erinnert an das Vermächtnis des Friedens, das der Herr Jesus Christus selbst hinterlassen hat:

»Herr Jesus Christus, du hast zu deinen Aposteln gesagt: Frieden hinterlasse ich euch, meinen Frieden gebe ich euch. Schau nicht auf unsere Sünden, sondern auf den Glauben deiner Kirche und schenke uns nach deinem Willen Einheit und Frieden deines Reiches.«

Darum ermutigen wir jeden Katholiken, in der Messe den Friedensgruß zu einem echten Zeichen unserer Versöhnung mit Gott und untereinander zu machen. Der Friedensgruß ist auch ein sichtbarer Ausdruck unserer Verpflichtung, als christliche Gemeinde für den Frieden zu wirken. Wir gehen erst dann zum Tisch des Herrn, nachdem wir uns als christliche Gemeinde Frieden und Versöhnung zugesagt haben. Wir schlagen vor, daß bei jeder Eucharistiefeier eine Bitte um Frieden als weiteres Zeichen unserer Verpflichtung immer auch in das Fürbittgebet aufgenommen wird.

Wir bitten dringend andere Christen und alle Menschen guten Willens, sich mit uns in diesem unablässigen Gebet um Frieden zu vereinen, wie wir Gott anflehen um Frieden in uns selbst, in unseren Familien und Gemeinden, in unserem Volk und in der Welt.

4. Buße

Ohne Buße ist das Gebet unvollständig. Buße lenkt uns auf unser Ziel, uns so zu verhalten wie Jesus. Weil wir alle zur Gewalt fähig sind, sind wir Christus nie ganz gehorsam und bedürfen immer wieder der Umkehr. Das 20. Jahrhundert allein liefert Beispiele genug von unserer Gewalttätigkeit als einzelne und als Nation. Daher sind Reue und Umkehr ständig nötig. Der Gottesdienst der Kirche, insbesondere das Sakrament der Versöhnung und gemeinsame Bußgottesdienste, bieten uns vielfältige Möglichkeiten, für die Gewalt in unserem eigenen Leben und in unserer Welt Wiedergutmachung zu leisten.
Als sichtbares Zeichen unseres Verlangens und der Notwendigkeit, Buße zu tun, verpflichten wir uns, an jedem Freitag des Jahres für den Frieden zu fasten und Abstinenz zu üben. Wir fordern unser Kirchenvolk auf, freitags freiwillig Buße zu tun, indem man weniger ißt und auf Fleisch verzichtet. Diese Rückkehr zur traditionellen Bußpraxis, die früher in der Kirche der Vereinigten Staaten durchaus beachtet wurde, sollte von Werken der Barmherzigkeit und vom Dienst an unserm Nächsten begleitet werden. Jeder Freitag sollte ausdrücklich dem Gebet, der Buße und dem Almosengeben zum Besten des Friedens gewidmet sein.
Zu solcher Form der Buße und Umkehr ruft uns die Heilige Schrift. Jesaja sagt:
»Nein, das ist ein Fasten, wie ich es liebe: Die Fesseln des Unrechts zu lösen, die Stricke des Jochs zu entfernen, die Versklavten freizulassen, jedes Joch zu zerbrechen, an die Hungrigen dein Brot auszuteilen, die obdachlosen Armen ins Haus aufzunehmen, wenn du einen Nackten siehst, ihn zu bekleiden und dich deinen Verwandten nicht zu entziehen. Dann wird dein Licht hervorbrechen wie die Morgenröte, und deine Wunden werden schnell vernarben. Wenn

du der Unterdrückung bei dir ein Ende machst, auf keinen mit dem Finger zeigst und niemanden verleumdest, dem Hungrigen dein Brot reichst und den Darbenden satt machst, dann geht im Dunkel dein Licht auf, und deine Finsternis wird hell wie der Mittag.« (Jes 58,6–8, 9b–10)
Der jetzige nukleare Rüstungswettlauf hat uns die Worte der Propheten und die Aufgabe, Frieden zu schaffen, vergessen lassen und unsere Aufmerksamkeit auf die atomare Rüstung konzentriert, die zur Vernichtung führt. Wir sind aufgerufen, uns von diesem Übel der totalen Zerstörung weg- und in Gebet und Reue Gott zuzuwenden, unserem Nächsten und dem Aufbau einer friedlichen Welt:
»Leben und Tod lege ich dir vor, Segen und Fluch. Wähle also das Leben, damit du lebst, du und deine Nachkommen. Liebe den Herrn, deinen Gott, hör auf seine Stimme, und halte dich an ihm fest; denn er ist dein Leben. Er ist die Länge deines Lebens, das du in dem Land verbringen darfst, von dem du weißt: Der Herr hat deinen Vätern Abraham, Isaak und Jakob geschworen, es ihnen zu geben.« (Dtn 30,19b–20).

C. Herausforderung und Hoffnung

Der Rüstungswettlauf stellt uns vor Gewissensfragen, denen wir uns nicht entziehen können. Wir amerikanischen Katholiken sind aufgerufen, unserer Treue zu unseren höchsten Werten Ausdruck zu verleihen: Frieden, Gerechtigkeit und Sicherheit für die ganze Menschheitsfamilie. Nationale Ziele und nationale Politik müssen sich daran messen lassen.
Wir sprechen jetzt insbesondere zur katholischen Glaubensgemeinschaft. Nachdem nach fast vier Jahrzehnten unser Verständnis für die ständig wachsende Gefahr eines Nuklearkrieges zugenommen hat, müssen wir ein Meinungsklima

schaffen, das es unserm Land ermöglicht, seinem tiefen Schmerz über den Atombombenabwurf von 1945 Ausdruck zu geben. Ohne diese Reue ist es unmöglich, einen Weg zu finden, um in Zukunft den Einsatz von Atomwaffen oder von konventionellen Waffen bei solchen militärischen Aktionen abzulehnen, die nicht den Kriterien für einen gerechten Krieg entsprechen.

An die Priester, Diakone, Ordensleute und andere im pastoralen Dienst Tätige

Wir erkennen den besonderen Dienst an, den Priester und Diakone in der Kirche aufgrund ihrer sakramentalen Weihe und ihrer einzigartigen Verantwortung in der Gemeinschaft der Glaubenden haben. Ebenso erkennen wir den wertvollen und unersetzlichen Dienst der Männer und Frauen in den Orden an. Ihnen sowie allen anderen im pastoralen Dienst Tätigen schärfen wir ein, daß es ein ganz zentrales Ziel sein muß, die Vision des Evangeliums vom Frieden als Weg des Lebens für die Glaubenden und als Sauerteig in der Gesellschaft zu entfalten. Wir Bischöfe sind uns täglich bewußt, daß wir auf Eure Bemühungen angewiesen sind. Wir sind uns auch darüber klar, daß dieser Brief und die neuen Pflichten, die er für den Gläubigen bringen könnte, Euch Schwierigkeiten im Umgang mit jenen, denen Ihr dient, machen kann. Wir vertrauen darauf, daß Ihr diese Schwierigkeiten in eine Gelegenheit verwandeln wollt und könnt, ein vollkommeneres Zeugnis für unsern Herrn und seine Botschaft abzulegen. Die Gläubigen werden diesen Brief nur so gut kennenlernen, wie Ihr ihn kennt, predigt und lehrt, ihn entfaltet und schöpferisch einsetzt.

An die Erzieher

Wir haben in diesem Brief Aspekte der katholischen Lehre von Krieg und Frieden dargestellt; aber nur durch euer Wirken in den katholischen Gemeinden wird eine lebendige Botschaft daraus. Wege des Friedens zu lehren, bedeutet nicht, »unsere Nation zu schwächen«, sondern sich um ihre Seele zu bemühen. Wir wenden uns in besonderer Weise an die Theologen, weil wir wissen, daß wir den Weg zu einer Theologie des Friedens erst begonnen haben; ohne euren speziellen Beitrag kann diese so dringend notwendige Dimension unseres Glaubens nicht realisiert werden. Mit eurer Hilfe können wir der Kirche und dem Staat zu einer neuen Sicht und einer neuen Weisheit verhelfen.
Wir sind zuversichtlich, daß alle Bereiche des katholischen Erziehungswesens, das der Kirche in Amerika auf mancherlei Weise gut gedient hat, der Herausforderung durch den Frieden schöpferisch gewachsen sein werden.

An die Eltern

In unseren Augen ist eure Rolle in der Gesellschaft durch nichts zu überbieten, denn die Grundlage der Gesellschaft ist die Familie. Wir wissen, wieviele Opfer ihr beständig bringt, um euren Kindern volles menschliches und geistliches Wachstum zu ermöglichen. Die Kinder hören die Botschaft des Evangeliums zuerst von euch. Eltern, die zu Hause bewußt über das Problem der Gerechtigkeit sprechen und sich bemühen, den Kindern zu gewaltfreien Methoden der Konfliktbewältigung zu verhelfen, befähigen ihre Kinder, zu Friedensstiftern heranzuwachsen. Wir verpflichten uns zu ständiger pastoraler Unterstützung für unser gemeinsames Ziel, nämlich den Aufbau einer friedlichen Welt für die Zukunft aller Kinder.

An die Jugend

Papst Johannes Paul II. wendet sich in jedem Land, das er besucht, ganz besonders an euch, denn auf euch ruht die Hoffnung für die Zukunft. Wir teilen seine Meinung. Wir rufen euch auf, eure künftige Arbeit und euren Beruf sorgfältig zu wählen. Wie ihr den Rest eures Lebens verbringt, wird weitgehend darüber bestimmen, ob es weiterhin eine Welt geben wird, wie wir sie kennen. Wir bitten euch, die Lehren der Kirche und die Forderungen des Evangeliums zu Krieg und Frieden sorgfältig zu studieren. Wir ermutigen euch, guten Rat zu suchen, wenn ihr Gewissensentscheidungen über eure Pflichten als Bürger in diesem Zeitalter nuklearer Streitkräfte trefft.
Wir sprechen euch jedoch als gläubige Menschen an. Wir wissen uns mit euch einig in unserer tiefsten Überzeugung, daß inmitten all der Gefahren und Schwierigkeiten unserer Zeit Gott mit uns ist, durch uns wirkt und uns stärkt bei unserem Bemühen, eine Welt des Friedens und der Gerechtigkeit für alle Menschen zu bauen.

An alle Männer und Frauen in den Streitkräften

Millionen von euch dienen als Katholiken in den Streitkräften; wir wissen, daß ihr eine besondere Verantwortung für die Probleme habt, die wir in diesem Brief angesprochen haben. Wir sehen euren Beruf wie das Zweite Vatikanische Konzil: »Wer als Soldat im Dienst des Vaterlandes steht, betrachte sich als Diener der Sicherheit und Freiheit der Völker. Indem er diese Aufgabe recht erfüllt, trägt er wahrhaft zur Festigung des Friedens bei.«[119]
Es ist gewiß nicht unsere Absicht, mit diesem Brief den Katholiken in den Streitkräften Schwierigkeiten zu machen. Jeder Beruf jedoch hat seine besonderen ethischen Proble-

me, und es ist klar, daß die in diesem Brief entwickelte Lehre über Krieg und Frieden für alle in einem militärischen Beruf Tätigen eine besondere Herausforderung und Gelegenheit ist. Bei unseren pastoralen Kontakten mit Katholiken im Militärdienst, sei es durch eigene Erfahrung oder durch unsere Priester, sind wir davon beeindruckt, daß dort bereits hohe moralische Ansprüche beachtet werden und die Verpflichtung gegenüber dem katholischen Glauben zu finden ist. Wir sind überzeugt, daß man sich den Herausforderungen durch diesen Brief ernsthaft stellen wird. Der Zweck der Verteidigungspolitik ist, den Frieden zu verteidigen; Soldaten sollten ihren Beruf so verstehen. Wir glauben, daß sie dies tun und unterstützen diese Ansicht.

Wir erinnern alle Befehlshaber und die, die in der Befehlshierarchie stehen, daß ihre Ausbildungs- und Truppendienstvorschriften immer schon gewisse Handlungen bei der Kriegführung verboten haben und noch verbieten, besonders solche, die unschuldigen Zivilisten Schaden zufügen. Die Frage ist nicht, ob bestimmte Handlungen im Krieg ungesetzlich oder verboten sind, sondern welche Handlungen. Die Weigerung, solche Handlungen auszuführen, ist nicht Feigheit oder Verrat, sondern ein Zeichen von Mut und Patriotismus.

Wir wenden uns besonders an diejenigen, die Befehlsgewalt über andere haben. Wir kennen eure Pflichten und sind beeindruckt von dem hohen Standard eures Pflichtgefühls bei der Erfüllung eurer persönlichen und beruflichen Aufgaben. Wir glauben daher, daß wir an euch die dringende Bitte richten können, alles in eurer Macht stehende zu tun, daß jede friedliche Alternative voll ausgenutzt wird, bevor man auch nur entfernt einen Krieg in Erwägung zieht. Bei der Entwicklung von Schlachtplänen und Waffensystemen bitten wir euch dringend zu versuchen, sicherzustellen, daß diese bestimmt sind, Gewalt, Zerstörung, Leiden und Tod auf ein Mindestmaß zu reduzieren, und dabei besonders an Nicht-Kombattanten und andere unschuldige Menschen zu denken.

Wer Menschen zum Militärdienst ausbildet, muß daran denken, daß sie beim Eintritt in den Militärdienst nicht ihre menschlichen Grundrechte als Bürger verlieren. Niemand kann rechtmäßig, aus welchen Gründen auch immer, einem Angehörigen des Militärs mit weniger Achtung und Respekt begegnen, als jeder Mensch verdient. Eines der schwierigsten Probleme des Krieges ist, eine freie Gesellschaft zu verteidigen, ohne die Werte zu zerstören, die ihr Sinn und Gültigkeit geben. Verrohung der Soldaten einer Nation, um ihre Kampfkraft durch Abstumpfung ihrer Sensibilität zu stärken und Haß gegen Gegner zu erzeugen, beraubt sie ihrer menschlichen Grundrechte und Freiheiten und entwürdigt sie als menschliche Personen.

Man muß darauf achten, welche Wirkungen der Gebrauch auch legitimer Mittel der Kriegführung auf die Soldaten selbst hat. Zwar mag ein Angriff auf legitime Ziele und das Verwunden oder Töten gegnerischer Kombattanten moralisch zu rechtfertigen sein, aber was geschieht mit den Soldaten, die diese Handlungen ausführen müssen? Werden sie als bloße Kriegswerkzeuge behandelt, die gefühllos sind wie die Waffen, die sie benutzen? Mit welchen moralischen und emotionalen Erlebnissen kehren sie aus dem Krieg zurück und versuchen, wieder das normale Leben eines Zivilisten zu führen? Welche Folgen hat das, was sie erlebt haben, für die Gesellschaft? Und wie werden sie von der Gesellschaft behandelt?

Nicht nur die menschlichen Grundrechte des Gegners müssen geachtet werden, sondern ebenso auch die der eigenen Streitkräfte. Wir betonen deshalb noch einmal die Verpflichtung der Verantwortlichen, für eine angemessene Ausbildung und Erziehung der Streitkräfte zu sorgen und für

wirkungsvolle Hilfe für jene, die den Kampf erlebt haben. Es ist gewissenlos, Kriegsveteranen, deren Leben durch ihre Kampferlebnisse ernstlich gestört oder traumatisiert worden ist, keine geeignete psychologische oder andere angemessene Behandlung und Hilfe zuteil werden zu lassen.
Und schließlich: Wir sind dankbar für die Opfer, die so viele im Militärdienst heute bringen müssen, und für die Dienste der Veteranen in der Vergangenheit. Wir bitten dringend, daß diese Opfer soweit als möglich gemildert werden durch geeignete Lebens- und Arbeitsbedingungen und eine angemessene finanzielle Entschädigung. Soldaten und ihre Familien müssen immer Gelegenheit zu voller geistiger Entfaltung und zur Ausübung ihres religiösen Glaubens erhalten und in Würde leben können.
Besonders loben und ermutigen wir unsere Militärseelsorger. In Ergänzung unserer Botschaft an alle Priester und Ordensleute betonen wir die besonderen Verpflichtungen und Chancen, die im direkten pastoralen Dienst an den Männern und Frauen in den Streitkräften auf euch zukommen. Als Ergänzung eines Lehrschreibens dieses Inhalts brauchen wir die einfühlsame und weise pastorale Leitung, die nur ihr geben könnt. Wir versprechen, euch angesichts dieser Herausforderung zu unterstützen.

An die Männer und Frauen in der Rüstungsindustrie

Auch ihr steht vor besonderen Fragen, weil die Rüstungsindustrie unmittelbar an der Entwicklung und Produktion von Massenvernichtungswaffen beteiligt ist, die uns in diesem Brief beschäftigen. Wir meinen keineswegs, daß es eindeutige Antworten zu vielen eurer persönlichen, beruflichen und finanziellen Entscheidungen gibt, die ihr je nach eurer besonderen Verantwortlichkeit zu treffen habt. Wir haben in diesem Brief bestimmte Anwendungsmöglichkeiten von

Kernwaffen ausgeschlossen, wenn wir auch die Abschrekkung unter gewissen moralischen Bedingungen akzeptieren. Alle Katholiken in allen Bereichen der Rüstungsindustrie können und sollen die in diesem Brief genannten moralischen Grundsätze benutzen, um ihr Gewissen zu schärfen. Wir erkennen, daß verschiedene Menschen vor unterschiedlichen Gewissensentscheidungen stehen, und wir erkennen an, daß unterschiedliche konkrete Beurteilungen in diesem komplexen Bereich möglich sind. Wir bemühen uns als Lehrer der Moral und als Hirten, allen denen zur Verfügung zu stehen, die diese persönlichen und beruflichen Entscheidungen treffen müssen. Wer sich in seinem Gewissen entscheidet, daß er nicht länger mit Rüstungsaktivitäten zu tun haben sollte, sollte in der katholischen Glaubensgemeinschaft Hilfe finden. Die in der Rüstungsindustrie bleiben oder hier an der Waffenproduktion verdienen, sollten in der Kirche Rat und Hilfe für die weitere Bewertung ihrer Arbeit finden.

An die Männer und Frauen in der Wissenschaft

In Hiroshima hat Papst Johannes Paul II. gesagt:
»Die Kritik an Wissenschaft und Technologie ist oft so streng, daß sie einer Verurteilung der Wissenschaft als solcher nahekommt. Auf der anderen Seite sind Wissenschaft und Technologie ein großartiges Produkt gottgeschenkter Kreativität, weil sie uns mit einzigartigen Möglichkeiten ausgestattet haben, aus denen wir alle dankbar Nutzen ziehen. Doch wissen wir, daß dieses Potential nicht neutral ist: Es kann sowohl für den Fortschritt des Menschen als auch für seine Entwürdigung gebraucht werden.«[120]
Wir begrüßen die Bemühungen von Wissenschaftlern, von denen einige das Geheimnis der Atomkraft erschlossen,

andere es auf verschiedene Weise weiterentwickelt haben, die ungeheure Macht der Wissenschaft für die Sache des Friedens einzusetzen.

Es fehlt in der modernen Geschichte nicht an Wissenschaftlern, die mit tiefer Reue auf die Entwicklung der Waffen zurückblicken, zu der sie beigetragen haben, manchmal in bester Absicht und sogar in dem Glauben, daß sich durch die Schaffung dieser Waffen alle anderen als überflüssig herausstellen würden und die Welt überzeugt würde, daß ein Krieg nicht mehr denkbar sei. Solche Bemühungen haben sich stets als illusorisch erwiesen. Sicherlich könnte ein gleichwertiger Einsatz wissenschaftlichen Denkens mit dem Ziel, gegenwärtige Trends umzukehren und Pläne zugunsten des Friedens zu verfolgen, die ebenso kühn und abenteuerlich sind wie jene, die in der Vergangenheit die Kriegsrisiken vergrößert haben, ungeahnte Wohltaten für die ganze Menschheit zur Folge haben. Wir weisen in diesem Zusammenhang besonders auf die von Ärzten und Naturwissenschaftlern unternommenen außerordentlichen Anstrengungen zur Aufklärung der Öffentlichkeit über die medizinischen Folgen eines Atomkriegs hin.

Wir möchten aber unsere Worte nicht allein auf die Naturwissenschaften beschränken, sie gelten auch nicht nur für die Naturwissenschaftler. In seiner Rede vor der Universität der Vereinten Nationen in Hiroshima warnte Papst Johannes Paul II. vor einem Mißbrauch »der Sozialwissenschaften und der menschlichen Verhaltensforschung, wenn sie dazu benutzt werden, Menschen zu manipulieren, ihren Geist, ihre Seele, Würde und Freiheit zu zerstören.«[121] Die positive Rolle der Sozialwissenschaften bei der Bekämpfung der Gefahren des Atomzeitalters ist in diesem Brief offenkundig. Wir brauchen die Untersuchungen und Analysen der Sozialwissenschaftler bei unserem Bemühen, die moralischen Grundsätze der katholischen Tradition auf die konkreten Probleme unserer Zeit anzuwenden. Wir ermutigen die Sozialwissenschaftler, diese Arbeit weiter zu tun und moralische Einsicht und politische Realität miteinander in Beziehung zu setzen. Wir brauchen immer wieder eure Erkenntnisse.

An die Männer und Frauen in den Medien

Als wir diesen Brief schrieben, haben wir unmittelbar gespürt, wie abhängig wir von euch sind. Alle Probleme, mit denen wir uns befaßt haben, werden täglich in den Medien analysiert. Als wir mit diesen Fragen gerungen haben, wurde uns etwas von der Verantwortung deutlich, die ihr für deren Interpretation tragt. Die Qualität eurer Arbeit entscheidet weitgehend darüber, welche Chance die Öffentlichkeit erhält, diesen Brief zu verstehen.

An die Regierenden

Das Zweite Vatikanische Konzil hat eindringlich von dem »schweren, aber zugleich ehrenvollen Beruf des Politikers«[122] gesprochen. Keine politische Aufgabe ist schwieriger, als Krieg zu verhindern; keine ist edler, als einen sicheren Frieden zu schaffen. Regierende in einer Demokratie müssen sowohl führen als auch zuhören; für die Durchführung jeder Politik sind sie letztlich von einem allgemeinen Konsens abhängig. Wir bitten euch, mutig zu führen und der öffentlichen Diskussion einfühlsam zuzuhören.
Führung in einer nuklearen Welt bedeutet, mit großer Sorgfalt und Objektivität jede mögliche Initiative für den Weltfrieden zu prüfen, unabhängig davon, ob sie zuerst viel oder wenig zu versprechen scheint. Eine ganz besondere Initiative, die man jetzt in Gang setzen könnte, wäre die Einrichtung einer Arbeitsgruppe, zu der der öffentliche

Sektor, Industrie, Gewerkschaften, Wirtschafts- und Naturwissenschaftler gehören, mit dem Auftrag, die Probleme und Herausforderungen zu durchdenken, die durch eine nukleare Abrüstung für unseren wirtschaftlichen Wohlstand und die Industrieproduktion entstehen. Hören heißt, besonders aufmerksam auf die Gewissen jener zu achten, die ernstlich glauben, den Krieg im allgemeinen oder einen bestimmten Krieg oder die Ausübung einer bestimmten Rolle in den Streitkräften moralisch nicht verantworten zu können. Mitglieder der Regierung könnten allen Mitbürgern dadurch dienen, daß sie Gesetze vorschlagen und unterstützen, die geeignet sind, diese kostbare Freiheit entschieden zu verteidigen, nämlich die echte Gewissensfreiheit.
Was die Politiker und Beamten betrifft, die sowohl führen als auch zuhören, so fordern wir die Bürger auf, ihren Dienst für das Gemeinwesen zu achten. Es ist ein Beruf, der leicht zu verleumden, aber nicht leicht auszuüben ist. Gerechtigkeit und Frieden können auf Dauer nicht erreicht werden, wenn es in der Politik und in der Regierung keine mutigen und schöpferischen Personen gibt.

An die Katholiken als Staatsbürger

Die päpstliche Lehre vom Frieden hat immer die entscheidende Rolle der öffentlichen Meinung betont. Papst Johannes Paul II. hat die vor uns liegende Aufgabe näher erläutert: »Aber das alles rechtfertigt nicht, daß man die Frage der Verantwortung jeder Nation und jedes einzelnen angesichts möglicher Kriege und der nuklearen Bedrohung unterdrückt.«[123] In einer Demokratie ist die Verantwortung der Nation gleichbedeutend mit der ihrer Bürger. Die Atomwaffen stellen besonders akute Fragen an das Gewissen der amerikanischen Katholiken. Als Staatsbürger möchten wir unsere Loyalität zu unserem Land und seinen Idealen versichern, aber als Bürger der Welt müssen wir auch den universalen Grundsätzen der Kirche treu sein. Zwar besitzen auch einige andere Länder Atomwaffen, aber wir dürfen nicht vergessen, daß die Vereinigten Staaten es waren, die sie als erste gebaut und eingesetzt haben. Wie die Sowjetunion besitzt unser Land jetzt so viele Waffen, daß es den Fortbestand der Zivilisation gefährden kann. Die Amerikaner sind mitverantwortlich für die jetzige Situation, sie können sich nicht der Verantwortung entziehen, sie zu ändern.

Die Tugend des Patriotismus bedeutet, daß wir als Bürger unser Land achten und ehren, aber gerade unsere Liebe und Loyalität läßt uns immer wieder sorgfältig seine Rolle in der Weltpolitik überprüfen. Darum fordern wir es auf, all seine Möglichkeiten auszuschöpfen und eine treibende Kraft für Frieden in Gerechtigkeit für alle Menschen zu werden:

»Die Staatsbürger sollen eine hochherzige und treue Vaterlandsliebe pflegen, freilich ohne geistige Enge, vielmehr so, daß sie dabei das Wohl der ganzen Menschheitsfamilie im Auge behalten, die ja durch die mannigfachen Bande zwischen den Rassen und Völkern und Nationen miteinander verbunden ist.«[124]

In einer pluralistischen Demokratie wie den Vereinigten Staaten hat die Kirche aufgrund des starken verfassungsmäßigen Schutzes der Religions-, Rede- und Pressefreiheit die einmalige Chance, die Aufmerksamkeit auf die moralischen Aspekte politischer Fragen zu lenken. In einem früheren Hirtenbrief »Human Life in Our Day« (Menschliches Leben in unseren Tagen) haben wir gesagt:

»In unserem demokratischen System kann das Grundrecht auf politischen Dissens nicht verweigert werden, noch darf eine rationale Debatte über politische Entscheidungen der Regierung unter dem Aspekt moralischer und politischer Prinzipien unterdrückt werden. Es ist die Pflicht der Regierten, die konkreten Probleme der Politik verantwortlich zu analysieren.«[125]

Wenn die Kirche diese Rolle übernimmt, hilft sie, eine Gemeinschaft des Gewissens in der größeren bürgerlichen Gemeinschaft zu schaffen. Sie tut dies in erster Linie dadurch, daß sie innerhalb der Kirche die moralischen Grundsätze eindeutig lehrt, die das Gewissen der Katholiken binden und formen. Die Kirche erfüllt ihre Rolle als Lehrerin jedoch auch dadurch, daß sie sich bemüht, die moralischen Einsichten der katholischen Tradition der ganzen Gesellschaft mitzuteilen.

In dieser umfassenden öffentlichen Diskussion erwarten wir, in besonderer Weise mit allen anderen Christen zusammenzuarbeiten, mit denen uns gemeinsame Traditionen verbinden. Wir schätzen auch die Bemühungen um Kooperation mit jüdischen und islamischen Gemeinden, denen der Friede als religiöser und menschlicher Wert ein bleibendes Anliegen ist. Schließlich bestätigen wir erneut unseren Wunsch, uns in einer gemeinsamen öffentlichen Anstrengung mit allen Männern und Frauen guten Willens zu vereinen, die den Rüstungswettlauf umkehren und den Frieden in der Welt sichern wollen.

Schlußbemerkungen

Am Ende unseres ausführlichen Briefes wollen wir versuchen, zwei Schlüsselfragen so direkt wie möglich zu beantworten.

Warum befassen wir uns mit diesen Fragen, die so schwierig, so kontrovers und so emotional befrachtet sind? Wir sprechen als Hirten, nicht als Politiker. Wir sind Lehrer, keine Techniker. Wir können unserer Verantwortung nicht ausweichen, die ethischen Dimensionen der Entscheidungen herauszuarbeiten, vor denen unsere Welt und unsere Nation

stehen. Das Atomzeitalter ist eine Zeit der Gefahr für Moral und Leben. Wir sind die erste Generation seit Erschaffung der Welt, die die Macht hat, Gottes Schöpfung tatsächlich zu zerstören. Angesichts dieser Gefahr können wir nicht schweigen. Warum sprechen wir über diese Probleme? Wir versuchen einfach, der Forderung Jesu zu entsprechen, in unserer Zeit und unserer Situation Friedensstifter zu sein.
Was sagen wir? Grundsätzlich sagen wir, daß die Entscheidungen über Kernwaffen zu den bedrängendsten moralischen Fragen unserer Zeit gehören. Zwar haben diese Entscheidungen offensichtlich militärische und politische Aspekte, aber sie umfassen auch grundsätzliche moralische Entscheidungen. Ganz einfach ausgedrückt sagen wir, daß gute Zwecke (Verteidigung des Vaterlandes, Schutz der Freiheit usw.) nicht unmoralische Mittel (Einsatz von Waffen, die unterschiedslos töten und ganze Gesellschaften bedrohen) rechtfertigen können. Wir fürchten, daß unsere Welt und unsere Nation in die falsche Richtung gehen. Tag für Tag werden immer mehr Waffen mit immer größerer Zerstörungskapazität produziert. Immer mehr Staaten bemühen sich, Nuklearmächte zu werden. Wir fürchten, daß wir in unserem Streben nach immer mehr Sicherheit tatsächlich immer weniger sicher werden.
Mit den Worten unseres Heiligen Vaters: Wir brauchen eine »moralische Kehrtwendung«. Die ganze Welt muß den moralischen Mut und die technischen Mittel aufbringen und Nein zum Atomkrieg sagen, Nein zu Massenvernichtungswaffen, Nein zu einem Rüstungswettlauf, der Raub an den Armen und Schwachen ist, Nein zur moralischen Gefahr des Atomzeitalters, das die Menschheit vor die unhaltbare Wahl zwischen dauerndem Schrecken und Unterwerfung stellt.
Die Pflicht, Frieden zu stiften, steht nicht zur Wahl. Sie ist eine Forderung unseres Glaubens. Wir sind aufgefordert, Friedensstifter zu sein, nicht von einer Bewegung des Au-

genblicks, sondern von unserem Herrn Jesus. Inhalt und Umfeld unseres Friedensschaffens werden nicht durch politische Tagesordnungen oder ideologische Programme bestimmt, sondern von der Lehre seiner Kirche.

Soweit wir in diesem Hirtenbrief Vorschläge gemacht haben, hoffen wir, daß sie in der gegenwärtigen Weltkrise hilfreich sind. Wenn wir auf die lange und schöpferische Zukunft der Menschheit blicken, auf die wir alle hoffen, erkennen wir, daß eine alles umfassende und endgültige Lösung nötig ist. Wir meinen damit die Schaffung einer wirklich effektiven internationalen Autorität, die Papst Johannes XXIII. in »Pacem in Terris«[126] so glühend herbeigesehnt und von der Papst Paul VI. bei seinem Besuch 1965 vor den Vereinten Nationen gesprochen hat.[127] Die Hoffnung auf eine solche Ordnung ist nicht unrealistisch, denn der Punkt ist erreicht, wo die Öffentlichkeit deutlich sieht, daß angesichts der jetzigen massiven Bewaffnung Krieg nicht mehr möglich ist. Krieg kann durch etwas anderes ersetzt werden. Es kann Verhandlungen unter der Aufsicht eines weltumfassenden Gremiums geben, das für diese Aufgabe sachlich ausgerüstet ist. Es muß die Mittel erhalten, die ganze Erde ständig überwachen zu können. Das ist bei dem heutigen Stand der Technik möglich. Alle Nationen müssen diesem Gremium aus freien Stücken Autorität übertragen, damit es untersuchen kann, was bei irgendeinem Staat nach Kriegsvorbereitungen aussieht. Es muß von allen Nationen ermächtigt werden, seine Anordnungen überall durchzusetzen. Es muß so konstruiert sein, daß keine Nation es als Bedrohung der eigenen Souveränität empfindet. Die Schaffung eines so ausgeklügelten Instrumentes ist offensichtlich eine gigantische Aufgabe; aber wäre es zuviel erwartet, wenn man glaubt, daß der Genius der Menschheit mit Hilfe von Gottes Gnade und Leitung imstande ist, sie zu erfüllen? Jahrzehnte unablässigen täglichen Mühens seitens der besten

Köpfe und hingebungsvollsten Herzen der Welt mögen nötig sein, dies zu schaffen; aber es wird nie entstehen, wenn wir nicht jetzt damit beginnen.
Am Ende unseres Hirtenbriefes schlagen wir kühn vor, dies Werk zu beginnen. Daß die Weiterverbreitung der Kernwaffen ein Übel ist, wird allen Menschen täglich klarer. Niemand kann dieser Gefahr entgehen. Wenn es einfach wäre, die Welt von Kriegswaffen zu befreien, würde es die ganze Menschheit morgen mit Freuden tun. Sollen wir vor der Aufgabe zurückschrecken, weil sie schwer ist?
Wir wenden uns an unsere eigene Regierung mit der Bitte, den Vereinten Nationen vorzuschlagen, daß sie sofort mit dieser Arbeit beginnen; daß sie eine internationale Arbeitsgruppe für Frieden schaffen; daß diese Arbeitsgruppe allen Nationen zur Mitarbeit offensteht und in den nächsten Jahren täglich zusammenkommt mit dem einzigen Tagesordnungspunkt: die Schaffung einer Welt, die vom Krieg befreit ist. Befreit von den Banden des Krieges, der sie mit seiner Drohung gefangen hält, wird die Welt endlich in der Lage sein, ihre Probleme anzupacken und wirklichen menschlichen Fortschritt zu erreichen, so daß es mit jedem Tag mehr Freiheit, mehr Nahrung und mehr Chancen für jedes Menschenwesen gibt, das auf Erden wandelt.
Wir wollen den Mut haben, an eine helle Zukunft zu glauben und an einen Gott, der sie für uns bestimmt hat – nicht eine vollkommene Welt, aber eine bessere Welt. Die vollkommene Welt liegt nach unserem christlichen Glauben jenseits des Horizontes in der Ewigkeit, wo Gott ist alles in allen. Aber eine bessere Welt soll hier von Menschenhänden, Menschenherzen und Menschengeist gebaut werden.
Für die Gemeinschaft des Glaubens ist der auferstandene Christus Anfang und Ende aller Dinge. Denn alle Dinge sind durch ihn geschaffen und alles wird zum Vater zurückkehren durch ihn.

Erst unser Glaube an den auferstandenen Christus gibt uns die Kraft für die Auseinandersetzung mit der fürchterlichen Herausforderung des nuklearen Rüstungswettlaufs. Seit Anbeginn gegenwärtig als das Wort des Vaters, in der Geschichte gegenwärtig als das fleischgewordene Wort und heute bei uns in seinem Wort, in den Sakramenten und im Heiligen Geist, ist er der Grund unserer Hoffnung und unseres Glaubens. Weil er unsere Freiheit achtet, löst er nicht unsere Probleme, sondern hilft uns, wenn wir die Verantwortung für sein Schöpfungswerk auf uns nehmen und versuchen, es nach dem Vorbild des Gottesreiches zu gestalten. Wir glauben, daß seine Gnade uns nie ermangelt. Wir übergeben diesen Brief der Kirche und allen, die daraus Kraft und Weisheit gewinnen können, in der Überzeugung, daß wir Christus nicht verfehlen dürfen. Wir müssen die Macht des Atomzeitalters unter menschliche Kontrolle stellen und zum Besten der Menschen lenken. Dabei sind wir uns bewußt, daß Gott weiterhin unter uns wirkt und daß sein Werk eines Tages sein Reich in Schönheit und Vollendung heraufführt, wie es vom Seher des Buches der Offenbarung vorhergesagt wurde:

»Dann sah ich einen neuen Himmel und eine neue Erde;
denn der erste Himmel und die erste Erde sind vergangen,
auch das Meer ist nicht mehr.
Ich sah die heilige Stadt, das neue Jerusalem, von Gott
her aus dem Himmel herabgekommen; sie war bereit wie
eine Braut, die sich für ihren Mann geschmückt hat.
Da hörte ich eine laute Stimme vom Thron her rufen:
Seht, die Wohnung Gottes unter den Menschen!
Er wird in ihrer Mitte wohnen, und sie werden sein Volk sein
und er, Gott, wird bei ihnen sein.
Er wird alle Tränen von ihren Augen abwischen:
Der Tod wird nicht mehr sein, keine Trauer, keine Klage,
keine Mühsal. Denn was früher war, ist vergangen.

Er, der auf dem Thron saß, sprach: Seht, ich mache alles neu.«
(Off 21,1–5)

Friede und Gerechtigkeit

Ein Brief der Niederländischen Bischofskonferenz über Atomrüstung

Vorwort

Seit der Erklärung der niederländischen Bischöfe zum Thema Rüstungswettlauf und Abrüstung vom 12. Januar 1976 haben sich beunruhigende Entwicklungen ergeben. Die Entwicklung und Produktion von neuen Waffen und Waffensystemen haben die Bischöfe veranlaßt, in Briefen an die Regierung und das Parlament erneut ihrer großen Besorgnis[1] Ausdruck zu geben. Als positive Entwicklung ist anzuerkennen, daß in den letzten Jahren die Diskussion über die Kernwaffen und mögliche Wege zur nuklearen Abrüstung innerhalb und außerhalb der Niederlande stark zugenommen hat und daß das Problem immer weniger Menschen gleichgültig läßt.
Das gilt auch für die Kirche. Wir haben im Februar 1981 an die katholische Glaubensgemeinschaft in den Niederlanden appelliert, an der Diskussion teilzunehmen. Das geschah aufgrund des Gutachtens von Pax Christi Niederland über den Vorschlag des »Interkerkelijk Vredensbevaad« (IKV) – der innerkirchlichen Friedensberatungsstelle, die Kernwaffen aus der Welt zu schaffen und sie, um einen Anfang zu machen, aus den Niederlanden zu entfernen.
Wie immer man auch über die Zweckmäßigkeit des IKV-Vorschlags und der damit verbundenen Kampagne urteilen mag, so darf festgestellt werden, daß nie zuvor in so breitem

Kreis so tiefgehend auf die Kernwaffenproblematik eingegangen wurde.

Das ist eine gute Sache, für die wir dankbar sind. Bevor wir uns zu der Art und Weise äußern, wie wir als Christen dazu beitragen können, die Kernwaffen zurückzudrängen, schien es uns angebracht zu sein, uns mit der katholischen Glaubensgemeinschaft zu beraten. Dem Aufruf haben viele Gehör geschenkt. Diese Anteilnahme so vieler an diesem Problem, bei dem es um das Überleben der Menschheit geht, ist ein hoffnungsvolles Zeichen. Sie ist ja die Voraussetzung für die Umkehrung des Rüstungswettlaufs zu Rüstungskontrolle, Waffenverminderung und schließlich Abrüstung. Diese Umkehr setzt solche eingreifende Veränderungen auch im individuellen Verhalten und im persönlichen Denken über Sicherheit und Frieden voraus, daß das Wort Bekehrung hier angebracht ist.

Die Ergebnisse der Beratung mit der katholischen Glaubensgemeinschaft, über die bereits ein KASKI-Bericht veröffentlicht wurde[2] und von dem eine zusammenfassende Übersicht als Anlage III diesem Schreiben beigefügt ist, betrachten wir als einen wichtigen Schritt im Bewußtwerdungsprozeß. Wir meinen als Bischöfe uns aber nicht mit einer Wiedergabe der Antworten und Überlegungen, die sich bei dieser Beratung ergeben haben, begnügen zu dürfen. Wir halten uns verpflichtet, Ihnen unsere eigenen Erkenntnisse vorzulegen. Zu diesem Zweck haben wir uns ausführlich mit den moralischen Problemen, die mit der atomaren Bewaffnung zusammenhängen, auseinandergesetzt.

Wir zogen dabei auch Bischofskonferenzen und Bischöfe aus anderen Ländern zu Rate.

Viele Informationen erhielten wir während der Konsultation am 18. und 19. Januar 1983 in Rom, wo Delegierte von verschiedenen Bischofskonferenzen, die einen Brief über die Kernwaffenproblematik in Vorbereitung haben, sich mitein-

ander und mit Vertretern des Apostolischen Stuhles in Rom beraten haben.
Wichtige Orientierungspunkte für dieses Schreiben fanden wir auch in den zahlreichen Ansprachen und Dokumenten, die der heutige Papst und seine Vorgänger der Kernbewaffnung gewidmet haben. Auch der Weltrat der Kirchen und seine Mitgliedskirchen hierzulande haben zu unserer Meinungsbildung beigetragen.
Aufgabe eines Bischofs ist nicht, Entscheidungen über politische und militärstrategische Fragen zu treffen, sondern zur Gewissensbildung beizutragen. Das Bewußtsein von Gut und Böse muß auch gegenüber Kernwaffen wachsam und wirksam sein. Wenn die moralische Überzeugung tief und stark genug ist, wird es der Menschheit mit größerer Wahrscheinlichkeit gelingen, ihre Würde zu bewahren und unvorstellbare Katastrophen durch Kernwaffen zu verhindern.
Wir sind uns bewußt, daß über die Rüstung mit Kernwaffen auch innerhalb der katholischen Kirche unter den Gläubigen keine einheitliche Auffassung besteht, und daß wir ebensowenig bei allen Facetten der Kernwaffenproblematik auf eine deutlich formulierte kirchliche Lehre zurückgreifen können. Manchmal wird unser ethisches Urteil denn auch die Gültigkeit und den bindenden Charakter von allgemein kirchlicher Lehre haben, und manchmal sind unsere Gedanken mehr als moralische Beurteilungen zu betrachten, von einzelnen Personen und Gruppen, die in der Kirche mit dem Dienst der Führung beauftragt sind.
Bei unseren Studien waren wir davon durchdrungen, daß die Menschheit sich seit der Atomspaltung in einer völlig neuen Phase ihrer Geschichte befindet.
Den Menschen ist es noch nicht gelungen, sich in diese unbekannte Situation einzuleben. Das gilt auch für die politischen und militärstrategischen Aspekte, die bei vielen (Menschen) noch zu sehr bestimmt werden von einer über-

holten Weise des Denkens und Handelns hinsichtlich von Waffen und Waffengebrauch. Die fundamentale Veränderung seit der Kernspaltung hat noch zu wenig Einfluß auf das gesamte gesellschaftliche Geschehen, sowohl national wie international. Nicht zuletzt müssen auch die ethischen und theologischen Fragen von diesem neuen Gesichtspunkt her durchdacht werden.

Wir wollen Ihnen mit diesem Brief helfen, zu einer klareren Ortsbestimmung dieser Problematik zu gelangen.

Kapitel I

1. Geschichte und Königreich Gottes

In der christlichen Haltung gegenüber der Geschichte spielen Hoffnung und Vertrauen eine große Rolle, aber sie verbinden sich mit Nüchternheit und Realismus. Für Christen bleibt der Friede auf Erden immer eine Aufgabe, an der wegen der Sündhaftigkeit des Menschen dauernd gearbeitet werden muß. Die Hoffnung, mit der ein Christ in der Geschichte steht, wurzelt in seinem Glauben an Gott als Schöpfer und Träger seiner Existenz, und in seiner Überzeugung, daß in Christus Gottes Königreich angebrochen ist. Es steht mitten unter uns, obgleich noch unvollendet, weil Sünde, menschliche Schwäche und menschliches Versagen weiterhin zu unserer Geschichte gehören, bis unsere Hoffnung ihre Erfüllung finden wird in der Offenbarung der Herrlichkeit unseres großen Gottes und Heilandes Jesus Christus (Tit 2,13). Wegen der Sünde wird der Friede des Königreiches Gottes in unserer Welt nie endgültig und vollkommen Wirklichkeit werden. Christen müssen Frieden stiften in einer Welt, in der die persönlichen und gesellschaftlichen Folgen der Sünde nur allzu deutlich vorhanden sind. »Gott allein, der das Leben gibt, wird, wenn er alles in seinem Sohn vereinen wird (vgl. Eph 1,10), die sehnsuchtsvolle Hoffnung der Menschen erfüllen, indem er selbst alles, was im Lauf der Geschichte für Gerechtigkeit und Frieden in seinem Geist getan worden ist, zur Vollendung führt.«[3]

Christen müssen alles tun, was in ihren Kräften steht, Krieg zu verhindern oder ihn zu beenden. Sie sind sich dabei bewußt, daß man dem Frieden nur schrittweise näherkommen kann. Sie betrachten alle ihre Aktivitäten mit Realismus und Bescheidenheit. Sie sind gerufen, in der Spannung zu leben zwischen der Aussicht auf Gottes Königreich und den beschränkten Möglichkeiten, dieses Königreich in der Geschichte zu verwirklichen. Sie bilden als Kirche Gottes Volk, das auf dem Wege ist zum Königreich Gottes. Das heißt, daß sie nicht uninteressiert, als wären sie von einer anderen Welt, durch diese Geschichte hindurchziehen.

Und das bedeutet, daß sie in der Geschichte, in einer Welt, die durch Konflikte und Unrecht gekennzeichnet ist, auf dem Wege sind zur Verwirklichung des Königreiches.

Für Christen ist die Kraft, mit der sie sich für Frieden und Gerechtigkeit einsetzen und sich der fortschreitenden Kernbewaffnung widersetzen, mit dem Glauben an Jesus Christus verbunden. In diesem Glauben vertraut ein Christ auf Gott, aber akzeptiert auch Verantwortung für den Mitmenschen und die Welt. So lehrt Jesus, daß die Menschen auf die Versöhnung von seiten Gottes nur rechnen dürfen, wenn sie einander vergeben (Mt 14,5; 18,21–35). Angewandt auf den Frieden bedeutet dies, daß in der christlichen Haltung ein unverbrüchlicher Zusammenhang zwischen Glauben an den Frieden (Jes 2,1–5; Lk 2,14) und Friedenstiften (Mt 5,9) besteht. Was ein Mensch im Glauben von Gott an Heil erwartet, muß er selbst an seinem Mitmenschen tun. Auf dem befreienden und sorgenden Handeln des Menschen

gründet Gott sein Reich. In der Heiligen Schrift geht dem Gesetz eine Verheißung voraus. Ohne Verheißung würde ein Mensch in Verzweiflung und Fatalismus verfallen.
So kann ein Christ erneut erkennen, daß die Hoffnung nicht aus dem Menschen selbst, aus seinem Temperament, aus seinen Erfahrungen in der Vergangenheit und aus seiner Einschätzung der Zukunft erklärt werden kann. Das Fundament, auf das sich Christen bei ihren Anstrengungen für mehr Friede und Gerechtigkeit in der Welt stützen, liegt letztlich nicht in ihnen selbst, sondern in Gott und seiner Gnade. Hoffnung versetzt sie in die Lage, mit der Gefahr zu leben, ohne dadurch überwältigt zu werden, ohne daran zugrunde zu gehen. Sie geht nicht einher mit der Verschleierung der Wirklichkeit, sondern mit einem erhöhten Bewußtsein von der tiefsten Wirklichkeit.

2. Die Kraft einer moralischen und religiösen Überzeugung

Ein Mensch soll über die Kraft einer moralischen und religiösen Überzeugung nicht gering denken. Böses als Böses erkennen und benennen ist an sich schon bedeutsam. Aber indem man das tut, gibt man obendrein eine Richtung an und geht eine Verpflichtung ein. Was unmöglich schien, bevor ein moralischer Standpunkt mit Entschiedenheit eingenommen wurde, kann hernach möglich werden. Es beeinflußt Auffassungen und politische Entscheidungen. Es kann auch einen Prozeß – in diesem Fall dem Streben nach Frieden und gerechten internationalen Beziehungen und nach Abrüstung – neue Impulse geben, der sonst stagniert hätte oder bei dem mangels moralischer Deutlichkeit und Überzeugung nichts herausgekommen wäre. Ein moralisches Urteil kann auch in wachsendem Maße die politische

Willensbildung auf die eigentlichen längerfristigen Interessen richten. Die weltweite Verurteilung des Rassismus kann verdeutlichen, was wir meinen.

Durch die Verurteilung ist weder der Rassismus verschwunden noch sind die damit verbundenen Probleme beseitigt. Aber es wurde eine Norm geschaffen, die im Weltgewissen immer stärker geworden ist. Auf dieselbe Weise könnte eine weltweite Weigerung, den Einsatz von Kernwaffen als moralisch akzeptabel zu betrachten, ein gewaltiges Stimulans sein für den Abrüstungsprozeß.[4]

Diese Weigerung könnte auch zu einer Befreiung vom Abschreckungsgedanken führen.

3. Das Beispiellose in unserer Situation

Momentan gibt es auf der Welt ungefähr 50000 Atombomben, von denen manche eine explosive Kraft haben, die tausendmal stärker ist als die Bombe, die Hiroshima zerstörte und 140000 Menschen tötete. Die totale explosive Kraft dieser Waffen ist die einer Million Hiroshimabomben; das entspricht 4000 kg konventionellem Sprengstoff auf jeden Bewohner der Welt. Und dieser Vorrat wächst weiter. Außerdem stehen wir vor der wachsenden Gefahr, daß immer mehr Länder, vor allem solche, die sich besonders bedroht fühlen, sich Kernwaffen zulegen oder beschließen, sie herzustellen.

Eine solche Entwicklung kann zu einem Kernwaffenwettlauf in diesen Gebieten führen und für die gegenseitigen Beziehungen eine besondere Gefahr bedeuten. Die militärischen und politischen Beziehungen zwischen den Großmächten könnten dadurch in starkem Maße gestört und die Chancen für einen Atomkrieg vergrößert werden.

Es gibt zur Zeit viele Typen von Kernwaffen, deren explosive Kräfte von Megatonnenbomben mit höchstem Vernichtungseffekt bis zu »kleinen« Gefechtswaffen reichen.

Dadurch wächst das Risiko eines Atomkrieges. Eine Verwischung der Grenzlinie zwischen einem Konflikt mit konventionellen Waffen und einem Konflikt mit Kernwaffen vermindert außerdem die Garantie, daß Kernwaffen nur der Abschreckung dienen; die Gefahr nimmt zu, daß Kernwaffen eingesetzt werden. Es werden Pläne für einen sogenannten begrenzten Gebrauch von Kernwaffen im Kriegsfall entwickelt, um die Glaubwürdigkeit der Abschreckung aufrecht zu erhalten. Diese Entwicklung geht stets mehr in die Richtung einer »nächsten Gelegenheit«, Kernwaffen im Falle des Krieges tatsächlich zu verwenden. Das alte Moralprinzip, daß wir die »nächste Gelegenheit« meiden müssen, Böses zu tun, müssen wir auch bei der Kernbewaffnung anwenden.[5]

Die neue Generation der sogenannten Mittelstrecken- oder eurostrategischen Waffen ist für viele ein klares Beispiel für das erhöhte Risiko eines taktischen Einsatzes von Kernwaffen. Der enorme, noch stets wachsende Umfang der Kernwaffenvorräte und ihre Streuung erhöhen außerdem die Möglichkeit einer irrtümlichen oder einer falschen Berechnung in Zeiten politischer oder militärischer Spannungen. Groß ist aber das Risiko, daß jeder Gebrauch von Kernwaffen, auch wenn er begrenzt gemeint ist, sich zu einem kompletten Atomkrieg ausweitet.[6]

Die Weltsituation ist besorgniserregend. Mißtrauen und Argwohn sind groß und werden durch die Aufteilung in Machtblöcke aufrechterhalten oder verschlimmert. Große Ungleichheiten zwischen den Ländern und innerhalb der einzelnen Länder, Machtstreben und kurzsichtiger Interessenstreit sind ebenso viele Quellen möglicher Konflikte, die zu Kriegen führen oder schon geführt haben. Hinzu kommt, daß unsere Welt einerseits an Überrüstung, andererseits an Unterentwicklung leidet. Im Jahre 1982 wurden mehr als 500 Milliarden Dollar für Rüstungszwecke ausgegeben, während mehr als eine Milliarde Menschen in absoluter Armut leben. Die gesamte Weltbevölkerung besteht aus 4 Milliarden 200 Millionen Menschen. Wenn wir den Betrag, der für die Rüstung verwendet wird, pro Kopf dieser Gesamtbevölkerung umrechnen, sehen wir, daß auf jeden Bewohner der Erde durchschnittlich 143 Dollar pro Jahr für die Rüstung entfallen.[7] Viele Menschen müssen mit dieser Summe ein ganzes Jahr leben.[8]

Der Zusammenhang zwischen Überrüstung und Unterentwicklung ist nicht so unmittelbar, daß die Unterentwicklung aufgehoben wäre, wenn der Überrüstung ein Ende bereitet wird. Aber das Nebeneinander beider Erscheinungen in ihrem heutigen Umfang zeigt ein fundamentales Mißverhältnis. Es ist ein Menetekel, das auf die Bedrohung der Weltgesellschaft hinweist und das einen Appell zur Bekehrung darstellt. Der Waffenhandel – auch der Niederlande – mit den Ländern der Dritten Welt ist ein regelrechter Anschlag auf die doch schon so beschränkten Mittel, über die diese Länder verfügen.

4. Wissenschaftler und ihre Verantwortung

Vorerst noch bildet der Mangel an Weisheit, den wir in unserem Umgang mit den wissenschaftlichen und technologischen Möglichkeiten zeigen, einen dramatischen Kontrast zu der scheinbar unumkehrbaren Zunahme und Perfektionierung des Vernichtungspotentials, über das wir verfügen. Glücklicherweise sind sich immer mehr Wissenschaftler ihrer Verantwortung bewußt geworden. Sie erkennen, daß die Zukunft der Menschheit davon abhängt, moralische Prinzipien anzunehmen, die über alle anderen Erwägungen hinausgehen. Moralische Prinzipien müssen auch bei der Forschung, Entwicklung und Produktion von Kernwaffen respektiert werden.

Die Päpstliche Akademie der Wissenschaften hat 1981 einen Bericht über die Folgen der Anwendung von Kernwaffen herausgebracht, der auf Ersuchen von Papst Johannes Paul II. von einer Delegation der Akademie dem Vorsitzenden der Vollversammlung der Vereinten Nationen und den Staatsoberhäuptern der Kernmächte Sowjetunion, Vereinigte Staaten, England und Frankreich vorgelegt wurde. »Als Naturwissenschaftler und Mediziner«, so der Bericht, »können wir natürlich nicht mit Autorität über Sicherheitsprobleme sprechen. Aber wenn die Politiker und Militärs bei ihrer Strategie von falschen Voraussetzungen über gesundheitliche Aspekte eines Atomkrieges ausgehen, halten wir es für unsere Pflicht, ihnen und jedermann zur Kenntnis zu geben, wie die medizinische Situation nach einem Atomangriff sein würde und wie machtlos Ärzte und Pflegepersonal dem gegenüberstehen würden.«[9]

Das Leid der überlebenden Bevölkerung ist unbeschreiblich. Die Verbindungswege, die Zufuhr von Nahrung und Wasser sind völlig unterbrochen. In den ersten Tagen kann sich niemand ohne tödliche Strahlungsgefahr nach draußen wagen, um Hilfe zu leisten. Das gesellschaftliche Chaos nach einem Atomangriff ist unvorstellbar. Großen Strahlungsdosen ausgesetzt zu sein vermindert die Widerstandskraft gegen Bakterien und Viren und ermöglicht die Verbreitung von Infektionen in großem Rahmen. Die Strahlungen wirken obendrein auf ungeborenes Leben und verursachen bleibende Hirnschäden und Schwachsinn. Genetische Schäden würden auf die Nachkommen übertragen, wenn es überhaupt Nachkommen gibt.

»Natürlich werden die Folgen eines Atomkrieges nicht nur gesundheitlicher Natur sein. Aber die gesundheitlichen Folgen mahnen uns, die Lehre, die wir aus der Medizin ziehen können, uns zu vergegenwärtigen: Wenn die Behandlung eines Kranken erfolglos ist oder wenn die dafür aufzubringenden Kosten zu hoch sind, müssen wir alle unsere Anstrengungen auf die Verhütung der Krankheit richten. Diese zwei Umstände ergeben sich bei einem Atomkrieg. Eine Behandlung wäre praktisch unmöglich, und die Kosten wären enorm hoch. Gibt es stärkere Argumente für eine Strategie der Prävention?«[10] Das Sprichwort »Vorbeugen ist besser als heilen« bekommt hier eine frappierende Gültigkeit. Vorbeugung ist unsere einzige Rettung. Die einzige Möglichkeit zum Überleben ist Prävention. »Wir müssen das Gewissen wachrütteln! Wir müssen die Macht des Gewissens in dem Maß steigern, in dem die Spannung zwischen Gut und Böse gewachsen und dem Menschen gegen Ende des zweiten Jahrtausends als Aufgabe gestellt ist.«[11]

Stehen wir hiermit nicht bereits vor dem Paradox, daß bis auf den heutigen Tag das Erzeugen von Furcht, einen Krieg zu beginnen, die wichtigste Form der Vorbeugung ist, Abschreckung durch den Besitz von Kernwaffen?

Kapitel II

In den folgenden Paragraphen spitzen wir unsere ethischen Überlegungen nacheinander auf folgende Themen zu:

- tatsächliche Verwendung von Kernwaffen bei Kriegshandlungen;
- konventionelle Rüstung und Verteidigung von Freiheit und Frieden;
- Besitz von Kernwaffen zur Verhinderung des Krieges;
- Förderung der Abrüstung.

1. Tatsächliche Verwendung von Kernwaffen im Falle eines Krieges

Das Zweite Vatikanische Konzil hat in »Gaudium et spes« erklärt: »Jede Kriegshandlung, die auf die Vernichtung ganzer Städte oder weiter Gebiete und ihrer Bevölkerung unterschiedslos abstellt, ist ein Verbrechen gegen Gott und gegen den Menschen, das fest und entschieden zu verwerfen ist.«[12]

Es ist klar, daß diese Verurteilung auf die Verwendung von Kernwaffen gegen Städte und Bevölkerungszentren anzuwenden ist. Sie gilt sowohl für einen »Ersteinsatz« als auch für einen »zweiten Schlag«, das heißt, daß auch ein Vergeltungsangriff auf Bevölkerungszentren als Reaktion auf ein vorausgegangenes atomares Bombardement von seiten des Gegners unter die Verurteilung fällt. Vergeltung auf Bevölkerungszentren würde unter solchen Umständen keinem einzigen rationalen oder moralischen Ziel dienen; es wäre eine reine Racheaktion.[13] Der beschränkte Einsatz von Kernwaffen, der sich nicht direkt gegen die Bevölkerung, sondern gegen militärische oder industrielle Ziele richtet, ist in dem Konzilsdokument »Gaudium et spes« außer Betracht geblieben.

Der bereits erwähnte Bericht der Päpstlichen Akademie der Wissenschaften über die Folgen der Kernwaffen führt aus: »Selbst wenn ein Atomangriff nur auf militärische Einrichtungen gerichtet ist, sind die Folgen für das betreffende Land insgesamt vernichtend, und zwar, weil militärische Einrichtungen in der Regel nicht an einzelnen Punkten konzentriert, sondern weit verstreut sind. Infolgedessen würden viele Kernwaffen zur Explosion kommen. Außerdem würde der Strahlungseffekt infolge des Windes und der Vermischung in der Atmosphäre eine große Anzahl von Menschen töten und weite Gebiete verseuchen. Die medizinischen Vorkehrungen keines einzigen Landes wären in der Lage, die Überlebenden zu versorgen.«[14]

Wegen dieser Folgen ist darum nach unserer Überzeugung die Übernahme des Risikos eines tatsächlichen Einsatzes von Kernwaffen, die die Zerstörung ganzer Städte und großer Gebiete mit ihren Bewohnern mit sich bringen, nicht zu rechtfertigen.

Aus dieser Ablehnung des Einsatzes von Kernwaffen ergibt sich, daß Kernwaffen nicht derart in ein Verteidigungssystem aufgenommen werden dürften, daß ihr Einsatz im Kriegsfalle unvermeidlich wird und zum totalen Krieg führt.[15]

Eine an sich berechtigte Verteidigung von Recht und Freiheit darf nicht auf Mittel gegründet sein, die unproportional und darum nicht zu rechtfertigen sind.

Wir treten für internationale Übereinkünfte ein, die den Einsatz von Kernwaffen verbieten.[16]

Diese Ablehnung (des Kernwaffeneinsatzes) bedeutet nicht, daß wir uns keine Sorgen machten über andere Waffen, die auch den Tod vieler Menschen und die Zerstörung der Natur und der Umwelt zur Folge haben, wie die chemischen, biologischen Waffen und die neueren Erfindungen, auch im Weltraum.

Ebensowenig verkennen wir die Probleme, die eine eventuelle Verstärkung der konventionellen Rüstung mit sich bringt.

2. Konventionelle Rüstung zur Verteidigung von Freiheit und Recht

Die Idee der Verstärkung der konventionellen Rüstung muß äußerst vorsichtig behandelt werden.[17]

Eine solche Verstärkung ist nur unter bestimmten Bedingungen annehmbar:

- Die Notwendigkeit der Verstärkung muß überzeugend angegeben werden können.
- Es müssen äußerste Versuche unternommen werden, um in den Verhandlungen in Wien über Verminderung der konventionellen Waffen in Europa Resultate zu erzielen.
- Die betreffenden konventionellen Waffen müssen so beschaffen sein, daß sie auf Verteidigung gerichtet sind und darum keinen Anlaß zu einem Rüstungswettlauf auf konventionellem Niveau geben. Ein solcher Wettlauf in konventioneller Bewaffnung wird die Möglichkeit eines zum Atomkrieg eskalierenden Streites in Europa stark vergrößern.

In diesem Zusammenhang erinnern wir daran, daß Papst Johannes XXIII. in seiner Enzyklika »Pacem in Terris« nicht nur auf das Verbot von Kernwaffen gedrängt hat.

Er hat den Krieg in all seinen abscheulichen Erscheinungsformen in den Bann getan, indem er erklärte, daß »es undenkbar ist, daß in unserer Zeit der Krieg noch ein geeignetes Mittel zur Wiederherstellung verletzter Rechte sein könnte«.[18]

Es ist klar, daß Krieg nicht erst verwerflich wird, wenn Kernwaffen eingesetzt werden. Die Erscheinung Krieg muß in ihrer Gesamtheit verbannt werden.[19]

Die Kirche anerkennt das Recht auf Verteidigung von Recht und Freiheit gegen einen unrechtmäßigen Angreifer. Wenn wir über Recht und Freiheit sprechen, denken wir nicht nur an die physische Freiheit. Freiheit ist in ihrer tiefsten Bedeutung ein geistiges Gut und umfaßt die Rechte, die den Menschen von Gott gegeben wurden. Viele dieser Rechte sind in die Allgemeine Erklärung der Menschenrechte, die von vielen Nationen unterschrieben wurde, aufgenommen. Ohne diese Freiheit ist das Leben nicht mehr menschenwürdig zu nennen. Die Verteidigung dieser Freiheit ist ebenso wie die Verteidigung von Schwachen und Wehrlosen gegen

Unrecht und Gewalt sogar eine Pflicht. In diesem Geist sagt auch das Zweite Vatikanische Konzil: »Wer als Soldat im Dienst des Vaterlandes steht, betrachte sich als Diener der Sicherheit und Freiheit der Völker.« (Gaudium et spes, Nr. 79). Die Kirche akzeptiert die bewaffnete Verteidigung von Recht und Freiheit, wenn keine andere Verteidigung möglich ist. Aber Verteidigung und Widerstand gegen Unrecht müssen solange und soviel wie möglich gewaltlos sein. Die Kirche preist auch diejenigen, die bei der Verteidigung ihrer Rechte auf Gewalt verzichten (Gaudium et spes, Nr. 78) und plädiert für gesetzliche Anerkennung von Gewissensgründen gegen den Gebrauch von Waffen (Gaudium et spes, Nr. 79). Die Entwicklung von Methoden, die Menschen in die Lage versetzen, sich ohne Gewalt gegen Unrecht zu wehren und sich zu verteidigen, entspricht dem Geist des Evangeliums und darf darum nicht als utopisch und unrealistisch betrachtet werden. Weitergehende Studien und Forschungen darüber halten wir für notwendig. Die Kirche erkennt gleichzeitig, daß das Böse im Menschen so hartnäkkig und brutal sein kann, daß dessen zerstörende Wirkung nur mit Gewalt eingedämmt werden kann. Die Gewalt darf aber nur im Dienste einer verantwortlichen Verteidigung von Recht und Freiheit stehen und nie gegen die Zivilbevölkerung gerichtet sein. Die »Lehre vom gerechten Krieg« sagte nicht aus, daß der Krieg an sich etwas Rechtmäßiges sei. Diese Lehre wollte ausdrücken, daß ein Krieg nur geführt werden darf

a) zur Verteidigung gegen Unrecht;
b) wenn alle friedlichen Mittel erschöpft sind;
c) mit gesetzlichen Mitteln, die zum Ziel im Verhältnis bleiben.

Bei begrenzten Konflikten kann vom Letzteren vielleicht gesprochen werden, in einem totalen Krieg jedoch sicherlich nicht mehr. Wir treten für Verhandlungen ein, die auf die

Verminderung und Beschränkung der konventionellen Rüstung gerichtet sind und auf die Stärkung des Vertrauens zwischen möglichen Gegnern, besonders in Gebieten wie Europa, wo die Gefahr einer militärischen Konfrontation groß ist. Auch wenn die NATO-Länder ebenso wie die Länder des Warschauer Pakts ausdrücklich erklären würden, von einem eventuellen Ersteinsatz von Kernwaffen abzusehen, bleibt ein konventioneller Konflikt der wahrscheinlichste Anlaß, durch den ein Atomkrieg hervorgerufen wird. Neben den Kernwaffen muß auch diesem Punkt bei Verhandlungen über Rüstungskontrolle Beachtung geschenkt werden. Die derzeitige Entwicklung scheint zu einer wachsenden gegenseitigen Abhängigkeit der verschiedenen Waffentypen zu führen.
Wie kann unter diesen Umständen die Rede sein von gleichgewichtiger Rüstungsverminderung, wenn die Verhandlungen sich nicht auf alle Waffen beziehen?[20]

3. Besitz von Kernwaffen zur Verhinderung des Krieges

Atomwaffen werden nicht an erster Stelle hergestellt und gelagert, um sie tatsächlich einzusetzen, sondern vor allem, um durch ihre abschreckende Wirkung den Krieg zu verhindern.
Wie muß vom moralischen Standpunkt aus über das sogenannte Abschreckungssystem geurteilt werden? Folgt aus der Ablehnung der Kriegführung mit Atomwaffen, daß wir sie auch nicht besitzen dürfen? Das Zweite Vatikanische Konzil stellte fest, daß viele (Menschen) die Abschreckung als die bisher effektivste Methode betrachten, um wenigstens ein gewisses Maß an Frieden zu bewahren und einen Krieg zu verhindern. Das Konzil warnte aber auch vor der Illu-

sion, als sei dieser Friede ein echter und garantierter Friede: »Wie immer man auch zu dieser Methode der Abschreckung stehen mag – die Menschen sollten überzeugt sein, daß der Rüstungswettlauf, zu dem nicht wenige Nationen ihre Zuflucht nehmen, kein sicherer Weg ist, den Frieden zu sichern, und daß das daraus sich ergebende sogenannte Gleichgewicht kein sicherer und wirklicher Friede ist. Statt daß dieses die Ursachen des Krieges beseitigt, drohen diese dadurch sogar eher weiter zuzunehmen. Während man riesige Summen für die Herstellung immer neuer Waffen ausgibt, kann man nicht genügend Hilfsmittel bereitstellen zur Bekämpfung all des Elends in der heutigen Welt.«[21]
Das Konzil sah im Rüstungswettlauf bereits eine der schlimmsten Plagen der Menschheit und rief dazu auf, sich zu bekehren und die Atempause zu nutzen, um für einen Frieden zu wirken, der wirklich diesen Namen verdient, d.h. für einen Frieden, der nicht auf dem Gleichgewicht zwischen menschenunwürdigen Waffenarsenalen beruht, sondern auf den Werten der Gerechtigkeit, Wahrhaftigkeit, Freiheit und Liebe, die Waffen überflüssig machen.
Der Besitz von Kernwaffen zur Abschreckung wurde vom Konzil nicht verurteilt, aber auch nicht gutgeheißen. Das Konzil verwies wohl sehr nachdrücklich auf die Labilität des Abschreckungssystems, auf das Mißverhältnis in der Verwendung von Geld und Energie für Rüstung einerseits und Anstrengungen zur Erleichterung der Not in der Welt andererseits, und auf die Möglichkeit, daß die Abschrekkung versagt und die abscheulichen Waffen, die den Krieg verhindern sollten, in einem katastrophalen Krieg eingesetzt werden.
Selbst wenn man davon ausgeht, daß die Abschreckung bisher in dem Sinne funktioniert hat, daß der Ausbruch eines Krieges zwischen den Supermächten und ihren Verbündeten verhindert wurde, muß man sich mit dem Konzil

und mit Papst Johannes Paul II.[22] fragen, ob das so bleiben wird. Das Abschreckungssystem ist ein Balancieren am Rande des Abgrundes.
Seit der Erklärung des Konzils sind inzwischen fast zwanzig Jahre verstrichen. Hinzu kommt, daß die negativen Seiten des Abschreckungssystems inzwischen viel deutlicher geworden sind; damit ist die ethische Verpflichtung, die Menschheit durch ein auf gegenseitiges Vertrauen aufgebautes System davon zu befreien, auch dringlicher. Die Völker werden das nicht auf einmal, sondern nur schrittweise tun können. Jemandes Gesinnung und Lebensauffassung muß nicht nur gemessen werden an der Frage, ob eine konkrete Handlung völlig der moralischen Norm entspricht, sondern eher an der Treue und Ausdauer, mit denen man sich von der Norm leiten läßt, um zu einer vollständigen Antwort zu gelangen. So ist auch der Wille, Schritte zu unternehmen, um die Menschheit von einem System zu befreien, das eine Drohung totaler Vernichtung enthält, bei der moralischen Beurteilung des Besitzes von Kernwaffen entscheidend.
In einer Botschaft, die Papst Johannes Paul II. am 14. Juni 1982 über Kardinal Casaroli an die zweite Sondersitzung der Vereinten Nationen über Abrüstung richtete, hat er die Linie des Konzils bis zur heutigen Situation durchgezogen und erklärt: »Unter den gegenwärtigen Bedingungen kann eine auf dem Gleichgewicht beruhende Abschreckung – natürlich nicht als Ziel an sich, sondern als ein Abschnitt auf dem Weg einer fortschreitenden Abrüstung – noch für moralisch annehmbar gehalten werden. Um jedoch den Frieden sicherzustellen, ist es unerläßlich, daß man sich nicht mit einem Minimum zufriedengibt, das immer von einer wirklichen Explosionsgefahr belastet ist.«[23]
Die Existenz des Abschreckungssystems stellt die Menschen vor eine ethisch paradoxe Situation. Die Völker müssen die Abschreckung abschaffen, aber das kann nicht plötzlich

oder einseitig geschehen, weil eine so schnelle Demontage Gefahren mit sich bringt. Auch ein abrupter Eingriff in das Abschreckungsgleichgewicht muß auf seine moralische Zulässigkeit geprüft werden. Abrüstung, Abtakelung des Abschreckungssystems wird ein vorsichtig geführter Prozeß sein müssen und erfordert, daß bewaffneten Konflikten auf andere Weise, durch wirkliches internationales gegenseitiges Verständnis und durch Gerechtigkeit vorgebeugt wird. Dieser Prozeß muß von der tiefen Überzeugung getragen sein, daß die Existenz des Abschreckungssystems etwas ist, mit dem sich kein Mensch mehr abfinden darf. Die Akzeptierung von Besitz an Kernwaffen in ihrer abschreckenden Intention kann nur eine zeitlich begrenzte und vorläufige sein, eine Phase in einem Prozeß fortschreitender Abrüstung und zum wirklichen Frieden. Diese Akzeptierung hat ihre Grenzen und darf sich nicht erstrecken auf die immer weiterschreitende Entwicklung und Ausbreitung von Mitteln zur Abschreckung, die keine statische, sondern eine bestürzend dynamische Realität ist und zu einer Katastrophe führt, wenn die Abschreckung versagt. Die vorläufige Akzeptierung der Abschreckungsfunktion beschränkt sich auf das Niveau der Kernbewaffnung, das zur Abschreckung genügt.

Funktionen der Kernbewaffnung, die über die Abschrekkung hinausgehen, wie die der Kriegsvorbereitung oder einer politischen Pression, die den Waffenwettlauf immer höher treiben, müssen abgelehnt werden. Aus der Verpflichtung, die »Atempause« für das Ausschließen eines Atomkrieges durch Atomabrüstung zu benutzen, folgt, daß Schritte in Richtung auf eine bessere internationale Rechtsordnung und auf Abrüstung für diese »Atempause« bestimmend sein müssen.

Vor diesem Hintergrund haben wir uns, zusammen mit dem Rat der Kirchen in den Niederlanden, gegen zwei Entwicklungen auf dem Gebiet der Atomrüstung ausgesprochen, bei denen unser Land unmittelbar betroffen wurde: die Entwicklung von Neutronenwaffen, worüber wir im Februar 1978 einen Brief an den Ministerrat geschrieben haben, und die Produktion und Aufstellung einer neuen Generation von Mittelstrecken-Kernwaffen, wegen der wir uns im Dezember 1979 an die Zweite Kammer gewandt haben.[24]

Mit Recht machen sich in Europa viele Menschen Sorgen über die mögliche Stationierung oder Ausbreitung dieser Waffen in Ost- und Westeuropa, die die Gefahr des Ausbruchs eines Atomkrieges auf europäischem Boden erheblich näherrücken kann. Über die Stationierung der Mittelstrecken-Kernwaffen bzw. »Cruise Missiles« in Westeuropa und über den Abzug und die Demontage von bereits in Osteuropa aufgestellten Waffen laufen zur Zeit Verhandlungen. Das ist eine positive Entwicklung, zu der auch das große Drängen nach Abrüstung seitens der öffentlichen Meinung beigetragen hat, die durch die Friedensbewegungen wachgerüttelt wurde. In den Niederlanden haben dabei namentlich die Friedensbewegungen IKV – »Interkerkelijk Vredensbevaad« und Pax Christi eine wichtige Rolle gespielt.

Es ist von großer Bedeutung, daß diese Verhandlungen zwischen der Sowjetunion und den Vereinigten Staaten zu positiven Ergebnissen führen. Dabei geht es nicht nur um große Sicherheitsinteressen, sondern auch um große moralische Interessen.

Viele Menschen blicken mit Ungeduld nach Schritten in Richtung Abrüstung, in die richtige Richtung.

Wir können uns nicht erlauben, über Verhandlungen skeptisch zu sein und wenig von ihnen zu erwarten. Die beiden betroffenen Parteien können sich noch weniger erlauben, sie nicht mit dem bestimmten Willen zu führen, zu Ergebnissen zu gelangen. Wenn der Glaube an Verhandlungen nicht mehr besteht, muß er erneut geweckt werden. Denn Verhandlungen sind der Weg, um zu Rüstungskontrolle, Waffenminderung und Abrüstung zu kommen. Das gemeinsame Interesse der Verhandlungspartner und der Menschheit steht weit über Interessengegensätzen, die es zweifellos auch gibt. Es gibt in der Welt noch wenig gegenseitige Solidarität, aber es gibt wohl schon eine große Schicksalsverbundenheit. Wenn diese Schicksalsverbundenheit am Rande des Abgrundes besser erkannt wird, kann sie zu mehr Solidarität führen.

Für die Entscheidung über die Stationierung von »Cruise Missiles« in den Niederlanden und in anderen Ländern Westeuropas ist 1983 ein sehr bedeutsames Jahr. Nachdem wir schon früher vor der Produktion und Aufstellung einer ganz neuen Kernwaffengeneration gewarnt haben, führen wir im Hinblick auf die Diskussionen, die darüber in der nächsten Zeit zweifellos noch geführt werden, zustimmend zwei Überlegungen an, die Papst Johannes Paul II. durch Kardinal Casaroli in der oben zitierten Botschaft für die Zweite Vollversammlung der Vereinten Nationen über Abrüstung am 14. Juni 1982 hervorgehoben hat.

Die eine Überlegung bezieht sich auf die Gefahr, daß das große Sicherheitsinteresse, das ausschlaggebend sein sollte, sich mit anderen Interessen politischer und wirtschaftlicher Art vermischt: »Doch eine Sache ist es, die gegenseitige Verflechtung der Fragen zu erkennen, eine andere, sie zu erforschen, um auf anderer Ebene Nutzen daraus zu ziehen. Die Rüstung, die Kernwaffen und die Abrüstung sind in sich und für die Welt zu wichtig, um einfach Teil einer Strategie zu werden, die ihre eigentliche Bedeutung zugunsten einer bestimmten Politik oder anderer Interessen gewinnen würde.«[25]

Arbeitsbeschaffung und wirtschaftliche Interessen stellen darum kein Motiv dar für eine weitere Erhöhung der Rüstung.

In der zweiten Überlegung wird den Regierungen und Politikern geraten, das zu berücksichtigen, was in ihrem Volk lebt: »So haben sich nahezu überall Friedensbewegungen enwickelt. In mehreren Ländern sind diese Bewegungen zu außerordentlicher Popularität gelangt und werden von einem wachsenden Teil von Bürgern verschiedener Gesellschaftsgruppen, aller Altersstufen und Bildungsschichten, insbesondere der Jugend, unterstützt. Die ideologischen Grundlagen dieser Bewegungen sind vielfältig. Ihre Ziele, ihre Vorschläge, ihre Politik sind weitgehend verschieden und können immer wieder Angriffsfläche dafür bieten, als Parteiwerkzeuge benützt zu werden. Aber über diese formalen Gegensätze hinaus gibt es eine tiefe und aufrichtige Sehnsucht nach Frieden.
So kann ich mich nur Ihrem Vorhaben eines Appells an die öffentliche Meinung anschließen, damit sich ein echtes allgemeines Bewußtsein von den schrecklichen Gefahren des Krieges entwickelt, ein Bewußtsein, das seinerseits einen allgemeinen Geist des Friedens zu Folge haben wird.«[26]
Außer auf den Einfluß der Friedensbewegungen können wir verweisen auf das starke, breite Kreise erfassende und wachsende Bewußtsein von den Gefahren, das mit der fortschreitenden Kernbewaffnung verbunden ist. Ärzte und Pflegepersonal, Wissenschaftler, Schriftsteller, Vertreter der Gewerkschaften und der Frauenbewegung, Lehrer, Erziehungswissenschaftler und Politiker bringen in den einzelnen Ländern und auf internationaler Ebene ihre Beunruhigung zum Ausdruck.
Auch innerhalb des Militärs wächst das Bewußtsein für die große Verantwortung, die man hat. Wie der Synodenvorstand der Niederländischen Reformierten Kirche in seinem Brief an die Militärs sind auch wir der Meinung, daß die Frage der Atomrüstung eine Sache ist, für die die ganze Gesellschaft die Verantwortung trägt. Das Militär erfüllt

dabei einen eigenen Auftrag. »Wir wollen denn auch gern öffentlich erklären, daß wir uns mit allen, Soldaten oder Nicht-Soldaten, solidarisch wissen, die mit den großen Fragen von Leben und Tod ringen. Sie alle unterliegen denselben Bedrohungen, leiden an denselben Ängsten, tragen dieselbe Schuld, dürfen auch dieselbe Hoffnung hegen auf eine neue Welt, die Gott in Jesus Christus begonnen hat und auf die neuen Möglichkeiten der Versöhnung und des Friedens, die damit gegeben sind.«[27]

4. Förderung der Abrüstung

Abrüstungsverhandlungen sind für wirkliche Abrüstung unerläßlich. Sie erfordern Geduld und Ausdauer und müssen auf eine gleichgewichtige, gleichzeitige und international kontrollierte Waffenverminderung gerichtet sein. Aber sie müssen in Gang gebracht werden. Dabei ist ein wichtiges Stimulans das gemeinsame Interesse, das die Verhandlungspartner bei der Bremsung des wahnsinnigen Rüstungswettlaufs haben. Diese Triebfeder kann aber beherrscht werden von Mißtrauen, das wie »Humus den Rüstungswettlauf nährt«.[28] Wir wissen zu würdigen, daß die niederländische Regierung sich nicht nur wiederholt gegen weitergehende Rüstung ausgesprochen hat, sondern auch gegen die Stationierung von Neutronenwaffen. Auch folgen wir mit Zustimmung und Vetrauen dem Druck, den die Regierung ausübt, auf daß man Wege finden möge, um die Rüstung einzudämmen, u. a. durch Unterstützung immer neuer Vorschläge und durch eigene neue Vorschläge.

Um Vertrauen zu wecken und einander klarzumachen, daß es wirklich um Abrüstung geht und nicht um Schwächung der Gegenpartei, kann es für eine der beiden Seiten nötig sein, erste Schritte auf dem Weg zur Rüstungskontrolle und

Waffenverminderung zu machen. Wir haben diese ersten Schritte in unserer Erklärung vom 13. Januar 1976 bereits in Erwägung gezogen. Solche Schritte werden mit der Absicht unternommen, daß die Gegenseite dies in richtiger Weise versteht und darauf mit einem vergleichbaren Schritt antwortet und die Situation nicht zur Beibehaltung oder Erreichung eines Rüstungsübergewichts ausnützt. Es wäre unrealistisch zu vergessen, daß mit dem gegebenen Vertrauen, mit solchen ersten Schritten Risiken verbunden sind. Aber das Weiterwuchern des Mißtrauens, das Andauern des Rüstungswettlaufs und das Ausbleiben von Ergebnissen bei Abrüstungsverhandlungen sind ein größeres Risiko. Die dringende Notwendigkeit, den Rüstungswettlauf in den Griff zu bekommen, erfordert nicht auf einer, sondern auf beiden Seiten die Bereitschaft, Schritte zu tun, Vertrauen zu geben und zu haben. Die Bereitschaft zu ersten Schritten bedeutet dann auch nicht einseitige Abrüstung.

Den Christen obliegt die Pflicht, auch im politischen Handeln mit neuen Beziehungen einen Anfang zu machen.

Menschen, die selbst Initiativen ergreifen, müssen es außerdem verstehen, mit Initiativen der Gegenseite kreativ umzugehen.

Zu Art, Umfang, Zeitpunkt und Effektivität von ersten Schritten wollen wir uns nicht äußern. Wir halten uns nicht für kompetent, zu den Anregungen für erste vertrauensbildende Schritte, die in der letzten Zeit vorgebracht wurden, Stellung zu nehmen. Zu beurteilen, welche Schritte zum gesteckten Ziel führen, steht Personen zu, die politische Verantwortung tragen. Wohl drängen wir auf ein aktives Suchen nach Möglichkeiten für solche Schritte, die dann anschließend auch tatsächlich in die Praxis umgesetzt werden müssen.

Wir erinnern in diesem Zusammenhang auch an eine Stelle in dem »Dokument über vertrauensbildende Maßnahmen« aus der Schlußakte der Konferenz über Sicherheit und Zusammenarbeit in Europa (Helsinki, 1. August 1975): »Die Teilnehmerstaaten anerkennen ihrer aller Interesse an Bemühungen zur Verminderung der militärischen Konfrontation und zur Förderung der Abrüstung, die darauf gerichtet sind, die politische Entspannung in Europa zu ergänzen und ihre Sicherheit zu stärken. Sie sind von der Notwendigkeit überzeugt, auf diesen Gebieten wirksame Maßnahmen zu ergreifen, die durch ihren Umfang und ihre Natur Schritte darstellen, um schließlich eine allgemeine und vollständige Abrüstung unter strenger und wirksamer internationaler Kontrolle zu erreichen, und die zur Festigung des Friedens und der Sicherheit in der ganzen Welt führen sollen.«[29]

Und wir müssen weiter gehen, als nur miteinander zu verhandeln. Die Parteien müssen einander in einem offenen Dialog begegnen. Der Dialog setzt Vertrauen voraus und vertieft es. Das ist ein unerläßliches Mittel, um Feindbilder zu durchbrechen und einander als Mitmenschen verstehen und würdigen zu lernen.[30]

Wir halten es für sehr wichtig, daß die in der Schlußakte von Helsinki formulierten Möglichkeiten zum weiteren Ausbau und zur Intensivierung der Ost-West-Beziehungen auf jeder Ebene und in allen gesellschaftlichen Kategorien in die Praxis umgesetzt und an der Praxis erprobt werden. Das wird ein Prozeß der Erkundung und Ausdauer mit positiven und negativen Erfahrungen sein. Wir müssen dabei die ganz anderen Verhältnisse berücksichtigen, die nun einmal in den osteuropäischen Ländern bestehen.

Westeuropäer müssen lernen, sich eine klare Kenntnis dieser Welt zu erwerben, so wie die Gesprächspartner in Osteuropa die westliche Welt kennenlernen müssen.

Auf diesem Wege können Vorurteile beseitigt und eine ehrliche Bereitschaft zur Begegnung gefördert werden. Oft können die Kirchen und christlichen Gemeinschaften dabei eine nützliche Schaltfunktion übernehmen. Nicht selten werden die Christen des Westens und ihre Brüder und Schwestern in den osteuropäischen Ländern voneinander lernen können, wenn es um eine authentische Belebung des Christ-Seins in unserer Zeit geht. Außerdem kann so der gemeinsamen Sorge und Verantwortung der Christen in Ost und West für mehr und bessere Chancen für Frieden und wirkliche Sicherheit für die gegenwärtigen und für kommende Generationen Gestalt gegeben werden. So geben sie dem Aufruf eine Form, den der Papst in seiner Botschaft über den Dialog anläßlich des Weltfriedenstages 1983 an alle gerichtet hat.

Kapitel III

1. Krieg verhindern und Frieden fördern

Wir haben bisher in diesem Brief den Nachdruck gelegt auf das Verhindern eines Atomkrieges und das Bremsen und Umkehren des Rüstungswettlaufs.

Arbeiten am Frieden bedeutet aber mehr. Die Rüstung ist für sich ein sehr ernstes Übel, aber sie ist auch ein Symptom anderer Übel, die teils auf eine mangelhafte Struktur und Organisation der Weltgemeinschaft und teils auf Defizite in der Mentalität zurückzuführen sind. Struktur und Mentalität können unterschieden werden. Aber sie wirken dauernd aufeinander ein; sie unterminieren oder unterstützen sich gegenseitig.

Daß die Struktur und Organisation unserer Welt unzureichend sind, ist ein dauerndes Thema im katholischen Denken über Krieg und Frieden.[31] Es müßte eine weltumspannende Autorität geben mit ausreichender Befugnis und ausgerüstet mit Mitteln, die Weltgemeinschaft zu führen und das Recht in der Welt zu wahren. Aber in der heutigen Konstellation ist dies noch nicht erreichbar. Papst Johannes Paul II. sagt in seiner Botschaft zum Weltfriedenstag 1983: »Die Verwirklichung des Friedens auf Weltebene kann sich nämlich nicht ohne weiteres aus dem isolierten Willen der einzelnen Völker ergeben, die zudem oft zwiespältig sind und manchmal zueinander im Gegensatz stehen. Um diesen Mangel zu beheben, haben die Staaten sich übrigens geeignete internationale Organisationen geschaffen, deren Hauptziel unter anderem ist, ihre Zielsetzungen untereinander abzustimmen und auf die Wahrung des Friedens sowie die Förderung der Gerechtigkeit unter den Völkern auszurichten.

Durch die Autorität, die die großen internationalen Organisationen erlangt haben, und durch ihre Initiativen haben diese ein beachtliches Werk im Interesse des Friedens vollbracht.«[32]

Durch diese internationalen Organisationen wurde der Beweis geliefert, daß die Menschen auf Weltniveau ihre Anstrengungen bündeln und zusammen den Frieden sichern können. Zweifellos haben auch der kulturelle Austausch – im weitesten Sinne des Wortes –, die wissenschaftliche Forschung, die Wirtschaftsbeziehungen und die Kommunikationsmittel dazu beigetragen. Die internationalen Organisationen müssen darum weiter ausgebaut und ausgestattet werden. Ihre Macht und Autorität sind jetzt noch zu sehr davon abhängig, in welchem Maße die einzelnen Staaten bereit sind, die Ausübung ihrer Souveränität zu beschränken und von den Möglichkeiten Gebrauch machen, die internationale Organisationen bieten.

Eine der Möglichkeiten für die Menschheit zu überleben ist, durch zweckdienliches Verhandeln und durch den Dialog sich die Mittel zu verschaffen, die für den Ausbau von Gerechtigkeit und Frieden notwendig sind. Dafür muß sich nicht nur die Mentalität der Staaten, sondern auch die des Individuums ändern. Für die internationale Zusammenarbeit auf regionaler und weltweiter Ebene scheint der Enthusiasmus der letzten Jahren nachgelassen zu haben. Das ist einigermaßen verständlich wegen der Enttäuschungen und der ziemlich schleppenden kleinen Fortschritte, die gemacht wurden. Aber auch hier wird unsere moralische Überzeugung den Ausschlag geben müssen, daß die gegenseitige Abhängigkeit und Schicksalsverbundenheit der Menschheit ohne eine universale Autorität nicht auskommt. Das Werk der Vereinten Nationen erfordert die tatkräftige Mitwirkung aller Mitgliedstaaten unter anderem durch Ratifizierung der Beschlüsse. Auch der Prozeß der europäischen Einigung in gegenseitiger Solidarität zur Förderung des Friedens erfordert dauernde Anstrengung. Was unsere Mentalität betrifft, so werden wir vor allem unser Streben nach einem immer Mehr – gemeint sind Wohlstand und nationale Macht – der Kritik unterziehen müssen. Es muß mehr Verständnis für gerechte internationale Beziehungen und internationale Zusammenarbeit aufgebracht werden.

In diesem Zusammenhang besteht auch eine Verwandtschaft zwischen der Spirale der Rüstung und der Spirale des Immer-mehr-haben-Wollens. Um zu gesunden, muß die Gesellschaft zu den Grundnormen der Ehrfurcht vor dem Leben, der sinnvollen Arbeit, der Erhaltung der Natur und der Erhöhung der Entwicklungschancen für die Ärmsten und Bedürftigsten zurückfinden.

Der biblische Glaube ist wesentlich auf die Geschichte bezogen. Darin sind Heil und Unheil möglich. Dabei können Völker stranden, aber auch durch Krisen hindurch gerettet werden. So könnte auch die heutige Krise ein Kairós, ein Gnadenmoment werden und zu einer weltweiten Solidarität anregen. Die wirtschaftliche Krise verlangt nach einem Schritt zurück, damit ein Teil unseres Wohlstandes

aus Solidarität denen gegeben werden kann, die durch die Krise in Not geraten.
Wir sollten uns mehr anstrengen, um die geschädigte Natur zu retten und zu heilen. Wenn es uns gelingt, mit dem zufrieden zu sein, was für uns verfügbar ist, wenn wir unseren Mitmenschen und der Erde mit Liebe und Respekt entgegentreten, werden wir damit auch die internationale Sicherheit fördern und den Gründen für die übertriebene Überrüstung den Boden entziehen.
Die Angst vor den Schrecken eines Krieges reicht als Motivation für den Frieden nicht aus. Den Frieden wollen setzt mehr voraus als Abscheu vor dem Krieg. Die Mentalitätsänderung, die nötig ist, kann nicht allein von der Angst vor dem Krieg getrieben sein, sie braucht das auch nicht. Menschen bauen ihr Leben und Zusammenleben auf positiven Idealen auf. Und in der Angst vor dem Atomkrieg ist auch moralische Entrüstung wirksam und wird die Bereitschaft zur Veränderung größer. Die Dinge, die für den Frieden nötig sind, können nur von einer Begeisterung aus getan werden, die Angst und Sorge für die eigene Sicherheit übersteigt. Man darf nicht allzu einfach glauben, daß die Menschen nur zum Krieg geneigt sind und keine Begabung für den Frieden haben. »Eine bessere Kenntnis der Lebensregungen, des Gefühls der Sympathie, der Bereitschaft zur Liebe und zum Teilen trägt zweifellos dazu bei, die psychologischen Abläufe besser zu verstehen, die dem Frieden dienen.«[33] Papst Johannes Paul II. wies darauf hin, daß der Aggressivität des Menschen, seiner Todessehnsucht, seinem Herden-Instinkt und dem Gedanken, daß der Mensch dem Menschen ein Wolf ist, unverhältnismäßig viel Beachtung geschenkt wird.
Der Friede ist ein Ideal, das die Menschheit ständig in Atem hält, auch wenn es hier und jetzt nicht in seiner ganzen Fülle verwirklicht werden kann. Der Krieg ist keine Unvermeid-

lichkeit; er muß immer aufs neue unter Einsatz aller Erfindungsgaben vermieden werden. Eine Friedensregelung mit Mängeln ist immer besser als eine Kriegsrüstung voller Bedrohung.
Wir suchen in diesem Brief nach einer richtigen Einstellung und Handlungsweise gegenüber dem Problem der atomaren Rüstung. Diese Haltung kann nicht in einer Art von apokalyptischem Fatalismus bestehen, als sei der Gedanke an ein Gottesurteil über eine sündige Welt die passende Reaktion. Wir meinen, die echte christliche Reaktion auf die Drohung der Kernwaffen besteht darin, sich zu Mitarbeitern Christi bei der Erlösung der Welt vom Bösen berufen zu fühlen. Die Empörung über atomare Rüstung und Unfrieden in der Welt kann uns die Berufung zum Frieden bewußter machen.

2. Gebet um Frieden und Bekehrung zum Frieden

Friede ist die Frucht der Gerechtigkeit. Gerechtigkeit stützt sich auf den Glauben, auch den Glauben an den Frieden als Gabe Gottes. Wir müssen diese Gabe immer neu zur Wirklichkeit machen. Der Friede ist auch eine Aufgabe, eine äußerst schwierige Aufgabe für Menschen, die das Böse in sich selbst nicht überwunden haben und der Bedrohung und Gefahr von außen ausgesetzt sind, über die guter Wille und beste Absichten nicht immer Herr bleiben können. Das ist der Grund, weshalb der Friede vor allem als eine Gabe Gottes betrachtet wird.[34] Wir finden dies in allen Religionen. In unserer Zeit, in welcher die Hindernisse auf dem Wege zum Frieden oft unübersteigbar scheinen, der Friede sich weiter zu entfernen, der Krieg sich zu nähern scheint, wenden sich auch Menschen, die mit dem Beten wenig vertraut sind, spontan dem Gebet zu.[35] In der Liturgie kennen wir das Gebet: »Schaue nicht auf unsere Sünden,

sondern auf den Glauben Deiner Kirche und schenke ihr nach Deinem Willen Einheit und Frieden.«
Wenn Menschen um den Frieden bitten, verlangen sie von Gott nicht etwas, wofür sie selbst nichts zu tun brauchten. Aufrichtiges Gebet ist der Ausdruck eines wirklichen Willens. Wenn sie um Frieden bitten, machen sie sich selbst bereit, daran zu arbeiten. »Lassen wir uns auch nicht durch den Vorwurf beirren, Beten sei nur das Alibi derer, die sonst nichts für den Frieden tun wollen«, so schreiben die römisch-katholischen Bischöfe der DDR in ihrem pastoralen Brief anläßlich des Weltfriedenstages am 1. Januar 1983.

3. Zum Schluß

Wie wir schon oben festgestellt haben, bedarf es mehr als des Protests gegen die Rüstungsspirale, so notwendig dieser Protest auch ist. Wir haben auch schon hingewiesen auf den Zusammenhang zwischen den Spannungen in der Welt, die sich u.a. im fortschreitenden Rüstungswettlauf manifestieren, und dem Fehlen eines übernationalen Organismus, der über die notwendigen Befugnisse und Mittel verfügt, um Recht und Gerechtigkeit bei Streitigkeiten zwischen Staaten und Völkern zu regeln. Vor allem beleuchteten wir die Notwendigkeit, unsere Mentalität zu verändern und bereit zu sein, Voraussetzungen für Frieden und Gerechtigkeit in der ganzen Welt schaffen zu helfen. Die Menschen müssen sich befreien aus der Spirale der Bedrohung und Gewalt, in der sie gefangen sind und die hauptsächlich durch die Existenz einander entgegengesetzter Machtblöcke verursacht wird. Dazu muß für die faktische Situation, in welche die Menschheit geraten ist, Offenheit gezeigt werden. Das erfordert objektive sachliche Information und kritische Beobachtung der Entwicklungen. Die Gefühle der Apathie oder Angst, die jetzt oft dominieren, müssen umgebogen werden zu einer Haltung des Engagements, der Teilnahme, des Einfallsreichtums und der Kreativität. Studien und Diskussionen über die Verbesserung internationaler Strukturen und Organe müssen gefördert werden, so daß Zukunft in wirklicher weltweiter Solidarität möglich wird. Das erfordert auch ein starkes Wachsen des Dialogs und der Begegnung auf internationaler Ebene. Kirchen können dabei vermitteln und helfen, die Kräfte gegen Rüstung und für Entwicklung zu bündeln.

Eine wichtige Rolle liegt hier bei der Erziehung und dem Unterricht, bei den Medien, der Bildungsarbeit und bei Gesprächsgruppen. Auf nationaler und internationaler Ebene müssen neue Initiativen begonnen werden. Zweifellos kann dabei die Wissenschaft eine wesentliche Aufgabe erfüllen. Voraussetzung dafür ist hierbei eine fundamentale Umgestaltung des Geistes, wie Papst Johannes Paul II. in seiner Ansprache vor der UNESCO im Juni 1980 ausgeführt hat.

Er hat damals aufgerufen, der Ethik vor der Technik Vorrang zu geben, um so das Gewissen der Menschen wachzurütteln, auf daß der Mensch mit der Schöpfung umgehe wie ein »Herr« und wie ein kluger verantwortlicher »Bewacher«.

Gott sei Dank gibt es Zeichen der Hoffnung. Es entsteht ein internationales Bewußtsein der Schicksalsverbundenheit. Das Bewußtsein der Solidarität mit den Armen und Bedrängten und die Gegenkräfte gegen den Rüstungswettlauf werden stärker. Auf uns ruht die Pflicht, uns ständig anzustrengen, um diese Perspektiven offenzuhalten und sie uns nahezubringen. Das ist möglich ungeachtet der Verschiedenheit in der Auffassung über die Methoden der Abrüstung, sofern wir bereit sind zu einem offenen und kritischen Gespräch und zur Zusammenarbeit über die

Grenzen hinweg, in dem festen Vertrauen und der sicheren Erwartung, daß das gemeinsame Ziel, das menschliche Überleben, uns alle verbindet.

Niemand ist machtlos. Inspiriert durch das Gebet und gestärkt durch das Vertrauen, daß wir gemeinsam unsere Kraft zum Guten einzusetzen vermögen, kann jeder von uns dem ständig wiederholten dringenden Aufruf des Papstes Folge leisten, einen Beitrag zu einem wachsenden, weltweiten Einsatz für Frieden und Gerechtigkeit zu leisten. Das ist ein Prozeß des langen Atems, aber die Richtung auf das gemeinschaftliche Ziel hin, das uns allen vor Augen steht, wird bestimmt durch die Entscheidung, die wir täglich treffen, und durch den Vorrang, den wir der notwendigen Beachtung der wirklich bedeutsamen Dinge in unserer Welt einräumen. Über die Problematik der Kernwaffen ist weitgehend Information verfügbar. Der Ernst des Gegenstandes geht uns alle persönlich an.

Die Herausforderung im Zeitalter der Kernwaffen kann eine Quelle neuer Hoffnung für die Zukunft, für unsere und die der kommenden Generationen werden. Wenn wir die Zeichen unserer Zeit verstehen und uns gestärkt wissen durch unsere Überzeugung, können wir mit gemeinsamem Einsatz an dem uns erteilten Auftrag arbeiten, einen wirklichen Frieden zu schaffen, und dazu beitragen, eine neue Welt zu bauen. Franziskus von Assisi betete: »Herr, mache uns zu Friedensstiftern, daß wir, wo Haß herrscht, Liebe verkünden, daß wir Vergebung schenken, wo Beleidigung kränkt, daß wir den Frieden bauen, wo Uneinigkeit tobt.«

Die Bischöfe der Niederlande
Utrecht, 5. Mai 1983

Anlage I

Brief des Rates der Kirchen an den Ministerrat vom 9. Februar 1978 und Brief der Niederländischen Bischofskonferenz an den Ministerrat vom 14. Februar 1978

An den Ministerrat
z. Hd. des Ministerpräsidenten
Binnenhof 20
13 - s'GRAVENHAGE

Exzellenz,
schon wiederholt haben die Kirchen ihre Besorgnis über den weltweiten Rüstungswettlauf und insbesondere über den Wettlauf bei den Kernwaffen ausgesprochen. Die Sorge für die Menschheit ist die Grundlage dieser Ausführungen. Die Kirchen sind berufen, Zeugnis abzulegen von der erlösenden Gerechtigkeit Christi, vom Sieg des Guten über das Böse. Sie würden darum ihrer Aufgabe nicht gerecht werden, wenn sie untätig dabei zusähen, wie sich in der Welt die Rüstung immer mehr aufhäuft und wie bei der Herstellung der Waffen immer wieder neue Grenzen des technisch Möglichen durchbrochen werden. Die Menschheit hat eine Skala von Mitteln zur Verfügung erhalten, mit denen äußerste Formen der Gewalt heraufbeschworen werden können, eine Gewalt, mit der keinem sinnvollen Ziel mehr gedient werden kann und bei dem der Mensch sich selbst seines Glanzes beraubt. Darum haben die Kirchen die Verwendung von Kernwaffen als unmoralisch bezeichnet. Ungeachtet dreißigjähriger Verhandlungen über Rüstungskontrolle und Abrüstung werden noch immer Kernwaffen weiterentwickelt und zahlenmäßig erhöht. Noch immer wetteifern die Staaten um Macht und Sicherheit. Aber das Resultat widerspricht dem, und die Möglichkeit, daß dereinst wieder Kernwaffen verwendet werden, wird dadurch erhöht.

Der Wettlauf zwischen den Kernwaffenländern und ihren Verbündeten, bei dem es darum geht, welche Seite unter den günstigsten – oder ungünstigen – Umständen Kernwaffen einsetzen kann, hat zu einem Streit um die technologischen und numerischen Machtverhältnisse geführt, wobei sich erneut destabilisierende Entwicklungen ergeben. Die Parteien versuchen, sich dagegen zu schützen, indem sie ihre Atomrüstung verstärken, aber rufen damit wieder auf jeder Seite Reaktionen hervor, die zu neuen Erhöhungen und Destabilisierungen führen. Somit hat das Streben nach mehr Sicherheit durch Kernwaffen zu einer gigantischen Overkill-Kapazität geführt, während – trotz der bestehenden Übereinkünfte über Rüstungskontrolle – die Furcht eher zu- als abnimmt, daß die jeweils andere Seite bei einem bewaffneten Konflikt als erste zum Einsatz von Kernwaffen greift, um damit Vorteile zu erlangen.

Jede Entwicklung einer neuen Kernwaffe widerspricht dem Ziel des Nonproliferationsvertrags. In Artikel VI dieses Vertrages haben die Kernwaffenländer zugesichert, daß sie guten Glaubens Maßnahmen zur Beendigung und Eindämmung des Wettlaufs bei den Kernwaffen anstreben würden. So wie die Kernwaffenländer den Wert dieser Zusage entkräften und weiterhin neue Kernwaffen entwickeln, wird der Nonproliferationsvertrag und jeder Appell an die Nicht-Kernwaffenländer, auf Kernwaffen zu verzichten, stets schwächer.

Es besteht ferner die Gefahr, daß die Möglichkeit der Verwendung von Kernwaffen durch die sogenannte horizontale Proliferation größer wird. Technisch und ökonomisch werden Kernwaffen ja für immer mehr Länder erreichbar. Die Verwischung der Grenze zwischen der zivilen Kernenergie und der Kernenergie für militärische Zwecke ist dabei ein Faktor von essentieller Bedeutung.

In der Note der damaligen Regierung über Abrüstung und

Sicherheit (1975) zitiert die Regierung zustimmend einen Passus aus der Abrüstungsnote von 1964, wo auf die »paradoxe Situation« hingewiesen wird, »daß als Folge der revolutionären waffentechnischen Entwicklungen der Nachkriegsjahre eine wachsende Rüstung, die die Sicherheit erhöhen soll, in Wirklichkeit mehr und mehr Unsicherheit schafft«. Amtlicherseits wird hinsichtlich der Note von 1975 denn auch die Schlußfolgerung gezogen: »Nicht nur zur Verstärkung der Nonproliferationspolitik, sondern auch für die Aufrechterhaltung der internationalen Sicherheit ist es notwendig, daß der qualitative Rüstungswettlauf namentlich zwischen den beiden größten Kernwaffenmächten gezügelt und beendet wird.«

Die Kirchen unterstützen diesen Standpunkt und wollen nicht aufhören, für das Beenden und Eindämmen der Kernrüstung, und zwar bei allen Kernmächten, zu plädieren. Der Anlaß, daß wir dies noch einmal mit aller Deutlichkeit hervorheben, ist die Tatsache, daß die Regierung in den nächsten Monaten eine Entscheidung über die Einführung oder Nicht-Einführung der Neutronenbombe herbeiführen muß.

Laut offizieller Mitteilung wird mit der Neutronenbombe eine Modernisierung der Abschreckung der NATO angezielt. Behauptet wird, daß die Neutronenbombe besser als die heutigen Kernwaffen der NATO für den Einsatz gegen offensive Aktionen des Warschauer Pakts, vor allem gegen Panzerformationen, geeignet sei.

Die Kirchen wissen, daß die Fachleute über die Vor- und Nachteile der Einführung dieser Neutronenbombe geteilter Meinung sind. Sie wollen sich nicht in diese Diskussion mischen, wenngleich diese Meinungsverschiedenheit wohl zu besonderer Aufmerksamkeit Anlaß gibt. Über dieser Diskussion steht aber die Tatsache, daß mit dieser Waffe wieder eine weitere Entwicklung eingeleitet, ein neuer

Schritt gesetzt wird, der nicht nur vom Weg zum Frieden wegführt, sondern den Frieden und die Sicherheit in noch größere Gefahr bringt.
Die fortschreitende Entwicklung und der Ausbau der atomaren Rüstung macht es auf die Dauer unmöglich, diese Waffen international unter Kontrolle zu bekommen; sie stellt eine politische, ökonomische und moralische Belastung der internationalen Beziehungen dar. Denn das Mißtrauen zwischen den Völkern wird dadurch wieder stärker, und die Chancen für den Frieden werden noch geringer.
Darum ersuchen die Kirchen die Niederländische Regierung mit großer Dringlichkeit, darauf einzuwirken, daß diese Waffe nicht in die westliche Verteidigung aufgenommen wird und daß sie international verboten wird.
Die Kirchen sind sich bewußt, daß mit diesem »Nein« gegen die Neutronenbombe und gegen jede weitergehende Entwicklung und den Ausbau der Atomrüstung nicht alle Aspekte des Problems zur Diskussion gestellt sind. Für die verantwortlichen politischen Führer handelt es sich ja auch darum, wie sie eine Ablehnung dieser Waffe effektiv in die Tat umsetzen können. Regierung und Parlament brauchen für ihre Willensbildung und Entscheidung die Unterstützung durch die Bevölkerung. Unser Nein gegen die Neutronenbombe hat denn auch die Konsequenz, daß die Kirchen noch mehr als bisher sich bemühen werden, die Gewissen ihrer Mitglieder formen zu helfen. Der einzelne wird sich bewußt werden müssen, daß wir nicht machtlos sind, aber unter allen Umständen unsere Stimme erheben können und müssen, um dem wahnsinnigen Wettlauf ein Ende zu machen, der die Zerstörung von Gottes Schöpfung in die Nähe zu rücken droht.
Mit größter Hochachtung
im Namen des Rates der Kirchen in den Niederlanden
Dr. H. Berkhof, Vorsitzender 9. Februar 1978
Dr. H. A. M. Fiolet, Sekretär

An den Ministerrat
z. Hd. v. Herrn Ministerpräsidenten
Mr. A. A. M. van Agt
Plein 1813, Nr. 4
's-GRAVENHAGE

Exzellenz,
die Niederländische Bischofskonferenz hat sich auf ihrer heutigen Sitzung in Breda ausführlich mit dem Brief befaßt, in welchem der Rat der Kirchen die Regierung ersucht, mit größter Dringlichkeit darauf hinzuwirken, daß die Neutronenbombe nicht in die westliche Verteidigung aufgenommen und daß sie international verboten wird.
Die Bischofskonferenz benutzt diese Gelegenheit, Ihnen mitzuteilen, daß sie ausdrücklich und von Herzen den Inhalt dieses Briefes unterschreibt. Sie ist der Meinung, daß er sich einer von den Bischöfen im Januar 1976 abgegebenen Erklärung über Rüstungswettlauf und Abrüstung anschließt.
Die Niederländischen Bischöfe werden den Brief des Rates der Kirchen an die Bischofskonferenz der anderen europäischen Nationen, die zur NATO gehören, senden. Im Vertrauen, daß die Niederländische Regierung diesem Brief die erbetene Aufmerksamkeit widmen wird

zeichnet mit aller Hochachtung
im Namen der Niederländischen Bischofskonferenz
+ Johannes Kard. Willebrands,
Vorsitzender
Breda, 14. Februar 1978

Anlage II

Brief der Niederländischen Bischofskonferenz an die Mitglieder der Zweiten Kammer vom 6. Dezember 1979

An die Mitglieder der Zweiten Kammer
der Generalstaaten
Binnenhof 1a
2513 AA 's-GRAVENHAGE

Meine Damen und Herren,
jetzt, da in unserem Land in Regierung und Parlament und auch in der NATO ausführliche Besprechungen über die Ersetzung und Erneuerung von Kernwaffen im Gange sind, wollen die Bischöfe der Niederlande ihren Standpunkt nochmals und ausdrücklich darlegen. Die Bischöfe erinnern dabei zuerst an eine Passage aus einer Erklärung des Heiligen Stuhls an die Adresse der Vereinten Nationen (3. Juni 1976), in der die Christen aufgerufen werden, »die öffentliche Meinung vor den wachsenden Gefahren, die die Folge nuklearer Exzesse sind, wie auch vor dem Transport, der Aufstellung und der Verbreitung von Kernwaffen zu warnen«. Die Menschheit, die »sich jetzt bereits in großer Gefahr befindet, wird ungeachtet ihrer bewunderungswürdigen Wissenschaft vielleicht die dunkle Stunde erleben, nach der kein anderer Friede mehr da sein wird als der schaudererregende Friede des Todes« (Gaudium et spes).
1976 haben die Bischöfe der Niederlande in einer Erklärung über Rüstungswettlauf und Abrüstung geschrieben: »Im Geist des Zweiten Vatikanischen Konzils wollen wir darauf drängen, mit der Ablehnung von Waffen und Gewalt soweit Ernst zu machen, daß diese sowohl für unser persönliches wie auch für unser kollektives Verhalten in wachsendem Maße bestimmend wird.« »Rüstungskontrolle, Rüstungsbeschränkung und Abrüstung sind nur möglich, wenn die

Nationen bereit sind, ihre gegenseitigen Beziehungen zu revidieren und die Ursachen der Gewalt in all ihrer Vielfältigkeit zu beseitigen. Sie erfordern ein gemeinsames Suchen nach einer gerechten Weltordnung und sind davon ein Bestandteil.« Die Bischöfe meinen, daß der Aufruf zu einem gemeinsamen Suchen nach einer gerechten Weltordnung heute wieder sehr dringlich und angebracht ist.

Die Bischöfe wollen Sie auch an die Tatsache erinnern, daß sie sich 1978 der Erklärung des Rates der Kirchen über die Neutronenwaffe angeschlossen haben und sie damals ausdrücklich unterschrieben haben.

Der Rat der Kirchen schrieb damals: die Kirchen würden »ihrer Aufgaben nicht gerecht werden, wenn sie untätig dabei zusähen, wie sich in der Welt die Rüstung immer mehr aufhäuft und wie bei der Herstellung der Waffen immer wieder neue Grenzen des technisch Möglichen durchbrochen werden. Die Menschheit hat eine Skala von Mitteln zur Verfügung erhalten, mit denen äußerste Formen der Gewalt heraufbeschworen werden können, eine Gewalt, mit der keinem sinnvollen Ziel mehr gedient werden kann und bei dem der Mensch sich selbst seines Glanzes beraubt.«

Die Bischöfe der Niederlande teilen die Meinung des Rates der Kirchen, daß eine Unterstreichung der Standpunkte von großer Bedeutung ist, um so mehr, als jetzt von der Produktion und Aufstellung einer ganz neuen Generation von Kernwaffen in Europa die Rede ist.

In einer Zeit, da Sie, Regierung und Parlament, vor solch wichtigen Entscheidungen über diese Angelegenheit stehen, betrachten es die Bischöfe als ihre Aufgabe, Ihnen diesen Standpunkt nochmals vor Augen zu führen. Sie wünschen Ihnen bei den kommenden Besprechungen Weisheit und Stärke.

Namens der Niederländischen Bischofskonferenz
Johannes Kardinal Willebrands
Utrecht, 6. Dezember 1979

Anlage III

Einstellung der Katholischen Gläubigen in den Niederlanden zur Kernwaffenproblematik – KASKI-Bericht Nr. 373

Die Niederländische Bischofskonferenz hat die Ergebnisse einer 1981 durchgeführten Befragung folgendermaßen zusammengefaßt:

Einleitung

In unserem Brief vom Februar 1981 wurden der katholischen Glaubensgemeinschaft einige Fragen zur Problematik der nuklearen Rüstung in unserem Land vorgelegt. Wir hielten es für äußerst wichtig, daß in einem möglichst breiten Rahmen darüber mitgedacht, mitgesprochen und mitgebetet wird, um zu einem klaren Urteil zu gelangen. Nachstehend wird anhand der von KASKI (Katholisches Sozial-Kirchliches Institut) durchgeführten Untersuchung kurzgefaßt ein Eindruck von den Ergebnissen der Befragung und den Reaktionen der Befragten wiedergegeben.

Aus dieser Zusammenfassung ergibt sich, daß mindestens 40000 Menschen, sei es in Gruppen, sei es als Einzelpersonen, sich an der Diskussion beteiligten und an der Problematik Anteil nahmen. Das kann an sich schon als besonders erfreulich angesehen werden. Wir möchten vor allem unserer Anerkennung Ausdruck geben und für das Engagement so vieler Menschen danken, das sie diesen für uns alle so wesentlichen Fragen entgegenbringen. Das Bewußtsein von der außerordentlichen Bedeutung dieses Problems wird dadurch zweifellos gewachsen sein. In diesem Sinne darf von einem positiven Ergebnis der Befragung gesprochen werden. Wie eingangs unseres Schreibens in Sachen Kernwaffen gesagt, kann dieses Ergebnis noch an Bedeutung gewinnen, wenn auf diese Weise ein Anstoß zu einer weiterführenden

Besinnung über die mit der Problematik zusammenhängenden Fragen gegeben würde. Es ist auch verständlich, daß, angesichts der Kompliziertheit und Empfindlichkeit dieser Materie, die Diskussion in der ersten Runde nicht selten von Emotionen beherrscht wurde oder aber beschränkt bleibt auf überwiegend gefühlsmäßige Reaktionen auf die Vorstellungen, die durch die Problemstellung hervorgerufen werden. Diese werden bestimmt durch die Bedrohung unserer Welt bei einer Anwendung dieser Waffen oder aber durch den befürchteten Eingriff in unsere westliche Freiheit, wenn unsere Verteidigung durch einseitige Schritte der Abrüstung geschwächt würde.

Man kann aus den publizierten Zahlen im KASKI-Bericht, die sich auf die bei diesen Gesprächen hervorgetretenen Auffassungen beziehen, den Eindruck erhalten, daß sich die Meinungen einigermaßen im Gleichgewicht halten, wo es um Grundfragen über einseitige Schritte zur Abrüstung geht. Es wäre aber zu global argumentiert und zu schnell gefolgert, wenn diese Feststellung zu dem Schluß führte, daß sich eigentlich keine deutliche Richtung im Denken über solche Schritte abgezeichnet hätte. Von großer Wichtigkeit ist dabei die Frage, wie die bei den Diskussionen vorgebrachten Argumente in der Wiedergabe der Standpunkte verarbeitet wurden.

Sind diese vorwiegend von einer gut durchdachten und auf objektiven Gründen beruhenden Meinungsbildung bestimmt, und in welchem Maße spielen die schon oben erwähnten gefühlsmäßigen Einflüsse eine entscheidende Rolle? Hat in der Diskussion die eigentliche Frage nach möglichen ersten Schritten oder anderer Mittel zur Durchbrechung der entstandenen Erstarrung in den internationalen Beziehungen und Verhandlungspositionen im Mittelpunkt gestanden, oder ging das Gespräch mehr über das Für und Wider hinsichtlich eines bestimmten konkreten Aktionsmodells und über die Empfindlichkeiten, die dadurch hervorgerufen werden können? Über diesen Aspekt der Diskussion haben wir zu wenig erfahren. Vielleicht wurde in vielen Fällen das Gespräch über die eigentlichen Probleme noch unzureichend geführt.

Neben dieser mehr zahlenmäßigen Behandlung der gezeigten Reaktionen ist es wichtig, den von verschiedenen Seiten, auch im kollektiven Verbund gemachten Anregungen und Vorschlägen Beachtung zu schenken. Wir konnten einige davon auch schon bei der Abfassung dieses Briefes verwenden.

Sowohl in den Daten, die im KASKI-Bericht verarbeitet sind, als auch in den Anmerkungen und Empfehlungen, die nachträglich eingingen, stößt man auf Ideen und Überlegungen, die im heutigen Stadium und vor allem beim weiteren Durchdenken wertvoll sein können. Auch bei der Fortsetzung der Gespräche wird man davon Gebrauch machen als Thema für den Gedankenaustausch und als Aufforderung zu noch mehr Kreativität. Wir müssen lernen mit einer ganz neuen Problematik umzugehen, die auch ein völlig neues Einleben, neue Betrachtungsweisen und Erfindungsgabe verlangt – auf jeder Ebene und unter Einsatz aller Kräfte.

Wir haben den bestimmten Eindruck, daß der wichtigste Schluß, der aus den gelieferten Ergebnissen gezogen werden kann, der ist, daß das Gespräch fortgesetzt werden muß. Das wird für diejenigen wichtig sein, die in dieser ersten Runde ihre Meinung noch nicht endgültig festlegen konnten oder noch nicht dazu gekommen sind, das Gespräch aufzunehmen. In etwas geringerem Maß wird es für die gelten, die schon einen Standpunkt einnehmen. Vor allem werden die Befürworter und die Gegner der am häufigsten geäußerten Standpunkte miteinander weiterreden oder wenigstens ins Gespräch kommen müssen. Wir hegen den heißen Wunsch, daß dadurch die Behandlung der Fragen noch mehr vertieft wird und eine menschenwürdige Zukunft stärker ins Blickfeld rückt. Das ist buchstäblich eine lebens-wichtige Frage für uns alle und für alle Mitbewohner auf unserer Erde.

Erste Reaktionen
Antworten auf Fragen

In den Jahren 1969 und 1976 schrieben die r.k. Bischöfe der Niederlande einen Brief über Rüstungswettlauf und Abrüstung. Darin stand die Anregung, daß man bei Abrüstungsgesprächen »auch einseitige Schritte auf dem Gebiet der Rüstungskontrolle und der Rüstungsbeschränkung nicht ausschließen solle«. Aber, so schrieben die Bischöfe, solche einseitigen Schritte müßten dann freilich mit zwei Bedingungen verknüpft werden:

1. Die einseitigen Schritte dürfen nicht auf Kosten der eigenen Sicherheit erfolgen.
2. Die einseitigen Schritte müssen zu einer positiven Reaktion anderer Länder einladen.

Dieser Passus über die »einseitige Beschränkung unter zwei Bedingungen« spielt auch eine wichtige Rolle im Brief der Bischöfe vom Februar 1981, in dem die Gläubigen aufgefordert wurden, sich über die atomare Rüstung Gedanken zu machen. Denn die Hauptfrage der Bischöfe lautete: »Sind Sie im Prinzip für einen einseitigen Schritt unter der doppelten Bedingung, wie wir sie in unserer Erklärung von 1976 formuliert haben?« Die Bischöfe baten, die Antworten nicht auf ein »Ja« oder »Nein« zu beschränken, sondern auch darzulegen, warum man eine bestimmte Meinung habe. Dazu kamen noch einige weitere Fragen: über die Mitgliedschaft in der NATO, über den IKV-Standpunkt und ob es noch andere Wege zu bedenken gäbe als den der Abrüstung.

Fragen genug, um ausführlich darüber zu sprechen. Aber

wohl auch Fragen, auf die sehr verschiedene Antworten möglich sind. Und die kamen auch. Manche machten aus dem Brief einen Fragebogen und legten ihn der ganzen Pfarrgemeinde vor. Andere führten Gespräche über die Frage der Bischöfe; wieder andere führten Gespräche über die Kernrüstung im allgemeinen. So gab es kurze und lange schriftliche Reaktionen, Reaktionen mit Antworten auf alle Fragen und Reaktionen ohne Antworten auf auch nur eine Frage. Apropos kurze und lange: Meist waren die Antworten von Gruppen etwas länger als die von Einzelpersonen – im Durchschnitt bei Gruppen 2,3 Seiten, bei Einzelpersonen 1,6 Seiten. Aber auch Einzelpersonen gingen manchmal ausführlich auf die Fragen ein. Manche Personen und Institutionen wurden von den Bischöfen einzeln angeschrieben und ersucht zu reagieren. Aus der nachstehenden Übersicht ist ersichtlich, daß dies übrigens innerhalb der gesamten Gruppe von Antworten nur eine kleine Anzahl ist. Die meisten Personen und Gruppen haben, nachdem sie vom Brief der Bischöfe Kenntnis genommen hatten, selbst die Initiative ergriffen. Nachstehend finden Sie eine Übersicht über die Reaktionen, die den Bischöfen zugesandt wurden.

	von den Bischöfen ersucht	eigene Initiative	insgesamt
Einzelpersonen	10	1170	1180
Gruppe	61	967	1037
insgesamt	71	2146	2217

Das sind also 2217 Antworten, etwas mehr Reaktionen von Einzelpersonen als von Gruppen und zum weit überwiegenden Teil auf eigene Initiative zugesandt.

In ungefähr 6 Prozent aller Briefe wird auf die Frage eingegangen, ob es gut sei, daß die Bischöfe diese Befragung über Kernwaffen durchgeführt hätten. In den meisten Schreiben wird dies bejaht, gelegentlich wird die Meinung geäußert, das Verfahren sei auch bei anderen Fragen zur Wiederholung geeignet.

Bei ungefähr zwanzig Prozent der Reaktionen gehen die Leute auf die Frage ein, ob sich Bischöfe zu einer Sache wie die Atomrüstung wohl äußern dürften oder nicht. Auch hier sind die Meinungen unterschiedlich: »Wir sähen gerne, daß die Bischöfe ihre Fähigkeit und Möglichkeit unter Beweis stellten, die Dinge ›überblicken‹ zu können. Aus ihrer Sicht heraus sollten sie den Nacken steif halten und wie Propheten das Kirchenvolk wachrütteln, es selbst nachdenken und kritisch sein zu lassen.« Andere halten nicht soviel von einer Aussage der Bischöfe. Man fürchtet, daß sich die Bischöfe vor den Karren einer Minderheit mit einem bestimmten Standpunkt spannen lassen.

In manchen Briefen kommt die Furcht zum Ausdruck, daß eine bischöfliche Aussage die Meinungsgegensätze begünstigen würde. Ein bischöfliches Wort »könnte zu einer Verketzerung von Glaubensbrüdern führen« oder, wie ein anderer schreibt: »Es muß verhindert werden, daß die Diskussion zwischen den verschiedenen Strömungen in der r.k. Kirche durch eine definitiv-scheinende Aussage der Bischöfe blokkiert wird.«

NATO

In vielen Reaktionen geht man auf die Mitgliedschaft der Niederlande in der NATO ein. Über diese Frage wird nuanciert gedacht. Es gibt nicht viele, die die Mitgliedschaft bei der NATO völlig ablehnen, aber auch nicht viele, die die Mitgliedschaft völlig bejahen. Hier eine Übersicht der Meinungen:

	Einzelpersonen		Gruppen	
	abs.	%	abs.	%
volle Bejahung der NATO	161	12,8	38	3,7
sich kritisch nach der Mehrheit richten	171	14,5	73	7,0
kritischen Standpunkt einnehmen	268	22,7	248	23,9
eventuell nicht Mitglied/ kritisches Mitglied	43	3,6	39	3,8
austreten	13	1,1	4	0,4
geteilter Meinung	–	0,0	182	17,5
nicht erwähnt	534	45,3	453	43,7
insgesamt	1 190	100,0	1 037	100,0

Mehr als die Hälfte der Reaktionen befaßt sich mit der Mitgliedschaft in der NATO, und in den meisten Fällen tritt man für einen kritischen Standpunkt ein.

IKV-Friedensbewegung

Bei ungefähr 18 Prozent der Reaktionen wird auch etwas über IKV, Pax Christi oder die Friedensbewegung gesagt. Bei den Reaktionen der Einzelpersonen kommt reichlich Bitterkeit hoch: »Das IKV handelt wie eine Arte Dritte Kolonne, um den Weg für eine kommunistische Vorherrschaft vorzubereiten«; oder »Moskau steckt dahinter, und zwar mit gar nicht wenig Geld. Mit diesem Blutgeld finanziert IKV allerlei subversive Aktionen, wie beispielsweise die große Demonstration in Amsterdam.« Aber nicht jeder ist negativ. Und auch die, die positiv über den IKV und die Friedensbewegung urteilen, haben ihre Randbemerkung, daß man reichlich oft mit dem »Ventilieren des eigenen Rechthabens« beschäftigt sei.

Bistümer

In den sieben niederländischen Bistümern wurde mit unterschiedlichem Eifer auf die Frage geantwortet. Von den Reaktionen der Einzelpersonen kamen prozentual die meisten aus dem Bistum Groningen. Per 10000 röm. Katholiken antworteten 5,6, in Utrecht 3,3, in Haarlem 4,4. Die übrigen Bistümer 1,6, außer Den Bosch 1,4 und Roermond 0,6.
Bei den Gruppenreaktionen ein ähnliches Bild. Auch hier Groningen an der Spitze mit 5,9, gefolgt von Haarlem mit 3,3 und Utrecht mit 2,8. Auch hier schließt Roermond die Reihe mit 0,9.

Reaktionen von Einzelpersonen

1180 Antworten von Einzelpersonen sind eingegangen. Vierzig davon formulierten keinen Standpunkt zur Kernrüstung. Andererseits gab es 91 Reaktionen, die mehrere Standpunkte wiedergeben. Daher kommen wir in der nachstehenden Übersicht auf 1231 Standpunkte:

	dafür	dagegen	insgesamt
völlig einseitige Abrüstung	12	2	14
einseitige Schritte ohne Bedingungen	21	15	36
einseitige Schritte mit zwei Bedingungen	501	510	1011
zweiseitige atomare Abrüstung	107	2	109
(atomare) Abrüstung im allgemeinen	53	8	61

Die meisten Reaktionen, 1011 insgesamt, haben sich mit der Frage der Bischöfe befaßt und äußern sich zu einseitigen Schritten unter den zwei Bedingungen. Befürworter und Gegner liegen dabei nicht weit auseinander; 501 Befürworter und 510 Gegner. Im Gesamtbild der individuellen Reaktionen (Einzelpersonen) ist das Verhältnis genau umgekehrt, aber auch dort liegen die Zahlen der Befürworter und Gegner nicht weit auseinander.

Vierzig Prozent der Reaktionen von Einzelpersonen, 474 an der Zahl, erläutern ihren Standpunkt durch konkrete Angaben darüber, wie die Abrüstung erreicht werden kann: in 262 Reaktionen wird hier der Weg der Verhandlungen genannt. Namentlich die Gegner einseitiger Schritte sehen das Heil in Verhandlungen, aber auch Befürworter nennen häufig Verhandlungen als Weg zur Abrüstung. Auf die Frage, ob man sich auch andere Aktivitäten denken könnte, geben 463 Reaktionen eine Antwort. Am häufigsten, 82mal, werden Gebetsaktionen genannt: »Es werden schreckliche Dinge geschehen, weil die Menschen nicht mehr beten«, oder »Was für eine Kraft könnten wir entwickeln, die viele, unzählbare Male die Atomkraft übertrifft.« Andere, 72 an der Zahl, sehen mehr Sinn im Mobilisieren der politischen Meinung, und 70mal wurden direkte Kontakte zwischen Menschen von Ost und West genannt: »Lerne russich, polnisch, tschechisch, besuche als Tourist das Land und versuche, mit den normalen Menschen in Kontakt zu kommen.« Es gibt auch Stimmen, die viel von Institutionen wie die Vereinten Nationen erwarten. »Mittels der Vereinten Nationen müssen alle Länder der Welt die Verpflichtung auf sich nehmen, die gleiche Summe, die sie für militärische Zwecke verwenden, in einen Fonds einzuzahlen, der unter der Verwaltung der Vereinten Nationen steht. Aus diesem Fonds werden die Mittel beschafft, um den Produktionsapparat (Industrie, Landwirtschaft, Viehzucht, Handel und Verkehr) in den Entwicklungsländern zu stimulieren. Durch dieses Stimulans bekommen die Menschen wieder Hoffnung auf eine bessere Zukunft.« Die meisten Antworten sind aber nicht so ausführlich: Menschen erziehen im Friedensdenken, das Geld für die Rüstung den Armen geben oder, ganz simpel: »Nur der gesunde Menschenverstand kann die Lösung bringen.«

Warum nehmen die Menschen einen bestimmten Standpunkt ein? Sowohl von Befürwortern als auch von Gegnern der einseitigen Schritte unter zwei Bedingungen wurde dies näher dargelegt. Bei den Argumenten kann man dabei drei Arten unterscheiden:

1. Argumente theologischer Art
2. Argumente politischer, militärischer oder ökonomischer Art und
3. Argumente humanitärer, ethischer Art.

Zunächst die Befürworter: die 501 Befürworter einer einseitigen atomaren Abrüstung unter der zweifachen Bedingung verwenden dafür insgesamt 1498 Argumente, das heißt also durchschnittlich drei pro Reaktion. Theologische Argumente werden 155mal genannt: »Das Grundmotiv moralischen Handelns von Christen muß sein: auf eine Übermachtsposition verzichten zu wollen. In einer christlichen Ethik muß man wagen, Risiken einzugehen.« Manche verweisen bei ihren theologischen Argumenten auf den Auftrag des Menschen, die Schöpfung zu bewahren: »Die Anwendung und der Besitz von Kernwaffen stehen regelrecht im Widerstreit zum Auftrag des Schöpfers, die Erde ›bewohnbar zu machen‹.«

Viel häufiger als Argumente theologischer Art werden Argumente der zweiten Gruppe, politischer, militärischer und ökonomischer Art genannt: insgesamt 865mal. Am häufigsten wird dabei behauptet, daß ein Minderheitenstandpunkt bei der NATO möglich sein sollte: »Wir müssen dem Konflikt nicht aus dem Wege gehen, aber versuchen, den Charakter der NATO zu verändern.« Ungefähr ebensooft wird das Argument genannt, daß die Niederlande als kleines Land in einer günstigen Position seien, um ein gutes Beispiel zu geben. Daneben gibt es Argumente der Sicherheit: »Mehr

Kernwaffen vergrößern die Kriegsgefahr«, oder wirtschaftliche Argumente: »Die ganze Rüstungsindustrie wirkt negativ auf die Wirtschaft, auf das ganze Weltniveau und ist Diebstahl an den Armen.«

Argumente humanitärer, ethischer Art kommen 478mal vor. Am häufigsten wird hier gesagt, der Besitz von Kernwaffen sei unmoralisch: »Ihr Besitz ist keine verantwortbare Situation.« Davon müssen aber alle, die solche Waffen besitzen, durchdrungen sein. Auch die Bedrohung des Lebens spielt eine Rolle: »Soll ich ein mißgebildetes Kind gebären, und sollen die Babys von heute keine Kinder bekommen können und sogar keine Luft einatmen, ohne krank zu werden. Was tun wir einander an?«

Sind bei den Befürwortern die theologischen Argumente schon selten, so fehlen sie bei den Gegnern nahezu völlig. Die 510 Gegner verwenden insgesamt 1395 Argumente, davon 35 theologische wie: »Die Bibel spricht deutlich von der Verteidigung von Leib und Gut als einer guten Sache.« Vor allem Argumente politischer, militärischer und ökonomischer Art spielen eine große Rolle, insgesamt wird diese Art von Argumenten 800mal genannt: »Wenn man NATO-Mitglied ist, ist es nicht loyal, sich bestimmten Aufgaben zu entziehen«, und: Die Erhaltung des Machtgleichgewichts ist notwendig, um den Frieden zu erhalten. Kleine Länder sollen keine großen Schritte machen, meint man in dieser Gruppe: »Es zeugt von typisch niederländischem Hochmut zu denken, daß es irgendeinen Effekt hätte, wenn die Niederlande einseitig Schritte unternähmen.« Und auch die Wirtschaft spielt mit: »Kriegsindustrie schafft möglicherweise hier noch mehr Arbeitsplätze. Dadurch wird wieder mehr Geld für eventuelle Hilfe für die Dritte Welt frei werden.«

Bei den Argumenten humanitärer, ethischer Art (insgesamt 560mal) kommt das Feind-Denken wiederholt zur Sprache.

Insgesamt 232mal wird so etwas gesagt wie: »Denen hinter dem Eisernen Vorhang ist nicht zu trauen«, oder »Es ist noch nie was Gutes aus Rußland gekommen.« Es ist übrigens gut zu verstehen, daß Befürworter nicht hundertprozentige Befürworter und Gegner keine hundertprozentigen Gegner sind. Es werden von den Befürwortern auch Gegenargumente genannt und umgekehrt. Das gleiche gilt auch für die Reaktionen der Gruppen.

Reaktionen der Gruppen

Es trafen 1037 Antworten von Gruppen ein, davon 744 von kirchlichen Gruppen oder Instanzen, 175 von gesellschaftlichen Instanzen und 87 von Familien. Bei den kirchlichen Reaktionen gibt es welche von nationalen kirchlichen Stellen, die meisten (584) kamen aber aus den lokalen Glaubensgemeinschaften. In 69 Reaktionen wird kein Standpunkt eingenommen, aber die übrigen äußern dagegen gelegentlich mehrere Standpunkte. Darum kommen wir in der untenstehenden Übersicht auf insgesamt 1063 Standpunkte.

	für	Mehrheit für	Minderheit für	Minderheit gegen	Mehrheit gegen	gegen	Meinung geteilt	insgesamt
völlige einseitige Abrüstung	3	1	3	1	–	11	3	22
Einseitige Schritte ohne Bedingungen	7	3	2	–	–	2	–	14
Einseitige Schritte unter 2 Bedingungen	366	257	2	3	28	82	186	924
Zweiseitige Kernabrüstung	36	5	22	–	–	1	9	73
(Kern-)Abrüstung allgemein	25	1	–	–	–	3	1	30

Auch hier bezieht sich der größte Teil der Reaktionen auf die Frage, die die Bischöfe gestellt haben, nämlich: einseitige Abrüstung unter zwei Bedingungen. 366 Gruppen sind für einseitige Abrüstung unter zwei Bedingungen, 257 Gruppen in der Mehrheit da*für*. Aber auch eine nicht unerhebliche Zahl, 186, ist geteilter Meinung; 82 Gruppen sind da*gegen*. Doch gibt dies ein anderes Bild als das der individuellen Reaktionen. Es sind mehr Befürworter für einseitige Abrüstung unter zwei Bedingungen zu finden als Gegner, und es gibt auch insgesamt mehr Befürworter der (Kern-)Abrüstung allgemein.

Auswirkung und Alternativen

Von den 924 Reaktionen auf die Frage der Bischöfe haben 660 eine konkrete Lösung genannt: 255 Gruppen nannten dabei »Verhandeln« und 168 den Slogan des IKV »Alle Kernwaffen aus der Welt, um zu beginnen: aus den Niederlanden«. »Denn«, so schreibt eine Gruppe, »ein positiver Frieden ist nur auf einem positiven Weg zu erreichen. Wir müssen in unserem Land mit der Beseitigung aller Kernwaffen beginnen.«
768 Gruppen haben nach anderen Wegen gesucht, um zur Abrüstung zu gelangen. Persönliche Kontakte zwischen Menschen in Ost und West werden dabei am häufigsten (157mal) genannt, danach Mobilisierung der öffentlichen Meinung. Gruppenreaktionen schenken Gebetsaktionen weniger Beachtung als die individuellen Reaktionen der Einzelpersonen.

Argumente

Bei den Pro- und Kontra-Argumenten kann wie bei den individuellen Reaktionen untergliedert werden in:
1. Argumente theologischer Art
2. Argumente, politischer, militärischer, ökonomischer Art und
3. Argumente humanitärer, ethischer Art.

Dabei wird auch hier von den Gruppen ausgegangen, die die Frage der Bischöfe beantwortet haben. Aus den Gruppen, die die Frage der Bischöfe mit »ja« beantwortet haben, sind die folgenden theologischen Argumente zu vernehmen: die Nachfolge Christi (»Nach unserer Meinung genügt es nicht, zwar zur Kirche zu gehen und um Frieden zu beten, wir müssen mehr tun, nämlich Jesus nachleben«). Das Bewahren der Schöpfung (»Als Christen sind wir verpflichtet, uns der Zerstörung von Gottes Schöpfung zu widersetzen«). Auch bei den Gruppen sind die Argumente politischer, militärischer, ökonomischer Art zahlreicher. Die Mitgliedschaft bei der NATO spielt hier eine große Rolle: »Mitglied von Friedensbündnissen zu sein ist gut und nötig. Aber auch innerhalb eines solchen Bündnisses kann man verschiedene Ansichten über den besten Weg zum Frieden haben. Die eigenen Intuitionen müssen nicht den Ansichten der Mehrheit geopfert werden. Wenn es nicht anders geht, eben aus der NATO austreten.« Auch das »als kleines Land den Anfang machen« treffen wir hier wieder an: »Wie ein paar Menschen beim IKV anfingen zu denken und schließlich 350000 Menschen zu bewegen verstanden, so muß auch ein kleines Land wagen, einen Anfang zu machen, um viele Länder zum Denken zu bringen.« Die Frage wird auch unter wirtschaftlichem Aspekt gesehen: »Eine wachsende Arbeitslosigkeit darf kein Anlaß sein, die Rüstungsindustrie wieder auf volle Touren zu bringen, um die eigene Wirtschaft zu unterstützen...« Bei den humanitären, ethischen Bedenken sprechen die meisten Reaktionen über die Bedrohung des menschlichen Lebens durch die Atomrüstung und über die Tatsache, daß atomare Rüstung Diebstahl an den Menschen der Dritten Welt sei.

Bei den Gruppen finden wir wieder sehr wenig theologische Argumente. Vor allem die Notwendigkeit eines Machtgleichgewichts zwischen Ost und West und die Aufrechterhaltung der Einheit innerhalb der NATO wurden genannt. Den Kernwaffen verdanken wir, so manche Gruppen, den Frieden. Bei den Argumenten humanitärer, ethischer Art spielt das Feindbild wieder eine große Rolle.

Noch einige Abschlußbemerkungen über die Gruppen: In den Gruppen, in denen die Meinungen geteilt waren, kommen die meisten Argumente zu Papier, sowohl Pro- als auch Kontra-Stimmen. Das ist an sich nicht weiter verwunderlich, aber man darf daraus schließen, daß das Gespräch in diesen Gruppen tief gewesen ist.

Die Leitungen der Pfarreien sind im allgemeinen nicht so sehr für atomare Abrüstung. Dies im Gegensatz zu Gesprächsgruppen in den Pfarreien, wo man gerade wohl für Atom-Abrüstung ist. Auch Gruppen von Pfarrern sind häufig für Atom-Abrüstung.

Kurzum

Wissen wir jetzt, was die r.k. Kirche der Niederlande über die Kernabrüstung denkt? Nein, das wissen wir nicht, und das müssen wir auch nicht aus diesen Zahlen herauslesen. Diese Zahlen skizzieren ein Bild. Wo die Übereinstimmungen und Unterschiede auffällig sind, haben wir dies versucht zu signalisieren. Aber weiter kann man nicht viele Schlüsse ziehen.

Sollte das Gespräch und das Nachdenken über Atomrüstung weitergehen, dann wäre es vielleicht angebracht, die Argumente etwas mehr zu vertiefen, um nicht in der ersten, manchmal nur emotionalen Aufwallung steckenzubleiben, sondern um alles einmal gut in die Reihe zu bringen und gegeneinander abzuwägen. Das könnte dann auch eine Schlußfolgerung sein: Das Gespräch ist noch längst nicht beendet und die nützlichsten Begegnungen finden statt, bei denen Befürworter und Gegner miteinander ins Gespräch kommen.

Pro-Argumente	absolute Zahl
1. Argumente theologischer Art	
b. Nachfolgeargument – Berufung auf Bibel oder Hinweis auf Lebensweise Jesu	(492)
a. Schöpfungsargument – die Kernwaffen können die Schöpfung zerstören	(178)
2. Argumente politischer/militärischer/ökonomischer Art	
f. Ein Minderheitsstandpunkt in der NATO muß möglich sein	(743)
e. Kleine Länder haben keinen Status zu verlieren / können Beispielfunktion erfüllen	(708)
c. Durchbrechung der Rüstungsspirale ist notwendig / ersten Schritt machen	(543)
h. Der Besitz von Kernwaffen bringt die Sicherheit in Gefahr	(298)
d. Verhandlungen haben bisher nichts erbracht	(191)
j. Ökonomisches Argument – Verweisung auf den ökonomischen Prozeß, der mit dem atomaren Rüstungswettlauf zusammenhängt	(160)
g. Politische Autonomie der Niederlande ist notwendig	(62)
3. Argumente humanitärer/ethischer Art	
m. Der Besitz von Kernwaffen ist unmoralisch/unerlaubt	(474)
o. Das (menschliche) Leben wird durch den möglichen Einsatz von Kernwaffen bedroht	(426)
n. Weitere Rüstung ist Diebstahl an der Dritten Welt	(394)
r. Menschen müssen sich gegenseitig vertrauen und nicht aus einer Angstsituation heraus handeln	(340)
s. Das Feind-Denken muß durchbrochen werden	(218)
Gegen-Argumente	
2. Argumente politischer/militärischer/ökonomischer Art	
g. Einheit innerhalb der NATO ist notwendig	(532)
c. Haben oder Erhalten eines Machtgleichgewichts ist notwendig	(453)
e. Verhandeln ist erwünscht	(324)
f. Kleine Länder haben durchaus einen Status zu verlieren	(317)
h. Der Besitz von Kernwaffen erhöht die Sicherheit	(260)
3. Argumente humanitär/ethischer Art	
o. Hantieren mit dem Freund-Feind-Argument	(461)
k. Der Besitz von Kernwaffen ist moralisch vertretbar angesichts des angestrebten Zwecks	(288)
n. Freiheit geht über alles	(149)
m. Die Kenntnis für die Herstellung von Kernwaffen bleibt bestehen	(139)

Die Ziffern in Klammern zeigen an, wie oft das betreffende Argument genannt wurde.

Frequenzverteilung in absoluten Zahlen aller PRO- und KONTRA-Argumente, die mehr als 50mal genannt wurden.
(N = 2217)

Anmerkungen

Katholische Bischöfe der BRD

1 Vgl. den Beschluß der Gemeinsamen Synode »Der Beitrag der katholischen Kirche in der Bundesrepublik Deutschland für Entwicklung und Frieden« – im folgenden mit »EF« und der Nummer des Abschnitts zitiert –, 2.1.2, in: Gemeinsame Synode der Bistümer in der Bundesrepublik Deutschland. Beschlüsse der Vollversammlung, Offizielle Gesamtausgabe 1, Freiburg/Basel/Wien [5]1982, 492. Die päpstlichen und konziliaren Stellungnahmen werden, soweit möglich, zuerst in den offiziellen Ausgaben und im verbindlichen Urtext nachgewiesen. Ein großer Teil dieser Texte sowie die Aussagen der katholischen Kirche in der Bundesrepublik Deutschland zum Frieden sind leicht zugänglich in:
- Dienst am Frieden. Stellungnahmen der Päpste, des Zweiten Vatikanischen Konzils und der Bischofssynode, Von 1963–1982, Zweite aktualisierte Auflage, in der Reihe »Verlautbarungen des Apostolischen Stuhls« Nr. 23 – im folgenden mit »VAS 23« und der Seitenzahl zitiert;
- Frieden und Sicherheit, in der Reihe »Arbeitshilfen« Nr. 21. Beide Dokumentationen werden vom Sekretariat der Deutschen Bischofskonferenz herausgegeben und sind dort erhältlich: Kaiserstraße 163, 5300 Bonn 1.

2 Der Dialog für den Frieden: Eine Aufforderung an unsere Zeit, Nr. 2, in: Dokumentation 5/1982, Pressedienst der Deutschen Bischofskonferenz, 20.12.1982. Papst Johannes Paul II. greift hier eines der drei Hauptthemen wieder auf, die Papst Paul VI. in seiner ersten Enzyklika »Ecclesiam suam« genannt hatte.

3 Die Pastoralkonstitution des Zweiten Vatikanischen Konzils über die Kirche in der Welt von heute »Gaudium et Spes« (im folgenden mit »GS« und der Nummer des Abschnitts/Artikels zitiert) wird hier zitiert nach: Sacrosanctum Oecumenicum Concilium Vaticanum II, Constitutiones, decreta, decla-

rationes, Ex Vaticano 1966, 681–835, und nach der im Auftrag der deutschen Bischöfe besorgten Übersetzung in: Das Zweite Vatikanische Konzil. Konstitutionen, Dekrete und Erklärungen. Lateinisch und Deutsch. Kommentare, Teil III = Lexikon für Theologie und Kirche, Ergänzungsband III, Freiburg i. Br. 1968, 280–591.

4 Enzyklika »Redemptor Hominis« von Papst Johannes Paul II. (1979), vgl. AAS 71 (1979), 257–324 = VAS 23, 194–208.

5 Unter dem Einfluß des Friedensverständnisses von Augustinus, für den wahrer Friede nur zusammen mit Gerechtigkeit bestehen kann, sprach man seit dem 12. Jahrhundert von einem dreifachen Frieden. So Berthold von Regensburg (1260) in seiner 17. Predigt »Vom Frieden«: »Die dreierlei Frieden sind aber diese: Der erste Friede... das ist der Friede mit Gott... Der zweite Friede... das ist der Friede mit dir selber. Der dritte Friede ist der Friede mit deinem Nächsten«, in: Die Missionspredigten des Franziskaners Berthold von Regensburg, hrsg. von Franz Göbel mit einem Vorwort von Alban Stolz, Regensburg [2]1857, 260f.

6 Vgl. für den folgenden Abschnitt als Quellen: 1 Clemens Rom. 61,1 (Fischer 102f.); Justin, Apologia I,57,1 (Goodspeed 67); Brief an Diognet 5,2ff. (Marrou 62); Tertullian, De idololatria 19 (CCL 2, 1120) und Apologeticum 30,4, vgl. 42,3 (Becker 166f. und 194f.) sowie 38,3 (Becker 180f.); Hippolyt von Rom, Traditio Apostolica 16 (Botte 72f.)

7 Vgl. Apologeticum 38,3 (Becker 180f.): »Keine Sache ist uns mehr fremd als die Sache aller: der Staat.«

8 Vgl. Ausgewählte Märtyrerakten. Neubearbeitung der Knopfschen Ausgabe von G. Krüger. Vierte Auflage mit einem Nachtrag von G. Ruhbach, Tübingen 1965 = Sammlung ausgewählter kirchen- und dogmengeschichtlicher Quellenschriften, Neue Folge, Band 3, Maximilian: Nr. 19 (86f.), Julius: Nr. 27 (105f.).

9 Vgl. Origenes, Contra Celsum VIII, 55, 68 und 73 (Borret 298f., 330f. und 349).

10 Vgl. die Nachwirkungen bis zum Decretum Magistri Gratiani, II. Pars, causa XXIII, qu. I (Ae. Friedberg 893).

11 Vgl. dazu den schwer zu interpretierenden Canon 3 der Synode von Arles (J. Gaudemet, Conciles Gaulois du IVe siècle, Paris 1977, 48).

12 Vgl. De civitate Dei XIX (CCL 48, 657–699).

13 Vgl. Summa Theologica II–II, qu. 40, art. 1–4 (Marietti 222–226).

14 Vgl. das Laterankonzil I (1123), can. 15 (COD^3 193), das Laterankonzil II (1139), can. (COD^3 199f.), das Laterankonzil III (1179), can. 21 (COD^3 222); vgl. ebd. viele Hinweise auf teilkirchliche Synodenbeschlüsse.

15 Vgl. A. Utz/B. Galen (Hg.), Die katholische Sozialdoktrin in ihrer geschichtlichen Entfaltung. Eine Sammlung päpstlicher Dokumente vom 15. Jahrhundert bis in die Gegenwart (Originaltexte mit Übersetzung), Band IV, Aachen 1976, XXIX, 10 (3095); 18 (3107); 23 (3107).

16 Vgl. A.-F. Utz/J.-F. Groner (Hg.), Aufbau und Entfaltung des gesellschaftlichen Lebens. Soziale Summe Pius XII., drei Bände, Freiburg/Schweiz 1954–1961, Nr. 3657 (1875f.), 3726 (1915), 3931 (2024). Künftig zitiert mit »UG« unter Angabe der Nummer am Rande und der Seitenzahl (in Klammern).

17 Vgl. z.B. UG 2367f. (1178) und 3849f. (1981f.).

18 Vgl. AAS 55 (1963) 257–304 = VAS 23, 15–38. »Pacem in terris« wird im folgenden mit »PT« und der Nummer des Abschnitts zitiert.

19 Vgl. auch die Aussage der Römischen Bischofssynode 1971 – vgl. AAS 63 (1971) 923–982 = VAS 23, 110–121 –: »... und alle Staaten sollen die Wehrdienstverweigerung aus Gewissensgründen anerkennen und regeln.«

20 Vgl. VAS 23, 39–183.

21 Vgl. VAS 23, 186–302.

22 Vgl. AAS 71 (1979) 1144–1160 = VAS 23, 217–232.

23 Vgl. Osservatore Romano (Dt. Ausgabe) 10 (6.3.1981) = VAS 23, 275–280.

24 Vgl. Osservatore Romano (Dt. Ausgabe) 31/32 (30.7.1982).

25 Vgl. AAS 59 (1967) 1097–1102 = VAS 23, 83–88.

26 S. Anm. 19.

27 »Gegen Gewalttat und Terror in der Welt« (1973), in der

Reihe »Hirtenschreiben der deutschen Bischöfe«, Nr. 1; »Gerechtigkeit und Frieden«, Erklärung der Frühjahrs-Vollversammlung 1981 der Deutschen Bischofskonferenz, Arbeitshilfen Nr. 21 (Anmerkung 1); »Das Friedensproblem im Licht des christlichen Glaubens«, Einleitungsreferat von Kardinal Höffner auf der Herbst-Vollversammlung 1981 der Deutschen Bischofskonferenz, in der Reihe »Der Vorsitzende der Deutschen Bischofskonferenz«, Nr. 8; »Frieden, wie ihn die Welt nicht geben kann. Frieden, wie ihn die Welt braucht«, Ansprache von Kardinal Höffner auf der Friedens-Kundgebung des Katholikentages 1982, in: »Die christliche Friedensbotschaft«, Arbeitshilfen Nr. 28; »Für den Frieden«. Erklärung des Vorsitzenden der Deutschen Bischofskonferenz und des Vorsitzenden der Französischen Bischofskonferenz, 15.6.1982, in der Reihe »Stimmen der Weltkirche«, Nr. 15.

Außerdem seien hier erwähnt: Gemeinsamer Hirtenbrief der katholischen Bischöfe in der DDR zum Weltfriedenstag 1983, KNA-Dokumentation Nr. 1 vom 4.1.1983. Der in Vorstufen veröffentlichte und diskutierte Hirtenbrief »The Challenge of Peace: God's Promise and Our Response« (3. Entwurf, April 1983) der katholischen Bischofskonferenz der Vereinigten Staaten von Amerika war bei der Verabschiedung dieses Textes noch nicht in der endgültigen Fassung beschlossen und publiziert worden.

Weiterhin sind hier folgende Stellungnahmen des Zentralkomitees der deutschen Katholiken zu nennen: »Die ethischen Grundlagen der Außen- und Sicherheitspolitik«, Erklärung der Kommission 1 »Politik, Verfassung, Recht« des ZdK, in: Arbeitshilfen Nr. 21 (Anm. 1); »Zur aktuellen Friedensdiskussion«, Erklärung der Vollversammlung des ZdK vom 14. November 1981, hrsg. vom Generalsekretariat des ZdK, Hochkreuzallee 246, 5300 Bonn 2.

28 Botschaft zum Weltfriedenstag 1977, vgl. AAS 68 (1976) 707–714 = VAS 23, 164–171.

29 Botschaft zum Weltfriedenstag 1983 (Anm. 2).

30 Vgl. AAS 57 (1965) 877–885 = VAS 23, 52–59.

31 Vgl. AAS 70 (1978) 399–407 = VAS 23, 176–183.
32 Botschaft zum Weltfriedenstag 1983 (Anm. 2).
33 Botschaft zum Weltfriedenstag 1975, vgl. AAS 67 (1975) 61–67 = VAS 23, 143–149.
34 Vgl. insbesondere die Denkschrift der Kammer für öffentliche Verantwortung der Evangelischen Kirche in Deutschland: Frieden wahren, fördern und erneuern, Gütersloh 1981.
35 Pastoralinstruktion »Communio et Progressio« über die Instrumente der sozialen Kommunikation, dt. Übersetzung in der Reihe »Nachkonziliare Dokumentation«, Band 11, Trier 1971.
36 Vgl. hierzu etwa die Studien des Katholischen Arbeitskreises Entwicklung und Frieden, der Deutschen Kommission Iustitia et Pax, in der Reihe »Entwicklung und Frieden«, Mainz/München.
37 Vgl. den Bericht über das 5. Symposion des Rats der Europäischen Bischofskonferenzen in Rom (4.–8. Oktober 1982): Die kollegiale Verantwortung der Bischöfe und Bischofskonferenzen Europas in der Evangelisierung des Kontinents, Stimmen der Weltkirche 16.
38 Vgl. die »Charta der Heimatvertriebenen« vom 5.8.1950.

Katholische Bischöfe der DDR

1 Vgl. zuletzt die Botschaft von Papst Johannes Paul II. an die 2. außerordentliche Abrüstungskonferenz der Vereinten Nationen vom 14. Juni 1982.
2 Papst Paul VI., Enzyklika, »Populorum progressio«, Nr. 53.
3 Vgl. 2. Vatikanisches Konzil, Konstitution »Gaudium et spes«, Nr. 80.
4 Enzyklika »Pacem in terris«, Kap. 3.
5 Vgl. 2. Vatikanisches Konzil, Konstitution »Gaudium et spes«, Nr. 82.
6 Vgl. die gemeinsamen Hirtenbriefe von 1974 und 1981.
7 Vgl. die Empfehlung des ökumenischen Direktoriums, 1. Teil, Nr. 33.

8 Ansprache von Papst Paul VI. vor den Vereinten Nationen am 4. Oktober 1965.

Katholische Bischöfe der Vereinigten Staaten von Amerika

Vorbemerkung d. Übers.: Im Text enthaltene Zitate aus Äußerungen der Päpste oder amtlicher kirchlicher Gremien sind – bis auf deutlich hervorgehobene Ausnahmen – nicht aus dem amerikanischen Text übersetzt, sondern werden nach deutschen Quellentext-Sammlungen in autorisierter Übersetzung zitiert. In den Anmerkungen wird daher – anstelle der in der US-Ausgabe des Pastoralbriefes genannten amerikanischen Editionen – zunächst auf die offiziellen Urtexte verwiesen (Acta Apostolicae Sedis = AAS bzw. deutsche Wochenausgabe des »Osservatore Romano« = OR). Zugleich wird die deutsche Quellentext-Ausgabe genannt, vornehmlich aus der vom Sekretariat der Deutschen Bischofskonferenz herausgegebenen Reihe »Verlautbarungen des Apostolischen Stuhles« (VAS, mit der Nummer der Ausgabe und der Seitenzahl). Die meisten Dokumente finden sich in: Dienst am Frieden. Stellungnahmen der Päpste, des Zweiten Vatikanischen Konzils und der Bischofssynode, von 1963 bis 1982, Zweite aktualisierte Auflage, VAS 23, Bonn 1982 (Bezugsquelle: Sekretariat der Deutschen Bischofskonferenz, Kaiserstraße 163, 5300 Bonn 1). Bei Literaturangaben werden, wenn möglich, deutsche Ausgaben genannt. – Außerdem sei hier verwiesen auf: Gerechtigkeit schafft Frieden. Wort der Deutschen Bischofskonferenz zum Frieden, 18. April 1983, in der Reihe »Die Deutschen Bischöfe« Nr. 34 (Herausgeber und Bezugsquelle wie oben), mit weiteren Hinweisen auf deutsche kirchliche Dokumente zum Thema Frieden.

1 Die Pastoralkonstitution des Zweiten Vatikanischen Konzils über die Kirche in der Welt von heute »Gaudium et Spes« (im folgenden mit »GS« und der Nummer des Abschnitts/Artikels zitiert), Nr. 77; zitiert nach: VAS 23, 60–69 (Auszüge); hier: 60. Der Gesamttext ist veröffentlicht in: AAS 58 (1966) 1025–1120; Das Zweite Vatikanische Konzil. Konstitutionen, Dekrete und Erklärungen. Lateinisch und Deutsch. Kom-

mentare, Teil III = Lexikon für Theologie und Kirche, Ergänzungsband III, Freiburg i. Br. 1968, 280–591.

2 Johannes Paul II., Botschaft an die Zweite Sondergeneralversammlung der Vereinten Nationen über Abrüstung (Juni 1982), 7 (im folgenden zitiert als Botschaft UN-SGV 1982), in: OR 31–32 vom 30. Juli 1982.

3 Johannes Paul II., Der Erde ein ethisches Antlitz geben. Ansprache an die Vertreter von Wissenschaft und Kultur in Hiroshima am 25. Februar 1981, 7, in: AAS 73 (1981) 420–428 = VAS 29, 162–170, hier: 164.

4 Die Pastoralkonstitution über die Kirche in der Welt von heute besteht zwar aus zwei Teilen, bildet jedoch ein Ganzes. Sie wird »pastoral« genannt, weil sie, gestützt auf Prinzipien der Lehre, das Verhältnis der Kirche zur Welt und zu den Menschen von heute darzustellen beabsichtigt. So fehlt weder im ersten Teil die pastorale Zielsetzung noch im zweiten Teil die lehrhafte Zielsetzung. (Vgl. Anm. 1).

5 GS, Anm. zum Prooemium (Vorwort), in: Das Zweite Vatikanische Konzil (Anm. 1), 281.

6 GS 43 (Anm. 1), 415.

7 Johannes Paul II., Botschaft UN-SGV 1982 (Anm. 2), 2.

8 GS 81: VAS 23, 64.

9 GS 80: VAS 23, 63.

10 Vgl. GS 16 (Anm. 1), 329.

11 GS 80: VAS 23, 63.

12 Die genaue Gegenüberstellung zu dieser Vision findet sich bei Joel 4,10ff., wo den fremden Völkern gesagt wird, daß ihnen ihre Waffen nichts nützen, wenn Gottes Zorn über sie kommt.

13 Es ist wichtig anzumerken, daß das Neue Testament in diesem Zusammenhang keine Aussagen macht. Wissenschaftler haben uns darauf hingewiesen, daß es zur Zeit Jesu in Israel Gruppen von Umstürzlern gab. Barrabas zum Beispiel war »im Gefängnis zusammen mit den Aufrührern, die bei dem Aufstand einen Mord verübt hatten« (Mk 15,7). Obwohl Jesus gekommen war, die wahre Gottesherrschaft zu verkündigen und heraufzuführen, die oft im Gegensatz zur

bestehenden Ordnung stand, erwähnt er nicht die Versuche der Zeloten, die Fremdherrschaft mit Gewalt zu beseitigen, er beteiligt sich auch nicht an solchen Versuchen. Vgl. M. Smith, Zealots and Sicarii. Their Origins and Relations, in: Harvard Theological Review 64 (1971), 1–19.

14 Johannes Paul II., Botschaft zum Weltfriedenstag 1982 vom 8. Dezember 1981 (im folgenden zitiert als: Botschaft WF 1982), 12, in: OR 1 (1.1.1982) = VAS 23, 290.

15 Ebd. 11 und 12: VAS 23, 289f.

16 Vgl. Johannes Paul II., Botschaft UN-SGV 1982 (Anm. 2), 13; Paul VI., Botschaft WF 1973 vom 8. Dezember 1972, in: AAS 64 (1972) 753–759 = VAS 23, 127–132 (Auszüge), bes. 130f.

17 Johannes Paul II., Botschaft WF 1982 (Anm. 14), 12: VAS 23, hier: 290f.

18 GS 79: VAS 23, 61f.

19 GS 77: VAS 23, 60.

20 GS 80: VAS 23, 63.

21 Vgl. GS 17 (Anm. 1), 331.

22 GS 78: VAS 23, 60.

23 Johannes Paul II., Botschaft WF 1982 (Anm. 14), 9: VAS 23, 287. Die Pastoralkonstitution GS betont, daß Friede nicht nur eine Frucht der Gerechtigkeit, sondern auch der Liebe ist, die uns zu »einsatzbereiter und tätiger Brüderlichkeit« verpflichtet; vgl. GS 78: VAS 23, 61.

24 GS 79: VAS 23, 62.

25 GS 82: VAS 23, 64.

26 GS 79: VAS 23, 62f.

27 Pius XII., Die Kirche Christi und der Friede unter den Völkern. Weihnachtsbotschaft an das Kardinalskollegium »Confirma fratres tuos« vom 24. Dezember 1948, in: AAS 41 (1949) 5–15, hier zitiert nach: Aufbau und Entfaltung des gesellschaftlichen Lebens. Soziale Summe Pius XII., hrsg. von A. F. Utz und J. F. Groner, Freiburg/Schweiz 1954, 2132–2145 (Abschnitte 4133–4157), hier: 2141 und 2142f. (Abschnitte 4152 und 4154). Dasselbe Thema nimmt Pius XII. im Oktober 1953 anläßlich einer Rede vor dem Internationalen

Kongreß für Strafrecht wieder auf: »Die Völkergemeinschaft muß mit gewissenlosen Verbrechern rechnen, die zur Verwirklichung ihrer ehrgeizigen Pläne nicht davor zurückschrecken, einen totalen Krieg zu entfesseln. Darum bleibt den anderen Völkern, wenn sie ihre Existenz und ihre kostbarsten Güter beschützen und den internationalen Unglücksstiftern nicht freies Spiel lassen wollen, nichts übrig, als sich wohl oder übel auf den Tag vorzubereiten, wo sie sich verteidigen müssen. Dieses Recht zur Verteidigung kann man selbst heute keinem Staat verweigern.« Pius XII., Internationale Vereinheitlichung des Strafrechts. Ansprache an die Teilnehmer des sechsten internationalen Kongresses für Strafrecht am 3. Oktober 1953, in: AAS 45 (1953) 730–744, hier zitiert nach: Utz/Groner, a.a.O., 188–208, hier 193 (Abschn. 444).

28 GS 80: VAS 23, 63.

29 GS 80: VAS 23, 63.

30 Johannes Paul II., Botschaft WF 1982 (Anm. 14), 12: VAS 23, 290f.

31 Augustinus nannte es eine manichäische Häresie zu behaupten, daß Krieg in sich böse sei und der christlichen Barmherzigkeit entgegenstünde; er sagte: »Krieg und Eroberung sind in den Augen grundsatztreuer Männer eine traurige Notwendigkeit; aber es wäre noch schlimmer, wenn die Übeltäter die Gerechten beherrschen würden«, De civitate dei, B.IV, C.15. Aurelius Augustinus, 22 Bücher über den Gottesstaat, Bd. I, Kempten/München 1911, in der Bibliothek der Kirchenväter (BKV), hrsg. von O. Bardenhewer, Th. Schermann u. K. Weymann, Kempten/München 1911ff., Bd. 1, 207. Repräsentative Überblicke über die Geschichte und Theologie der Lehre vom gerechten Krieg bieten: F. H. Russell, The Just War in the Middle Ages, New York 1975; P. Ramsey, War and the Christian Conscience, Durham, N.C. 1961; ders., The Just War: Force and Political Responsibility, New York 1968; J. T. Johnson, Ideology, Reason and the Limitation of War, Princeton 1975; ders., Just War Tradition and the Restraint of War: A Moral and Historical Inquiry, Princeton

1981; L. B. Walters, Five Classic Just-War Theories, Ph. D. Dissertation, Yale University 1971; W. O'Brien, War and-or Survival, New York 1969; ders., The Conduct of Just and Limited War, New York 1981; ders., J. C. Murray, Remarks on the Moral Problem of War, Theological Studies 20 (1959), 40–61.

32 Thomas v. Aquin behandelt das Thema Krieg in: Summa Theologica II-II, qu. 40; vgl. auch II-II, qu. 64. Thomas von Aquin, Summa Theologica, II-II qu. 40 (Der Krieg), in: Summa Theologica. Die deutsche Thomas-Ausgabe, hrsg. von der Albertus-Magnus-Akademie, Bd. 17b, Heidelberg/Graz/Wien/Köln 1966, 82–96; ders., S. T., II-II qu. 64 (De homicidio), in: S. T., Bd. 3, Madrid [3]1963, 410–419.

33 GS 79: VAS 23, 62.

34 Pius XII., Weihnachtsbotschaft 1948 (Anm. 27), 2140 (Abschn. 4150).

35 Für eine Analyse des Inhalts und der Beziehungen zwischen diesen Grundsätzen vgl. R. Potter, The Moral Logic of War, in: McCormick Quarterly 23 (1970), 203–233; J. Childress in: D. J. O'Brien and T. A. Shannon (Hrsg.), Renewing the Earth: Catholic Documents on Peace, Justice and Liberation, New York 1977, 40–58.

36 Vgl. P. Ramsey, The Just War: Force and Political Responsibility (Anm. 31); J. T. Johnson, Ideology, Reason and the Limitation of War (Anm. 31); W. O'Brien, The Conduct of Just and Limited War (Anm. 31), 13–30; W. Vanderpol, La doctrine scolastique du droit de guerre, 387ff.; J. C. Murray, Theology and Modern Warfare, in: W. J. Nagel (Hrsg.), Morality and Modern Warfare, 80ff.

37 Johannes Paul II., Der Dialog für den Frieden. Eine Forderung an unsere Zeit. Botschaft WF 1983 vom 8. Dezember 1982, 11, in: OR 1 vom 1.1.1983 = Dokumentation 5/1982, Pressedienst der Deutschen Bischofskonferenz, 20.12.1982.

38 United States Catholic Conference, Resolution on Southeast Asia, Washington 1971.

39 GS 80: VAS 23, 63.

40 Johannes Paul II., Botschaft WF 1982 (Anm. 14), 12: VAS 23, 291.

41 Declaration of Prevention of Nuclear War vom 24. September 1982.

42 GS 80: VAS 23, 63. (Anm. d. Übers.: In der Anmerkung dazu werden genannt: Pius XII., Ansprache, 30.9.1954: AAS 46 (1954) 589; ders., Radiobotschaft, 24.12.1954: AAS 47 (1955) 15ff.; Johannes XXIII., Pacem in terris: AAS 55 (1963) 286–291 = VAS 23, 28–33; Paul VI., Ansprache an die Vereinten Nationen, 4.10.1965: AAS 57 (1965) 877–885 = VAS 23, 52–59.)

43 GS 80: VAS 23, 63.

44 Johannes Paul II., Botschaft WF 1982 (Anm. 14), 12: VAS 23, 291.

45 Zu den maßgeblichen Autoren in der Tradition des christlichen Pazifismus und der Gewaltlosigkeit gehören: R. Bainton, Christian Attitudes Toward War and Peace, Abington 1960, bes. Kap. 4,5,10; J. Yoder, The Politics of Jesus, Grand Rapids 1972; Nevertheless: Varieties of Religious Pacifism, Scottsdale 1971; T. Merton, Faith and Violence. Christian Teaching and Christian Practice, Notre Dame 1968; G. Zahn, Conscience and Dissent, New York 1967; E. Egan, The Beatitudes of Works of Mercy and Pacifism, in: T. Shannon (Hrsg.), War or Peace, The Search for New Answers, New York 1980, 169–187; J. Fahey, The Catholic Church and the Arms Race, in: Worldview 22 (1979), 38–41; J. Douglass, The Nonviolent Cross. A Theology of Revolution and Peace, New York 1966.

46 Justinus, Dialog mit dem Juden Tryphon, Kap. 110, BKV 33 (Anm. 31), Kempten/München 1917, 177; ders., 1. Apologie, Kap. 14 u. 39, BKV 12, Kempten/München 1913, 24f. u. 51f.

47 Caecilius Cyprianus, Briefe, Sämtliche Schriften 2, BKV 60 (Anm. 31), München 1928, 244.

48 Sulpicius Severus, Leben des heiligen Bekennerbischofs Martinus, BKV 20 (Anm. 31), Kempten/München 1914, 24.

49 GS 79: VAS 23, 63.

50 GS 78: VAS 23, 61.

51 Human Life in Our Day, Kap. 2, U.S. Catholic Conference, Washington D.C., 1968.

52 GS 80: VAS 23, 63.
53 GS 80: VAS 23, 63.
54 Johannes Paul II., Ansprache in Hiroshima (Anm. 3), 4: VAS 29, 164.
55 Vgl. Declaration on Prevention of Nuclear War.
56 Paul VI., Botschaft WF 1976 vom 18. Oktober 1975, in: AAS 67 (1975) 666–671 = VAS 23, 157–161, hier: 161.
57 Vgl. Der Heilige Stuhl und die Abrüstung. Stellungnahme des Heiligen Stuhls an die UNO-Vollversammlung, Vatikanstadt 1976 (hrsg. von der Päpstlichen Kommission Iustitia et Pax).
58 R. Adams and S. Cullen, The Final Epidemic. Physicians and Scientists on Nuclear War, Chicago 1981.
59 Päpstliche Akademie der Wissenschaften, Erklärung über die Folgen des Einsatzes von Kernwaffen, in: »Frankfurter Rundschau« Nr. 89 vom 17.4.1982.
60 Johannes Paul II., Botschaft WF 1982 (Anm. 14), 6: VAS 23, 285.
61 Die folgenden Zitate stammen von Regierungsangehörigen, die auf höchster staatlicher Ebene in früheren Regierungen der USA tätig waren:

»Es ist Zeit zu erkennen, daß es niemandem je gelungen ist, einen überzeugenden Grund für die Annahme anzubieten, daß irgendein Einsatz von Kernwaffen, und sei es kleinsten Ausmaßes, mit einiger Sicherheit begrenzt gehalten werden könnte.« McG. Bundy, G. F. Kennan, R. S. McNamara und Smith, Kernwaffen und das Atlantische Bündnis, in: Europa-Archiv 7 (1982), 187.

»Nach meinen Erfahrungen im Krieg ist es unmöglich, die (nukleare Eskalation)... unter Kontrolle zu halten: wegen des Mangels an Information, des Zeitdrucks und der tödlichen Folgen auf beiden Seiten des Schlachtfeldes.« Gen. A. S. Collins, Jr. (ehem. stellvertretender Oberbefehlshaber der US-Armee in Europa), Theater Nuclear Warfare: The Battlefield, in: J. F. Reichart und S. R. Sturn (Hrsg.), American Defense Policy, Baltimore [5]1982, 359–360.

»Auch diese potentielle Flexibilität kann in keiner Weise

meine Ansicht ändern, daß ein voller nuklearer Schlagabtausch eine nie dagewesene Katastrophe für die Sowjetunion und für die Vereinigten Staaten wäre. Auch ist es keineswegs klar, daß man die Eskalation eines Ersteinsatzes von Nuklearwaffen – wie selektiv auch immer die Ziele ausgewählt sein mögen – zu einem vollen nuklearen Schlagabtausch verhindern könnte, vor allem, wenn Kommando- und Kontrollzentren angegriffen werden. Die Wahrscheinlichkeit ist groß, daß man auf beiden Seiten die Kontrolle über den Schlagabtausch verliert, ob die Waffen nun gegen taktische oder strategische Ziele eingesetzt werden.« Harold Brown, Department of Defense Annual Report FY 1979, Washington 1978. Vgl. auch: The Effects of Nuclear War, Washington 1979, U.S. Government Printing Office.

62 Vgl. z.B.: H. A. Kissinger, Nuclear Weapons and Foreign Policy, New York 1957; ders., The Necessity for Choice, New York 1960; R. Osgood und R. Tucker, Force, Order and Justice, Baltimore 1967; R. Aron, The Great Debate. Theories of Nuclear Strategy, New York 1965; D. Ball, Can Nuclear War Be Controlled? Adelphi Paper Nr. 161, London 1981; M. Howard, On Fighting A Nuclear War, in: International Security 5 (1981), 3–17.

63 Päpstliche Akademie der Wissenschaften (Anm. 59).

64 Pius XII., Richtlinien der ärztlichen Moral. Ansprache an die Teilnehmer des 8. Intern. Ärztekongresses, Rom, 30. September 1954, in: AAS 46 (1954) 587–598 = Utz/Groner (Anm. 27), 3144–3154, hier: 3147.

65 GS 80: VAS 23, 63.

66 Vgl. GS 80: VAS 23, 63.

67 Vgl. McG. Bundy et al., Kernwaffen und das Atlantische Bündnis (Anm. 61); K. Kaiser, G. Leber, A. Mertes, F. J. Schulze, Kernwaffen und die Erhaltung des Friedens, in: Europa-Archiv 12 (1982), 357–368; vgl. weitere Antworten auf den Artikel von McG. Bundy et al., in: Foreign Affairs 60 (1982).

68 Aussagen vor der bischöflichen Kommission während der Vorbereitung dieses Hirtenbriefes; vgl. auch die Zitate in Anm. 61.

69 Unsere Folgerungen und Urteile auf diesem Gebiet beruhen zwar auf sorgfältigem Studium und auf Überlegungen, was die Anwendung der moralischen Prinzipien betrifft, haben aber natürlich nicht das gleiche Gewicht wie die Prinzipien selbst und gestatten daher verschiedene Meinungen, wie die Zusammenfassung deutlich macht.

70 Zweifellos in Kenntnis der langen und detaillierten Fachdebatte über den begrenzten Krieg, beleuchtete Papst Johannes Paul II. das unannehmbare moralische Risiko der Überschreitung der Schwelle zum nuklearen Krieg in seiner »Angelus-Ansprache« vom 13. Dezember 1981: »Ich bin in der Tat zutiefst davon überzeugt, daß angesichts der wissenschaftlich untermauerten Auswirkungen eines Atomkrieges die einzige moralisch und menschlich vertretbare Entscheidung die Reduzierung der Atomwaffen ist – in Erwartung ihrer künftigen vollständigen Beseitigung, die durch ausdrückliche Übereinkünfte und die Verpflichtung zur Anerkennung wirksamer Kontrollen gleichzeitig auf allen Seiten verwirklicht werden muß«, in: OR 51–52 vom 18.12.1981 = VAS 23, 293f., hier: 293.

71 W. H. Kincade and J. D. Porro, Negotiating Security. An Arms Control Reader, Washington 1979.

72 Vgl. z.B. die überblicksartigen Darstellungen bei: J. H. Kahin, Security in the Nuclear Age. Developing U.S. Strategic Policy, Washington 1975; M. Mandelbaum, The Nuclear Question. The United States and Nuclear Weapons 1946–1976, Cambridge (GB) 1979; B. Brodie, Development of Nuclear Strategy, in: International Security 2 (1978), 65–83.

73 Die Beziehungen dieser beiden Ebenen von Politik ist das Hauptthema eines Artikels von D. Ball: U.S. Strategic Forces. How Would They Be Used?, in: International Security 7 (1982–1983), 31–60.

74 GS 81: VAS 23, 64.

75 U.S. Catholic Conference (Hrsg.), To Live in Christ Jesus, Washington 1976, 34.

76 J. Card. Krol, Testimony on SALT II, in: Origins, Vol. 9, Nr. 13, 13. September 1979, 195–199, hier: 197.

77 Johannes Paul II., Botschaft UN-SGV 1982 (Anm. 14), 3.

78 Ebd., 8. Anm. d. Übers.: Dasselbe Zitat bildet auch die Grundlage für die Beurteilung durch die Deutsche Bischofskonferenz, in: Gerechtigkeit schafft Frieden (Vorbemerkung d. Übers.), 52.

79 Papst Johannes Paul II., Ansprache an den Exekutivrat der UNESCO in Paris am 2. Juni 1980, in: OR 23 vom 6.6.1980 = VAS 23, 240–243 (Auszüge), hier: 241.

80 Johannes Paul II., Brief an das internationale Seminar über die globalen Folgen eines nuklearen Konfliktes vom 23. August 1982.

81 Besonders hilfreich war ein Brief des Nationalen Sicherheitsberaters, William Clark, an Kardinal Bernardin vom 15. Januar 1983. Clark stellt fest: »Aus moralischen, politischen und militärischen Gründen ist die Zivilbevölkerung der Sowjetunion als solche nicht Teil der amerikanischen Zielplanung. Mit den Worten ›als solche‹ ist keine bewußte Unklarheit beabsichtigt. Wir gefährden nicht die Existenz der sowjetischen Zivilisation, indem wir sowjetische Städte bedrohen. Vielmehr bedrohen wir das Kriegführungspotential der Sowjetunion, ihre Streitkräfte und ihre Industriekapazität, die zur Unterstützung der Kriegführung in Frage kommt. Es wäre unverantwortlich von uns, irgendwelche Äußerungen über unsere Pläne zu machen, aus denen die Sowjets entnehmen könnten, daß es für sie vorteilhaft wäre, ihre dicht besiedelten Gebiete als besonders geschützte Räume zu betrachten, und die Sowjets auf diese Weise zu veranlassen, einen großen Teil ihres Kriegführungspotentials innerhalb dieser städtischen Sanktuarien unterzubringen.« Eine Bestätigung der Regierungspolitik findet sich auch im Jahresbericht von Minister Weinberger an den Kongreß: »Die Politik der Reagan-Administration ist, daß solche Waffen unter gar keinen Umständen vorsätzlich zu dem Zweck benutzt werden dürfen, die Zivilbevölkerung zu vernichten«, C. Weinberger, Annual Report to Congress, February 1, 1983, 55. Weinbergers Brief an Bischof O'Connor vom 9. Februar 1983 enthält eine ähnliche Aussage.

82 Vgl. S. Zuckermann, Nuclear Illusion and Reality, New York 1982; D. Ball, U.S. Strategic Forces (Anm. 73), 36; T. Powers, Choosing a Strategy for World War III, in: The Atlantic Monthly, November 1982, 82–110.

83 Vgl. Päpstliche Akademie der Wissenschaften (Anm. 59).

84 Mehrere Strategieexperten würden sowohl die MX- als auch die Pershing-II-Raketen in diese Kategorie einordnen.

85 In allen aufeinanderfolgenden Entwürfen dieses Briefes haben wir versucht, als ein zentrales moralisches Gebot festzuhalten: Der Rüstungswettlauf sollte gestoppt und mit der Abrüstung begonnen werden. Für die Erfüllung dieses Gebots sind eine Vielzahl von Wegen denkbar. Daher haben wir in diesem Abschnitt unsere eigene Sprache gewählt, weil wir nicht wollten, daß man uns mit einer bestimmten politischen Initiative identifiziert oder unsere Worte gegen bestimmte politische Maßnahmen benutzt.

86 Vgl. die Rede von Präsident Reagan vor dem Nationalen Presseclub am 18. November 1981 sowie seine Ansprache vor dem Eureka College am 9. Mai 1982, in: Department of State, Current Policy, 346 und 387.

87 Johannes Paul II., Der Friede – aufgebaut wie eine Kathedrale. Predigt des Papstes bei der Messe am Flughafen von Coventry am 30. Mai 1982, in: VAS 39, 47–51, hier: 47f.

88 Die beiden Verträge sind: Vertrag zwischen den Vereinigten Staaten von Amerika und der Union der Sozialistischen Sowjetrepubliken über die Begrenzung von unterirdischen Kernwaffenversuchen vom 3. Juli 1974, deutsch in: G. Fahl: Rüstungsbeschränkung durch internationale Verträge, Berlin 1980, 163–168; Vertrag zwischen den Vereinigten Staaten von Amerika und der Union der Sozialistischen Sowjetrepubliken über unterirdische Kernexplosionen zu friedlichen Zwecken vom 28. Mai 1976, deutsch in: ebd. 169–197.

89 Johannes Paul II., Botschaft UN-SGV 1982 (Anm. 14), 8.

90 Weinbergers Brief an Bischof O'Connor (Anm. 81) nennt im einzelnen Maßnahmen für die Kommando- und Kontrolleinrichtungen, die verhindern sollen, daß Atomwaffen ohne Befehl abgefeuert werden.

91 Johannes Paul II., Botschaft UN-SGV 1982 (Anm. 14), 9; vgl. U.S. Catholic Conference, Arms Export Policies – Ethical Choices, At Issue 2, Washington 1978, mit Vorschlägen zur Kontrolle des Handels mit konventionellen Waffen.

92 Der International Security Act von 1976 sieht solche Berichte über die Menschenrechte vor.

93 Johannes Paul II., Ansprache vor der Vollversammlung der Vereinten Nationen in New York am 2. Oktober 1979, in: AAS 71 (1979) 1144–1160 = VAS 23, 217–232 (Auszüge), hier: 232.

94 Johannes Paul II., Predigt am Flughafen von Coventry (Anm. 87): VAS 39, 48. (Anm. d. Übers.: Im amerikanischen Originaltext heißt es »totally unacceptable«, wörtlich also: »völlig unannehmbar«. In der offiziellen deutschen Übersetzung, abgedruckt in VAS 39, heißt es dagegen: »durchaus unannehmbar«. Da der Unterschied so gravierend ist, wurde abweichend von der offiziellen deutschen Übersetzung die wörtliche korrekte Übersetzung wiedergegeben.)

95 GS 78: VAS 23, 61.

96 Vgl. G. Sharp, The Politics of Nonviolent Action, Boston 1973; R. Fisher and W. Ury, Getting to Yes. Negotiating Agreement Without Giving In, Boston 1981.

97 Johannes Paul II., Botschaft WF 1982 (Anm. 14), 7: VAS 23, 285.

98 To Establish the U.S. Academy of Peace. Report of the Commission on Proposals for the National Academy of Peace and Conflict Resolution, Washington 1981, 119–120.

99 U.S. Catholic Conference, Statement on Registration and Conscription for Military Service, Washington 1980; vgl. auch Human Life in Our Day, 42–45.

100 Paul VI., Enzyklika »Populorum progressio« vom 26. März 1967, in: AAS 59 (1967), 257–299 = VAS 23, 73–80 (Auszüge), hier: 79.

101 Vgl. Utz/Groner (Anm. 27), VAS 23, u.a.

102 Vgl. Johannes XXIII., Enzyklika »Pacem in terris« vom 11. April 1963, in: AAS 55 (1963), 257–304 = VAS 23, 15–38 (Auszüge), bes. 24–37 (Abschnitte 80–145).

103 Beispiele für die politischen Probleme und Möglichkeiten, die sich aus der Interdependenz ergeben, in: R. O. Keohane and J. S. Nye Jr., Power and Interdependence, Boston 1977; S. Hoffmann, Primacy or World Order, New York 1978; The Overseas Development Council, The U.S. and World Development 1979, 1980, 1982, Washington D.C.

104 Johannes XXIII., Pacem in terris (Anm. 102), 137: VAS 23, 34f.

105 Dies war besonders der Fall auf den beiden UN-Sondergeneralversammlungen für Abrüstung 1978 und 1982.

106 Pastoralbrief der Bischofskonferenz der Vereinigten Staaten von Amerika über den marxistischen Kommunismus, in: Stimmen der Weltkirche 13, hrsg. vom Sekretariat der Deutschen Bischofskonferenz, Bonn 1980, hier: 20. (Anm. d. Übers.: Die Übersetzung folgt hier dem amerikanischen Original und stimmt nicht wörtlich mit dem Text in »Stimmen der Weltkirche« überein.)

107 Es gibt eine ausführliche Debatte über die amerikanisch-sowjetischen Beziehungen. Beispiele aus jüngster Zeit: A. Ulam, U.S.-Soviet Relations: Unhappy Coexistence: America and The World, 1978, in: Foreign Affairs 57 (1979), 556–571; W. G. Hyland, U.S.-Soviet Relations: The Long Road Back: America and The World, 1981, in: Foreign Affairs 60 (1982), 525–550; R. Legvold, Containment Without Confrontation, in: Foreign Policy 40 (1980), 74–98; S. Hoffmann, Muscle and Brains, in: Foreign Policy 37 (1979/80), 3–27; P. Hassner, Moscow and The Western Alliance, in: Problems of Communism 30 (1981), 37–54; S. Bialer, The Harsh Decade: Soviet Policies in the 1980s, in: Foreign Affairs 59 (1981), 999–1020; G. Kennan, The Nuclear Delusion: Soviet-American Relations in the Atomic Age, New York 1982; N. Podhoretz, The Present Danger, New York 1980; P. Nitze, Strategy in the 1980s, in Foreign Affairs 59 (1980), 82–101; R. Strode and C. Gray, The Imperial Dimension of the Soviet Military Power, in: Problems of Communism 30 (1981), 1–15; International Institute for Strategic Studies, Prospects of Soviet Power in the 1980s, Teile I und

II; Adelphi Papers Nr. 151 und 152, London 1979; S. S. Kaplan (Hrsg.), Diplomacy of Power: Soviet Armed Forces as a Political Instrument, Washington 1981; R. Barnet, The Giants: Russia and America, New York 1977; M. McGwire, Soviet Military Requirements, The Brookings Institute, Washington 1982; R. Tucker, The Purposes of American Power, in: Foreign Affairs 59 (1980/81), 241–274; A. Geyer, The Idea of Disarmament: Rethinking the Unthinkable, Washington 1982. Über sowjetische Vertragstreue vgl. The SALT Syndrome Charges and Facts: Analysis of an ›Anti-SALT Documentary‹, Report prepared by U.S. government agencies (State, Defense, CIA, ACDA and NSC), wieder abgedruckt in: The Defense Monitor, Bd. 10, Nr. 8A, Centre for Defense Information.

108 Johannes Paul II., Botschaft WF 1983 (Anm. 37), 7.

109 Johannes Paul II., Enzyklika »Redemptor hominis« vom 4. März 1979, in: AAS 71 (1979) 257–324 = VAS 23, 194–208 (Auszüge), hier: 201; Gesamttext in VAS 6.

110 Die Formulierung und die Erläuterung dazu finden sich im Weltentwicklungsbericht 1978 der Weltbank, Washington D.C.; vgl. auch 1979 und 1980.

111 Johannes Paul II., Lazarus des zwanzigsten Jahrhunderts. Predigt im New Yorker Yankee-Stadion am 2. Oktober 1979, in: VAS 13, 92–97, hier: 94.

112 Paul VI., Ansprache vor der Vollversammlung der Vereinten Nationen in New York am 4. Oktober 1965, in: AAS 57 (1965) 877–885 = VAS 23, 52–59, hier: 54.

113 GS 81: VAS 23, 64.

114 Vgl. Hoffmann (Anm. 103); Der Palme-Bericht. Bericht der Unabhängigen Kommission für Abrüstung und Sicherheit, Berlin 1982.

115 Für eine Analyse der politischen Probleme der Neuverteilung von Ressourcen vgl.: B. M. Russett, The Prisoners of Insecurity, San Francisco 1983; Der Palme-Bericht (Anm. 114); UN Report on Disarmament and Development, New York 1982; United Nations, The Relationship Between Disarmament and Development. A Summary, Fact Sheet 21, New York 1982.

116 Johannes Paul II., Redemptor hominis (Anm. 109), 21. Ein Großteil des folgenden bezieht sich auf: A. Dulles, A Church to Believe, in: Discipleship and the Dynamics of Freedom, New York 1982.

117 Johannes Paul II., Botschaft WF 1982 (Anm. 14), 4: VAS 23, 282.

118 Paul VI., Botschaft WF 1977, in: AAS 68 (1976) 707–714 = VAS 23, 164–171, hier: 166.

119 GS 79: VAS 23, 63.

120 Johannes Paul II., Ansprache in Hiroshima (Anm. 3): VAS 29, 164.

121 Ebd., 164. (Anm. d. Übers.: Satz- und Sinnzusammenhang machen es an dieser Stelle erforderlich, auf die Übernahme der offiziellen deutschen Übersetzung zu verzichten und sich am amerikanischen Original zu orientieren.)

122 GS 75 (Anm. 1), 529.

123 Johannes Paul II., Ansprache vor dem Friedensdenkmal in Hiroshima am 25. Februar 1981, in: OR 10 vom 6. März 1981 = VAS 23, 275–280, hier: 276.

124 GS 75 (Anm. 1), 527.

125 Human Life in Our Day, 41.

126 Johannes XXIII., Pacem in terris (Anm. 102): VAS 23, 34f.

127 Paul VI., Ansprache vor der UNO-Vollversammlung 1965 (Anm. 112): VAS 23, 54.

Katholische Bischöfe der Niederlande

1 Brief des Rates der Kirchen an den Ministerpräsidenten v. 9.2.1978, übernommen aus Analecta Aartsbisdom Utrecht, 1978, p. 153–155 (Anlage I).
Brief Seiner Eminenz Kardinal Willebrands an den Ministerpräsidenten vom 14.2.1976, übernommen aus Analecta Aartsbisdom Utrecht 1978, p. 155–156 (Anlage I).
Brief Seiner Eminenz Kardinal Willebrands an die Mitglieder der Zweiten Kammer der Generalstaaten vom 6.12.1979 (Anlage II).

2 Zusammenfassung Consultation Kernbewaffnung, KASKI-rapport Nr. 373 (Anlage III).

3 Botschaft von Papst Johannes Paul II., Weltfriedenstag 1.1.1982, Archief der Kerken 37 (1982) kol. 244–245 (Deutsche Übersetzung: Pressedienst der Deutschen Bischofskonferenz, Dokumentation P 13/81 v. 21.12.81).

4 Vgl. P. Abrecht and N. Koshy, eds, Before it is too late, The Challenge of Nuclear Disarmament, The Complete Record of the Public Hearing on Nuclear Weapons and Disarmament organized by the World Council of Churches, Geneva, 1983, pag. 18.

5 Die pastorale Konstitution »Gaudium et spes« Nr. 80: »Die besondere Gefahr des modernen Krieges besteht darin, daß er sozusagen denen, die im Besitz neuerer wissenschaftlicher Waffen sind, die Gelegenheit schafft, solche Verbrechen zu begehen, und in einer Art unerbittlicher Verstrickung den Willen des Menschen zu den fürchterlichsten Entschlüssen treiben kann.«

6 Over Kernwapens, Teksten uit de R. K. Kerk, Amersfoort, pag. 26 e.v.

7 Le Monde, 29.12.1982.

8 Botschaft von Papst Johannes Paul II. an die Zweite außerordentliche Abrüstungskonferenz der Vereinten Nationen, verlesen von Kardinalstaatssekretär Casaroli am 14.6.1982.

9 Erklärung der Päpstlichen Akademie der Wissenschaften über »die Konsequenzen eines nuklearen Konfliktes« vom 7./8. Oktober 1981.

10 Over Kernwapens, o.c. pag. 13.

11 Papst Johannes Paul II. in einer Ansprache vor der UNESCO, 2.6.1980, Archief der Kerken 35 (1980), kol. 1043–1056 (Deutsche Übersetzung: Wort und Weisung im Jahr 1980).

12 Pastorale Konstitution »Gaudium et spes«, Nr. 80.

13 Pastorale Konstitution »Gaudium et spes«, Nr. 80.

14 Erklärung der Päpstlichen Akademie der Wissenschaften über »die Konsequenzen eines nuklearen Konfliktes«.

15 Vgl. auch das Memorandum der kanadischen Kirchen an

Premierminister Trudeau vom 14.12.1982, in Documentation Catholique, Nr. 1854 vom 6.2.1983, p. 175.

16 Enzyklika »Pacem in terris« vom 11.4.1963, Papst Johannes XXIII., vgl. Nr. 112.

17 Vgl. C. F. von Weizsäcker in: Die Zeit, 15.10.1982, pag. 20.

18 Enzyklika »Pacem in terris«, Nr. 127.

19 Vgl. Pastoraler Brief über den Frieden »Oorlog in de ban« der niederländischen Bischöfe vom 25.1.1969.

20 Botschaft von Papst Johannes Paul II. an die Zweite außerordentliche Abrüstungskonferenz der Vereinten Nationen, verlesen von Kardinalstaatssekretär Casaroli am 14.6.1982.

21 Pastorale Konstitution »Gaudium et spes«, vgl. Nr. 81.

22 Papst Johannes Paul II. in einer Ansprache vor der UNESCO, 2.6.1980, Archief der Kerken 35 (1980), kol. 1043–1056.

23 Botschaft von Papst Johannes Paul II. an die Zweite außerordentliche Abrüstungskonferenz der Vereinten Nationen, verlesen von Kardinalstaatssekretär Casaroli am 14.6.1982. (Deutsche Übersetzung: L'Osservatore Romano, deutsche Ausgabe, vom 30.7.1982)

24 Siehe Anlage I und II.

25 Botschaft von Papst Johannes Paul II. an die Zweite außerordentliche Abrüstungskonferenz der Vereinten Nationen, verlesen von Kardinalstaatssekretär Casaroli am 14.6.1982. (Deutsche Übersetzung: L'Osservatore Romano, deutsche Ausgabe, vom 30.7.82)

26 Ebd.

27 Weekbulletin Persbureau Nederlandse Hervormde Kerk vom 2.12.1982 (Wöchentl. Bulletin des Pressebüros der Niederl. Reformierten Kirche vom 2.12.1982).
Vgl. den Brief der Niederländischen Bischöfe »aan de christen-militairen« (an die christlichen Militärpersonen), siehe »1-2-1«, Jg 11, pp 73 en 73.

28 Botschaft von Papst Paul VI. an die Erste Sondersitzung über Abrüstung der Vereinten Nationen vom 7.6.1978, Archief der Kerken 33 (1978) kol. 595–601.

29 Schlußakte der Konferenz über Sicherheit und Zusammenar-

beit in Europa, Helsinki, 1.8.1975, Publikation des (niederl.) Ministeriums für auswärtige Angelegenheiten, Den Haag, 1975, pag. 7. (Deutsche Übersetzung: Archiv der Gegenwart, 45. Jahrgang, 1975)

30 Botschaft von Papst Johannes Paul II. anläßlich des Weltfriedenstages 1.1.1983, Archiv der Kerken 37 (1982) kol. 244–245.

31 Enzyklika »Pacem in terris«, Kapitel IV: Die Beziehungen zwischen den einzelnen politischen Gemeinschaften und der Völkergemeinschaft.

32 Botschaft von Papst Johannes Paul II. vom 1. Jan. 1982, Archief der Kerken 37 (1982), kol. 242. (Deutsche Übersetzung: Pressedienst der Deutschen Bischofskonferenz, Dokumentation P 13/81 vom 21.12.1981)

33 Botschaft von Papst Johannes Paul II. anläßlich des Weltfriedenstages 1.1.1982, Archief der Kerken 37 (1982) kol. 244–245. (Deutsche Übersetzung: Pressedienst der Deutschen Bischofskonferenz, Dokumentation P 13/81 vom 21.12.1981)

34 Botschaft von Papst Paul VI. an die Erste Sondersitzung über Abrüstung der Vereinten Nationen vom 7.6.1978, Archief der Kerken 33 (1978) kol. 595–601.

35 Botschaft von Papst Johannes Paul II. anläßlich des Weltfriedenstages 1.1.1982, Archief der Kerken 37 (1982) kol. 244–245.

In den Anmerkungen wird auf L'Osservatore Romano verwiesen, weil manchmal im Archief der Kerken von dem betreffenden Text noch keine Übersetzung veröffentlicht wurde.

Sachregister

Seitenzahlen in Fettdruck kennzeichnen wichtige Aussagen, Kriterien und Forderungen der Bischöfe.
Um einen Vergleich der nationalen Stellungnahmen der Bischöfe zu ermöglichen oder eine bestimmte leichter aufzufinden, sind die Seitenzahlen mit Ländersignaturen versehen (BRD, DDR, N, Ö, Schw, USA).